Edición de vídeo

con Avid Media Composer

TÍTULOS ESPECIALES

Título de la obra original:
Avid Editing. Fourth Edition

Responsable Editorial:
Eugenio Tuya Feijoó

Traductora:
Eva Gallud Jurado

Diseño de cubierta:
Cecilia Poza Melero

Imagen de cubierta:
Jorge Notario Cámara y Daniel Marcelo Venditti

Edición de vídeo

con Avid Media Composer

Sam Kauffmann

Edición española:

© EDICIONES ANAYA MULTIMEDIA (GRUPO ANAYA, S.A.), 2010
Juan Ignacio Luca de Tena, 15. 28027 Madrid
Depósito legal: M. 1.979-2010
ISBN: 978-84-415-2683-9
Printed in Spain
Impreso en: Fernández Ciudad, S. L.

Para Katie, Allie y Derek.

"Nuestro temor más profundo no es que seamos inadecuados.
Nuestro temor más profundo es que somos excesivamente poderosos."

—Nelson Mandela

Agradecimientos

Hay muchas personas a las que debo dar las gracias por su ayuda, más que a nadie a los muchos alumnos a los que he tenido el placer de enseñar durante la última década. Son demasiados para nombrarlos, pero todos ellos me enseñaron tanto como yo a ellos.

Quiero agradecer especialmente a Jeffrey y Marilyn Katzenberg. Su hijo, David, se graduó en nuestro programa de cinematografía y después de su graduación los Katzenberg nos hicieron un generoso regalo que nos permitió pasarnos a la alta definición y equipar el laboratorio de Avid adecuadamente. David era un alumno con talento al que era un placer enseñar.

Muchas gracias a los empleados de Avid Bob Russo, Greg Staten, Bob Barnshaw y Ashley Kennedy por sus muchas sugerencias en el camino. Loren Miller me enseñó cómo utilizar el software de Avid hace muchos años y le estoy agradecido.

Mis colegas de la Universidad de Boston me han aconsejado y animado a lo largo de mi carrera docente. Jamie Companeschi, Jose Ponce y Jim Baab, todos ellos me ofrecieron valiosa ayuda técnica y ayudaron a mis alumnos con sus dificultades cada vez que yo no estaba. Jamie, Jose y DP Bob Demers filmaron una de las escenas del DVD-ROM adjunto. También quiero dar las gracias a Mary Jane Doherty, Bob Arnold, Geoff Poister, Bill Lawson, Alan Wong y Charles Merzbacher.

Gracias a Joanna Jefferson, Mary Choi, Brad Kimbrough y mis hermanos, Margaret, Louise y Bruce Kauffmann, que fueron mis primeros amigos y profesores.

Muchas gracias a mis antiguos alumnos Kate Shanapy y Tim Eberle, que son Kate y Tim en *Wanna Trade*. Y gracias a los actores Josh Wingate y Rache Neuman, que interpretan a Peter y Michele en *Gaffer's Delight*.

Este libro no habría sido posible sin Kate Cress, que aportó su valioso apoyo y consejo en cada paso del camino.

Sobre el autor

Sam Kauffmann es profesor de cinematografía en el College of Communication de la Universidad de Boston, donde enseña producción cinematográfica y en vídeo y da clases de edición digital. Recientemente ha vuelto de Ruanda, donde rodó la película *Massacre at Murambi*, proyectada a nivel nacional. En 2004, fue becado con una Fulbright, dando clases en la Makerere University en Kampala, donde realizó su premiada película *Living with Slim: Kids talk about HIV/AIDS*. Sus películas han sido mostradas en el Museum of Modern Art, a través de la Red, el cable y la televisión local estadounidense, y han sido proyectadas y galardonadas en festivales cinematográficos, incluyendo Seattle, Hot Springs, Media That Matters, Amnistía Internacional, San Francisco y Slamdance.

Índice

Agradecimientos 7
Sobre el autor 8

Introducción **23**

Capítulo 1. Primeros pasos **27**

El trabajo del editor 27
Abrir el software Avid 28
Las partes del sistema 30
    Sistema operativo 30
    Memoria del sistema 30
    Paneles de captura 30
    Unidades de medios 31
    El "dongle" 31
    Monitores 32
    Altavoces 32
    El monitor cliente 32
    UPS 33
    Dispositivos de entrada 34
    Unas palabras sobre el código de tiempo 34

Flujo de trabajo de edición con Avid 35
    Reunir cintas, archivos y unidades 35
    Crear un nuevo proyecto 36
    Capturar/Importar 36
    Crear latas 37
    Edición 37
    Añadir títulos y efectos 38
    Trabajo de sonido 38
    Salida del proyecto 38
Inicio 39
La interfaz Avid en su ordenador 41
    Menú de herramientas 41
    Ventana de proyecto 42
    Latas 42
    Clips 42
    Vistas de Bin 43
    SuperBin 44
    Monitor de origen 45
    Monitor de grabación 45
    Línea temporal 46
    Comandos 46
    El teclado 47
    Reproducción con tres botones 48
    La barra espaciadora 48
    Las teclas I y O 48
    Otros comandos importantes 48
    Ventana activa 50
Práctica 50
Inicio de una sesión de edición 50
    Realizar el primer montaje 51
    Añadir tomas a la secuencia 53
Finalizar una sesión de edición 56

Capítulo 2. Conceptos básicos de edición **59**

Reglas de edición 59
Comenzar la segunda sesión de edición 60
Habilidades básicas de edición 61
    Marcar clips 61
    Splice y Overwrite 62
Menú de Source Monitor 62
Timeline 63
    Seleccionar y deseleccionar pistas 63
    Navegación de Timeline 64

Inicio y Fin 64
Saltar instantáneamente a puntos de corte 64
Indicador de posición 65
Teclas de fotograma único 65
Cambiar la vista de Timeline 66
Menú rápido de Timeline 66
Escalar y Desplazar la Timeline 67
Aumentar y reducir pistas 67
Iconos de Track Monitor (Monitor de pista) 68
Marcar clips en Timeline 69
Duplicar una secuencia 69
Lift y Extract 70
Recortar tomas utilizando Extraer 73
Son necesarias tres marcas para hacer una edición 73
Como un mantra 75
Utilizar el portapapeles 75
Lista Deshacer/Hacer 76
Tareas recomendadas 76

Capítulo 3. Recorte **79**

Trim Mode 80
Práctica del Trim Mode 80
Rodillo doble en Trim Mode 80
Salir de Trim Mode 82
Enlazar la transición 83
Rodillo único en Trim Mode 83
Entrar en Single-Roller Trim Mode 84
Teclas de recorte de fotograma 85
Botón de Revisión de transición 87
Recortar arrastrando 87
Práctica de recorte 88
Deshacer en Trim Mode 89
Contadores de fotogramas 89
Más práctica 90
Utilizar el rodillo doble en Trim Mode 91
Edición partida o corte en L 92
Eliminar una edición partida 93
Cambiar de rodillo sencillo a rodillo doble 93
Añadir y eliminar rodillos 94
Técnicas avanzadas de Trim Mode 94
Recortar durante el visionado 95
Recortar una cara y después la otra 96
Arrastrar hasta una marca 96

Problemas de sincronización en Trim Mode de rodillo sencillo 97
Entrar en Trim Mode en pistas seleccionadas 98
Recorte J-K-L 99
Revisión de Trim Mode 99
    Entrar en Trim Mode 99
    Salir de Trim Mode 99
    Cambiar entre modos de recorte 99
    Añadir y eliminar rodillos 100
    Arrastrar rodillos 100
    Recortar durante el visionado 100
Tareas recomendadas 100

Capítulo 4. La ventana de proyecto **103**

Crear una lata 103
Todo sobre las latas 104
    Seleccionar clips 105
    Trabajar en modo SuperBin 105
    Encabezados de lata en Vista Texto 106
    Mover columnas 108
    Ordenar 108
    Vista Fotograma 108
Iniciar una nueva secuencia 109
Edición arrastrar y soltar 110
Eliminar secuencias y clips 111
Crear carpetas 112
Settings: A su manera 113
    Perfil de usuario 113
    Tipos de configuraciones 114
    Bin Settings 115
    Composer Settings 116
    Interface 117
    Opciones de teclado 118
    Cambiar botones de comando 121
    Guardar la configuración de pantalla 122
    Color de pista 122
Tareas recomendadas 123
Pestañas de la Paleta de comandos 123

Capítulo 5. Unos cuantos consejos de edición **127**

Cuándo cortar 127
Continuidad y recorrido de la mirada 128
Dirección de pantalla 129
Pauta 132

Estructura de la historia: Planteamiento, nudo y desenlace 133
Cuestiones en documentales 134
Lo bueno, si breve 135
Proyección de una obra en progreso 136
    Ser su propio proyeccionista 136
    Interrogue a su público 136
    Desarrollar la insensibilidad 138
Tareas recomendadas 138

Capítulo 6. Iniciar un nuevo proyecto y capturar desde cinta 141

Iniciar un nuevo proyecto 141
Definición estándar 143
    NTSC 144
    Exploración entrelazada 144
    Exploración progresiva 144
    Opciones de proyecto Avid NTSC 145
    El estándar PAL 145
    El estándar SECAM: Olvídese de él 146
Alta definición 146
    Raster Dimension 147
    HDV 148
    DVC Pro HD 148
    HD Estándar 148
Conectar el equipo 149
    Cables 149
    Conectar cámaras y pletinas HDV 150
    Configurar una cámara o pletina 150
Nombrar las cintas 153
Organizar las latas 153
La herramienta de captura 153
    Trabajar con la herramienta de captura 155
    Si Avid dice "NO DECK" 156
    Captura 157
    Registro 159
    Captura de lotes de clips registrados 160
Subclips 161
Resoluciones de vídeo 162
Espacio de disco 163
Audio 164
    Muestreo de audio 164
    Opciones útiles 164
    Configuración de dispositivos hardware Avid de entrada y salida 166
Tareas recomendadas 168

Capítulo 7. Importar desde P2 y tarjetas de memoria 171

Panasonic HVX200.. 171
   Trabajar con tarjetas P2 y dispositivos P2... 172
   Seleccionar el formato y ratio de fotogramas correcto 172
   Mis recomendaciones de configuración.. 173
   P2 es para rodar, no para editar 174
   Instalar el software de controlador de P2 174
   Importar directamente desde la cámara.. 174
   Utilizar la ranura PCMCIA del ordenador 176
   Utilizar P2 Gear de Panasonic (AG-HPG10)... 177
   Disco duro grabador portátil FireStore.. 178
   Acceder a tarjetas P2 en un DVD o unidad externa... 179
Copias de seguridad de material P2 179
   Copia maestra de protección 182
   Convertir a SD... 182
Sony XDCAM EX 183
Importar otros medios HDV 184
   Trabajar con medios HD importados 184

Capítulo 8. Sonido... 187

La importancia del sonido... 187
   Importar un archivo MP3 o audio desde un CD... 188
Añadir pistas de audio... 189
Unir pistas de audio 189
Monitores de pista.. 191
   Monitorizar una sola pista 191
   El icono de altavoz hueco... 192
Scrub de audio... 192
   Seleccionar las pistas para el Scrub.. 193
Desplazarse por las pistas 193
Eliminar pistas 193
Cambiar los niveles de audio 194
   Fijar los niveles de volumen de salida 194
   Herramienta Mezclador de audio 195
   Trucos de velocidad.. 197
   Panning.. 197
   Cambiar el volumen y el panning en múltiples clips 198
Audio Data.. 199
   Auto Gain 200
   Colocar fotogramas clave de forma automática... 202
Gráfico de ondas 204
   Utilizar Trim Mode con ondas para limpiar el audio 205

Ecualización...205

    Ajustar el EQ...205

    Plantillas EQ...207

    Guardar el efecto EQ..208

Cuándo utilizar las distintas herramientas de audio..................................209

¿Cuál es el nivel correcto?...209

Otras técnicas de audio para solucionar problemas...................................211

    Sustituir sonido malo...212

Vistas de Timeline..212

Configurar las pistas...213

Pro Tools..213

Primero cuente la historia...214

Tareas recomendadas..214

Capítulo 9. Edición en Modo Segmento..217

Configuración de Timeline..218

Botón Extract/Splice de Modo Segmento...219

Botón Lift/Overwrite del modo segmento...221

Mover sonido a pistas distintas...223

Enlazar para entrar en Segment Mode..224

Tareas recomendadas..226

Capítulo 10. Edición avanzada..229

Recortar en dos direcciones..229

    Watch Point..232

Slip y Slide...232

    Slip...233

    Slide...235

Recorte J-K-L..236

Replace...237

Edición con una sola marca...239

Corresponder fotograma..240

Mapear elementos del menú en el teclado..241

Tareas recomendadas..242

Capítulo 11. Guardar el trabajo..245

Si es un ordenador, se colgará..245

Copias de seguridad..246

Unidades flash USB..248

Después del fallo...248

Guardar la configuración de usuario...249

    Copiar la configuración de usuario..249

El ático..250

    Recuperar un archivo del ático..251

Capturar medios fuera de línea en lote 252
Copia de seguridad de archivos de medios 254
    Arrastrar y soltar la carpeta MediaFiles 255
    Copias de seguridad diarias 255
Tareas recomendadas 256

Capítulo 12. Títulos **259**

Abrir la herramienta de títulos 259
Seleccionar un fondo 261
Crear nuestro primer título 262
    Herramienta de selección 262
Sombras 263
Guardar títulos 264
Montar títulos en la secuencia 264
    Ajustar la longitud del título 266
Añadir fundidos al título 266
Títulos de color 267
Mezclar un título 269
Crear hojas de estilo de título 269
Sombras suaves 270
Títulos luminosos 271
Dibujar objetos 272
Tecla Supr 273
Títulos con objetos 273
Transparencia 275
Menú Alignment 275
Líneas y flechas 275
Otros botones 276
Cambiar o arreglar un título 276
Títulos rodantes 276
    Montar los títulos rodantes 277
    Interpretar los títulos 278
        Interpretar un título rodante 278
        Interpretar múltiples títulos 278
    Ajustar la velocidad de los títulos rodantes 279
Títulos reptantes 279
Marquee 280
Tareas recomendadas 280

Capítulo 13. Efectos **283**

Tipos de efectos 284
Paleta de efectos 284

Aplicar un efecto 284

    Aplicar más efectos 286

Eliminar efectos 287

Efectos en tiempo real 288

Editor de efectos 289

    Herramientas de edición de efectos 292

    Trabajar con fotogramas clave 298

    Guardar un efecto como plantilla 298

Revisión rápida de efectos 298

Añadir disoluciones 299

Congelar fotogramas 299

    Efectos de movimiento de dos campos 301

Efectos de movimiento 301

    Cámara lenta/rápida 301

    Marcha atrás 302

    Efecto estroboscópico 303

    Interpretar efectos de movimiento de dos campos 303

Interpretación (Renderización) 304

    Interpretar efectos de uno en uno 304

    Interpretar múltiples efectos 305

    Esperar a que se interpreten los efectos 305

    Arreglar títulos con el modo efecto 305

    Práctica 306

Capítulo 14. Efectos avanzados y corrección de color 309

Efectos avanzados 309

Pintar 309

    Clonar 311

    Eliminar arañazos 313

Picture-in-Picture (PIP) 315

Fotogramas clave avanzados 317

3D Warp o 3D Picture-in-Picture 319

Corrección de color 321

    Menús desplegables 323

    Sus herramientas: Grupos 324

    Corrección de color automática 325

    Volver al preestablecido 328

    Guardar los ajustes de corrección de color 329

    Cubos de color 329

    Controles HSL 330

    Curvas 330

Interpretar efectos complejos 332

Un mundo de efectos 332

Capítulo 15. Mantener la sincronización 335

Problemas de sincronización... 335
El origen de sus problemas 336
Indicadores de pérdida de sincronización 336
Muchas pistas significan muchos problemas de sincronización.................... 337
Localizadores 338
    Eliminar localizadores 340
Trucos de edición para mantener la sincronización 340
    Recortar en dos direcciones: Repaso del capítulo 10......................... 341
    Bloqueos de sincronización.. 342
Bloquear pistas.. 346
Tareas recomendadas 347

Capítulo 16. Importar y exportar 351

Importar... 351
    Importar un archivo gráfico... 353
    Ordenador vs. Televisión.. 355
        Relación de aspecto y forma del píxel.. 355
        Color.. 356
    Opciones de importación.. 356
        Image Size Adjustment... 356
        Field Ordering in File.. 357
        File Pixel to Video Mapping.. 358
        Alpha Channel 358
        Frame Import Duration 359
        Importar un gráfico con un canal alfa.. 359
    Importar barras de color 360
    Importar una película QuickTime 361
Exportar... 362
    Preparar la exportación... 363
    Exportar un fotograma fijo... 363
    Exportar vídeo 366
    Exportar una película QuickTime 366
    Exportar una película QuickTime de alta resolución 367
    Exportar una película QuickTime para YouTube, Google,
        iTunes o un sitio Web.. 368
        Utilizar Avid para crear un archivo MPEG................................... 368
    Exportar una película QuickTime Reference 371
    Exportar audio a una estación de trabajo Pro Tools 374
    Ir a Pro Tools 374
    Exportar otros tipos de archivo 376
Tareas recomendadas 376

Capítulo 17. Trabajar en alta definición **379**

HD Primer 380
 DV 381
 720p 381
 1080i 382
 1080p 382
 HDV 383
Todos esos latosos ratios de fotogramas-por-segundo (fps) 384
HD con Mojo DX, Adrenaline o Nitris DX 385
Conectar la pletina HD a la caja HD Avid 386
Capturar HD con Adrenaline HD, Mojo DX o Nitris DX 387
 Rendimiento de reproducción 390
Crear títulos HD e importar gráficos HD 390
Mezclar SD y HD en Timeline 391
Utilizar Transcode para hacer una versión SD 391
 Convertir clips maestros HD a SD 391
 Re-enlazar los medios HD 393
Convertir una secuencia HD a SD 394
 Apretado 396
 Cambiar los monitores de 16:9 a 4:3 396
 4:3 versión buzón 396
 Efecto Pan and Scan 397
Conversión cruzada HDV a HD 399
Un año HD 400

Capítulo 18. Integración del guión **403**

Edición al estilo de Hollywood 403
Un ejemplo 404
Utilizar dos monitores 405
Nombrar clips 405
Pasar el guión a Avid 406
Enlazar clips al guión 407
Añadir tomas 408
Cambiar la apariencia de la pizarra 410
Ajustar las líneas de toma 411
Mover pizarras 412
Eliminar tomas y pizarras 412
Abrir y reproducir tomas 412
La tecla tabulador 413
Marcas de guión 413
 Colocar marcas de guión manualmente 414
La forma más rápida: ScriptSync 416
Reproducir tomas marcadas 419
Observar la cobertura 420

Números de página y escena 420
Buscar guión 421
Diálogo en off 421
Sólo una línea de toma 422
Color de líneas 423
Identificar la toma preferida 423
Otros elementos del menú 424
Unos pocos selectos 424
Guión de Gaffer's delight 425

Capítulo 19. Toques finales **429**
¿En línea o fuera de línea? 429
Comprobar el audio 430
Pasar a cinta 430
    Conectar y encender una pletina o cámara 432
    Grabación forzosa a cinta 432
        Utilizar Digital Cut para grabar 433
    Utilizar Digital Cut para grabar código de tiempo de secuencia 434
    Cambiar el código de tiempo de la secuencia 435
    Abrir la herramienta Digital Cut 436
Secuencia HDV a cinta HDV 438
Aumentar la resolución de la secuencia fuera de línea 438
    Eliminar pre-cómputos no referenciados 439
    Preparación para la recaptura de la secuencia 442
    El proceso de recaptura 442
    Decompose 442
Rupturas de código de tiempo 444
Sustituir las pistas de audio 444
Recrear títulos 445
Salida a DVD 445
Utilizar Sorensen Squeeze para crear un DVD Progresivo o un disco Blue-Ray 448
    Crear un disco Blue-Ray 449
Hecho 450

Capítulo 20. Rodar en película, montar en Avid **453**
¿Por qué en película? 453
Transferir de película a cinta 454
El arrastre estándar 2:3 455
La película transferida a vídeo funciona a 23.976 456
Tipos de código de tiempo 457
Orden de trabajo para el laboratorio y telecine 458
    Instrucciones para el laboratorio 458
    Instrucciones para la instalación de transferencia
        para una transferencia no supervisada 459

Formato de proyecto Avid 460
Avid y el sonido 460
Los apuros de la sincronización 461
Consejos de sincronización 465
Acabado de vuelta a película 466
    Flujo de trabajo de película de cine 467
Siguiente parada: Cannes 468

Capítulo 21. Presente y futuro **471**

Y desde aquí, ¿a dónde vamos? 471
Información en Internet 472
Conseguir un trabajo como editor Avid 473
Otros productos Avid 473
El futuro de Avid 474

Apéndice A. Menús **477**

Menú File 478
Menú Edit 481
Menú Bin 483
Menú Clip 488
Menú Output 492
Menú Special 493
Menú Tools 495
Menú Toolset 498
Menú Windows 499
Menú Script 500
Menú Help 500
Menús Tracking y Monitor 501
    Menú Tracking 501
    Menús Source y Record Monitor 502

Apéndice B. Contenido del DVD **507**

Instrucciones para montar Wanna Trade en un PC 508
Instrucciones para montar Wanna Trade en un Macintosh 510

Índice alfabético **513**

Introducción

Avid ha realizado cambios importantes en la forma de funcionar. Ha simplificado su línea de producto entera recortando la línea Xpress de software y construyendo todo alrededor del software Media Composer. Avid está realizando reuniones alrededor del país invitando a editores para comenzar un diálogo sobre los productos y soporte de Avid. Lo más increíble, la empresa ha bajado el precio de la versión académica de Media Composer más allá del de Final Cut, por lo que un estudiante con un carnet válido puede comprar el software líder de la industria por menos de 300 euros. Aplaudo estas iniciativas y la nueva forma en la que Avid se está moviendo en el negocio. Avid siempre ha vendido un estupendo software de edición, pero a menudo era demasiado caro, sin mucha atención al cliente. Ahora, uno sólo puede maravillarse ante los cambios en el precio y su valor.

Este libro se centra en el último software de Media Composer y, puesto que ese software ofrece muchas más funciones, hay gran cantidad de material nuevo. Cada capítulo ha sido escrito para dar cabida a los cambios en el mundo de la producción y las respuestas de Avid a esos cambios. El capítulo 6 desmitifica el proceso de captura, incluyendo captura en cintas HDV y DVCPro HD. El capítulo 7 explica el flujo de trabajo completo de P2 para poder importar fácilmente medios de cámaras Panasonic P2 y otros dispositivos P2. También trata medios de importación de tarjetas de memoria Sony. El capítulo 14 explica cómo utilizar varios efectos avanzados que encontrará útiles en su trabajo diario, como la eliminación de arañazos y pintura. La herramienta de corrección de color se examina en gran profundidad en esta edición. El capítulo 17 está dedicado a trabajar con HD y explica cómo puede crear fácilmente versiones SD y HD de sus secuencias utilizando la función Transcode de Avid. El capítulo 18 explica el uso de ScriptSync, el software de reconocimiento de voz que facilita la edición basada en guiones con Avid.

Piense en este libro como un libro de texto, libro de trabajo y manual de usuario todo en uno. Está escrito para que pueda leerlo mientras está tumbado en el sofá o sentado frente a la pantalla siguiendo las instrucciones paso a paso del libro.

Al final de casi todos los capítulos se sugieren trabajos de prácticas para animarle a practicar las técnicas y habilidades explicadas en dicho capítulo. El DVD que acompaña al libro contiene ejercicios que le ayudarán a dominar algunos conceptos complejos. Puesto que cada capítulo se basa en ideas presentadas en capítulos anteriores, es buena idea practicar cada grupo de habilidades antes de pasar a la siguiente.

Creo que aprenderá a utilizar Avid más rápidamente si comienza editando una escena narrativa corta en lugar de un pequeño proyecto documental. Con un guión para la escena frente a usted, sabe a dónde va y puede concentrarse en cómo llega hasta allí. Para empezar, he incluido una pequeña escena para que la edite llamada *Wanna Trade*. Se encuentra en el DVD que acompaña al libro.

Abrir el proyecto en Avid es tremendamente fácil. Busque el apéndice sobre el DVD al final del libro. Simplemente tendrá que arrastrar unas carpetas y archivos desde el DVD al ordenador. En el capítulo 1, he usado *Wanna Trade* para la mayoría de los ejemplos. También hay un guión de dos páginas para la escena al final del primer capítulo. Si está en una clase, idealmente su profesor o instructor, montará la escena en Avid para que pueda comenzar a editarla después de la primera o segunda clase.

Dentro del proyecto *Wanna Trade*, en `Wanna Trade Scene`, hay una carpeta llamada `Chapter 3`. Cuando llegue al capítulo 3 abra la carpeta y después la papelera llamada `Trim practice`. La secuencia que encontrará en la papelera contiene problemas que corregirá utilizando el modo **Recorte único**. Es una buena forma de practicar las técnicas de recorte del capítulo 3.

He incluido un nuevo proyecto en esta edición llamado *Kizza's Portrait*. Se encuentra en el DVD adjunto. Contiene metraje documental sobre un niño de seis años de Uganda que tiene VIH. El clip proviene de mi película *Living with Slim: Kids talk about KIV/AIDS*, que filmé mientras enseñaba producción en vídeo en la Universidad de Makerere en Kampala. ("Slim" es el término que muchos africanos utilizan para referirse al sida.) La película se utiliza en todo el mundo para educar sobre la pandemia del sida en África. Le ayudará a practicar sus habilidades de edición y le introducirá en la difícil situación que sufren millones de niños que nacen siendo seropositivos.

Cuando llegue al capítulo 16, importará gráficos desde el DVD, incluyendo un título y un título sin canal alfa. Esto le ayudará a comprender el proceso de importación y la forma en la que Avid trata la transparencia.

El DVD también contiene una segunda secuencia llamada *Gaffer's Delight*. Mientras que *Wanna Trade* es una escena relativamente fácil para comenzar, *Gaffer's Delight* es más complicada y se rodó en un ratio 16:9. Esta escena está tomada desde varios ángulos de cámara distintos e implica varias tomas, lo que la convierte en buena candidata para utilizar la función de Integración de Guión de Avid, explicada en el capítulo 18. El guión para *Gaffer's Delight* se encuentra en el DVD para que pueda llevarlo a Avid y después, siguiendo las instrucciones dadas, adjuntar clips a la acción y el diálogo. Aquí puede practicar el uso de ScriptSync, el software de reconocimiento de voz, para unir rápidamente el guión a los clips.

Usaremos `Countdown` del DVD cuando pasemos a cinta en el capítulo 19.

Aunque los sistemas Avid existen para plataformas Windows y Macintosh, he utilizado pantallas de Windows para guiarle a lo largo de las instrucciones. Las pantallas de Windows y Mac son casi idénticas. La diferencia principal entre cortar en un Mac y hacerlo en un PC son las teclas utilizadas. En Windows usaremos la tecla **Control** y en Mac la tecla **Comando**. Cuando en Windows utilicemos la tecla **Alt**, en Macintosh utilizaremos la tecla **Opción**. Eso es todo. Es la única diferencia entre las versiones de Windows y Mac.

Evidentemente, ningún libro puede pretender explicar todas las características de Avid o estar al tanto de todos los cambios. No le mostraré cada técnica de los muchos manuales de Avid, pero le enseñaré todas las que necesita conocer. La interfaz Avid es la más estable de la industria y esta edición debería estar vigente durante muchos años.

1. Primeros pasos

El trabajo del editor

¿Qué hace un editor? Algunos dicen que el trabajo del editor es simplemente quitar las partes lentas. Otros dicen que es seguir los deseos del director y unir las mejores tomas. Pregunte a un editor qué es lo que implica su trabajo y le dirá que es darle vida a una película o vídeo o encontrar y exponer su corazón y su alma. Pregunte al mismo editor al final de un proyecto largo y complicado y probablemente escuchará: "Hacer que todos salgan bien". Todo ello es cierto, y aun así nadie se acerca a captar el rol crítico que juega el editor en cualquier producción.

Hay miles de tareas implicadas en la edición de una película o vídeo, y miles de decisiones que deben tomarse en el camino. Y todas ellas son importantes. ¿Qué toma es la mejor? ¿Son la luz y la composición mejores en esta toma o en esta otra? ¿El ritmo de esta toma es demasiado rápido? ¿Si cortamos la entrada del personaje la escena será más o menos confusa?

Aunque el trabajo principal del editor sigue siendo el mismo, la forma en la que un editor trabaja se transformó durante los años noventa mediante el desarrollo de sistemas informáticos de edición no lineales (NLE). Avid fue uno de los primeros y quizá es el sistema más conocido del mundo.

Hoy en día, la transformación de las máquinas de edición analógicas a los sistemas de edición informáticos es completa. Comparados con los dispositivos analógicos, los sistemas informáticos hacen que el trabajo del editor sea más fácil y rápido, pero estos sistemas también pueden hacer su trabajo más difícil y que lleven más tiempo en completarse. Puede parecer una paradoja, pero es cierto.

Editar en un ordenador es mucho más fácil y rápido que en una máquina analógica porque casi todas las tareas se ejecutan pulsando una tecla o un botón. Aun así, hay un precio que pagar por esta velocidad. Avid y otros sistemas informáticos populares son mucho más difíciles de dominar que un sistema de película o vídeo analógico. Hoy en día, cuando compra un Avid, éste viene con mil quinientas páginas de documentación. Y, como Avid incluye tantas herramientas sofisticadas, el editor tiene que hacer cosas que antes eran manejadas por varias decenas de personas. En el pasado, alguien diseñaba y rodaba los títulos, había un equipo de sonido y editores musicales, y un grupo de individuos con talento muy preparados que creaban los efectos especiales. Ahora, un solo editor a menudo es todo el equipo de post-producción.

Se espera que los editores NLE de hoy tengan conocimientos de informática a la vez que cuentan con habilidades de ingeniería visual. A menudo, un editor debe preparar, conectar y detectar los problemas de una increíble cantidad de pletinas de vídeo, sistemas operativos, controladores de audio y tarjetas FireWire. Por lo tanto, aunque es cierto que un ordenador puede hacer más fácil y rápido el trabajo del editor, también puede hacerlo más largo y difícil.

El trabajo de un editor se ha convertido en algo más difícil y complejo, pero la recompensa y satisfacción también son mayores. Usted, el editor de Avid, tiene más control creativo sobre el proyecto que en cualquier otro momento de la historia de la edición. Puede que tenga más que hacer, pero no necesita mucha ayuda para hacer el trabajo y puede asegurarse de que todo tenga el aspecto y el sonido que usted desea (véase la figura 1.1).

Abrir el software Avid

De los dos jugadores principales en la lotería de los NLE (Final Cut y Avid) sólo Avid es un sistema multiplataforma, lo que significa que funciona tanto en Mac como en PC, ya sean portátiles o equipos de mesa. El sitio Web de Avid mantiene una lista de ordenadores cualificados que están aprobados por la familia Media Composer.

Figura 1.1. *Alumnos de la Universidad Makerere de Kampala,*
Uganda, utilizando software Avid.

Visite `www.avid.com/products/media-composer/` y haga clic en las especificaciones técnicas para comprobar los ordenadores cualificados y sus especificaciones.

Suponiendo que cuente con un ordenador cualificado, que funcione con el sistema operativo correcto, abrir el software es bastante directo. Coloque el dispositivo de seguridad SafeNet que viene en el envoltorio rosa en un puerto USB e inserte el DVD Media Composer que viene en la caja del software. Haga doble clic sobre el DBD y verá los contenidos similares a los de la figura 1.2.

Figura 1.2. *Contenidos del DVD de instalación.*

Abra el archivo `README.pdf` y observe si su sistema operativo tiene alguna cuestión que debe tratar. Estos documentos README ofrecen demasiada información para el principiante pero debería leer la sección "Antes de instalar la aplicación de edición".

Ahora, abra la carpeta `Otros instaladores` y cargue primero el EDL Manager. Después cargue los contenidos de la carpeta `Goodies` y, por último, instale el software Avid Media Composer. Debería tardar entre cinco y diez minutos en instalarse.

La parte complicada es que debería ir al sitio Web de Avid y descargar la última versión. Sí, lo sé, acaba de comprar el software, pero ese DVD ha estado en la caja varios meses y pueden haberse arreglado problemas que podrían causar dolores de cabeza desde que el DVD se envió. Visite `www.avid.com/` `support/downloadcenter/` y vaya a la parte inferior de la página hasta **Actualizaciones**. Busque su aplicación Media Composer. Seleccione Mac o PC. Asegúrese de que es una versión nueva y selecciónela. El problema es que debe reinstalar todo el software Media Composer y es un archivo grande para descargarlo desde la Web. Tenga paciencia y pronto tendrá la última versión instalada y funcionando.

Las partes del sistema

Sistema operativo

Tanto si tiene un PC Windows como un Mac, asegúrese de que tiene la versión correcta del Sistema Operativo, Vista, Leopard, o lo que diga el sitio. Todos los PC y Mac tienen controladores de sistema o discos duros internos (véase la figura 1.3). En Windows es el disco C:, y en Mac es Macintosh HD.

Memoria del sistema

Por increíble que suene, su ordenador deberá tener al menos 4 GB de RAM.

Paneles de captura

Su ordenador debe tener IEEE 1394 FireWire o i.Link para dar entrada a formatos digitales de vídeo y audio. Casi todos los PC y todos los Mac ya tienen puertos IEEE 1394 instalados.

Si su sistema no cuenta con este puerto, normalmente puede añadir uno a través de una tarjeta.

Figura 1.3. *Avid Media Composer en un PC portátil (cortesía de Avid Technology).*

Unidades de medios

En el pasado, todas las unidades de medios eran externas al ordenador, pero hoy en día muchos ordenadores tienen unidades internas que almacenan medios de forma eficiente. Tanto si almacena sus medios en una unidad interna o externa, asegúrese de tener 160 GB o más. Pero, aunque su ordenador tenga 160 GB o más de almacenamiento, suele ser buena idea almacenar el proyecto y los medios en una unidad FireWire externa (véase la figura 1.4). De esa forma, puede llevar los medios a otro Avid si su ordenador se estropea o si los necesita en otro sitio. ¿Qué tamaño debe tener el dispositivo de almacenamiento externo? Aquí, el tamaño importa. En una unidad de 160 GB sólo puede almacenar unas 4 horas de metraje DVCPro de alta definición (HD). Muchos comienzan con 320 GB y van aumentando desde ahí.

El "dongle"

Avid viene con una llave especial en una cadena llamada *dongle*. Se conecta a la CPU insertándola en uno de los puertos USB. Sin el *dongle*, no puede abrir el software de Avid. Esto evita la piratería de software y habilita ciertas funciones, o extras, que puede comprar.

Figura 1.4. *Media Composer en un MacBook Pro con unidad externa FireWire.*

Monitores

Antes, Media Composer estaba diseñado para trabajar con dos monitores de ordenador, y el Xpress estaba diseñado para uno. Ahora usted elige. Algunas personas cambian entre una y otra opción. Cuando están trabajando fuera, utilizan un portátil con un solo monitor, y en casa o en la oficina se conectan a un segundo monitor.

Altavoces

El sonido es una parte esencial de cualquier película o vídeo, y tener unos buenos altavoces externos es muy importante. Si está haciéndose con su propio sistema, no ahorre aquí. Piense en invertir unos 100 euros en un sistema de altavoces.

El monitor cliente

Un monitor es útil, no importa en qué sistema esté editando. Con metraje de vídeo digital, un monitor puede parecer menos crítico, puesto que no puede alterar la imagen que entra en el sistema. Pero sí puede cambiarla una vez está en

Avid, y sabiendo cómo se ve la señal en un monitor de televisión una vez que se pase a cinta es importante. El monitor se ha llamado monitor cliente porque es el que se supone que utilizará el cliente cuando el editor pulse **Play**. Con la bajada de precio de las pantallas grandes LCD, es una buena opción puesto que pueden manejar proyectos de alta definición y estándar. Puede encontrar diversos precios en monitores con calidad HD y SD (véase la figura 1.5).

Figura 1.5. *Un sistema Avid con un monitor cliente de alta definición.*

UPS

Cuando se invierten miles de euros en un ordenador, debe considerar comprar un dispositivo de apoyo llamado UPS (*uninterruptible power supply*, sistema de alimentación ininterrumpida). Puesto que el trabajo es importante y no puede utilizar un ordenador sin electricidad, el sentido común nos dice que enchufemos la CPU, el monitor y las unidades de medios en este sistema de apoyo que ofrece una corriente eléctrica estable y mantendrá todo en funcionamiento en caso de un fallo eléctrico. La idea no es que siga editando, sino más bien que utilice esta energía de apoyo para guardar el trabajo y cerrar el sistema. Si no utiliza un UPS, al menos utilice un protector contra las subidas de tensión.

Dispositivos de entrada

Mucha gente utiliza sus cámaras para pasar las cintas al sistema Avid utilizando un cable FireWire. Esto es especialmente cierto para cámaras HDV. A pesar del gasto extra, la pletina es necesaria siempre que la cámara se necesite en otro sitio. El sitio Web de Avid mantiene una lista de dispositivos compatibles que funcionan bien. Vaya a la página que enumera las especificaciones. Para capturar mini-DV y cintas de DVCAM, a mí me gusta la pletina Sony DSR-11, que puede manejar cintas NTSC y PAL DV.

Avid vende interfaces externas como Nitris DX y Mojo DX. Ambas permiten capturar y reproducir señales HD sin comprimir. En la figura 1.6 se muestra Nitris DX. Ofrece compresión y descompresión HD sofisticada, junto con una enorme variedad de conexiones de entrada y salida para poder conectar el ordenador a grabadoras digitales y analógicas de audio y vídeo.

Puede grabar a y desde cualquier pletina, incluyendo VHS, S-Video, Beta SP, DigiBeta y pletinas de alta definición.

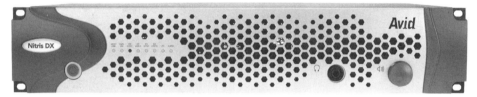

Figura 1.6. *Avid Nitris DX.*

Mojo DX está diseñado para dar definición digital estándar a través de su interfaz digital de conexiones en seria, así como señales de alta definición no comprimidas, mediante conexiones HS SDI. Para conectar Mojo DX y Nitris DX de Avid, su ordenador debe tener una ranura PCI Express o un puerto de tarjeta Express.

Unas palabras sobre el código de tiempo

Todos los sistemas NLE, Avid incluido, están basados en el sistema de rastreo de cintas de vídeo llamado *timecode* (código de tiempo). Cuando el sonido y las imágenes se graban en la cinta de vídeo mediante una cámara o pletina, unos números únicos, el código de tiempo, se insertan también en la cinta de vídeo. Hay aproximadamente 30 fotogramas de vídeo por segundo, cada uno tiene su propio número de código de tiempo. Mientras que los números de película se basan en la duración de la película, el código de tiempo se mide en tiempo. El primer fotograma de una cinta de vídeo se designa como 00 horas:00 minutos:00 segundos: 00 fotogramas, o 00:00:00:00. El siguiente fotograma es 00:00:00:01. Puesto que el vídeo se basa en 30 fotogramas por segundo, después de 00:00:00:29, el siguiente fotograma sería el 00:00:01:00. Puesto que cada fotograma tiene una designación única, su código de tiempo, es fácil rastrearlos. Los ordenadores son buenos con los números por lo que a través del código de tiempo Avid rastrea las imágenes y el sonido.

Flujo de trabajo de edición con Avid

Editar un proyecto con muchos elementos distintos requiere un elevado grado de organización.

Reunir cintas, archivos y unidades

Primero, reúna todos los elementos de imagen y sonido que conforman el material fuente para el proyecto. Puede incluir:

- Cintas de vídeo: HDV, HD, DVCAM, DVC Pro o miniDV.

- Tarjetas de memoria: Utilizadas en muchas cámaras, como la Panasonic HVX200, para almacenar imagen y sonido (véase la figura 1.7).

Figura 1.7. Cámara Panasonic HVX200 con una tarjeta de memoria P2 (cortesía de Panasonic).

- Audio: CD.

- Discos ópticos: Tales como los discos blue-laser de Sony, que pueden grabarse cientos de veces y tienen una vida mucho más larga que los formatos de cinta.

- Archivos de imagen y audio: Archivos gráficos de ordenador, animaciones, imágenes y audio en una unidad flash, CD o DVD.

- Discos duros: Como los que tienen las cámaras que pueden conectarse a PC o Mac a través de FireWire.

Asegúrese de desarrollar un sistema de inventariado que lleve un registro de todos recursos a lo largo del proyecto en caso de que necesite volver a capturarlos o importarlos.

Crear un nuevo proyecto

Cuando se inicia el software Avid, le pide que indique qué proyecto abrir. Puede que comparta Avid con otros alumnos o editores, todos ellos trabajando en distintos proyectos.

Si va a comenzar un nuevo proyecto deberá hacer clic en el botón **New Project** (Nuevo proyecto), nombrarlo y comenzar a trabajar en él.

Capturar/Importar

Avid abrirá la ventana Project para el nuevo proyecto. Ahora puede empezar a capturar desde cintas de vídeo a las unidades de medios del ordenador o importar archivos desde tarjetas de memoria o DVD.

Tan pronto como capture o importe, Avid creará dos cosas: un archivo de medios, que es la versión digital de Avid de su imagen o sonido, y un clip maestro, que es una copia virtual del archivo de medios. Los archivos de medios se almacenan en unidades de medios. Se crea un archivo de medios para cada pista de imagen y sonido.

Si tiene vídeo y sonido estéreo, Avid creará tres archivos de medios para dicho material digital: uno para la imagen y dos archivos de medios para el sonido estéreo grabado junto con la imagen (véase la figura 1.8).

No se edita o trabaja con archivos de medios, sino con el clip maestro. Piense en el clip maestro como en una toma. Puede editar la toma, duplicarla o voltearla, y todas estas acciones afectarán al clip, mientras que el archivo de medios (la imagen o sonido capturado) está seguro en la unidad de medios.

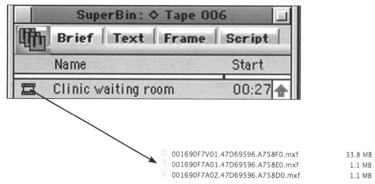

Figura 1.8. Este clip maestro está vinculado a tres archivos
de medios almacenados en la unidad.

Crear latas

Cuando se captura o importa el material original, se organiza en latas. Puede tener una lata para todo el material desde la cinta número uno, y una segunda lata para todos los archivos de audio importados desde una tarjeta de memoria. Las latas son como carpetas del ordenador. El nombre proviene de las latas utilizadas para guardar película en los tiempos de la edición cinematográfica. Avid reconoce que puede estar comenzando un proyecto ambicioso que implique la creación de muchas latas, cada una de ellas conteniendo hasta 100 clips, y ofrece herramientas sofisticadas de búsqueda para ayudarle a localizar la toma que está buscando. Una vez organizado el material, es momento de editarlo.

Edición

Cuando abre un clip maestro (piense en una toma entera) y selecciona parte de él para incluirlo en el proyecto, está realizando su primer corte. Avid llama secuencia a cualquier material que se ha cortado y unido. Se crea una secuencia editando varios clips juntos. En la edición cinematográfica tradicional, el editor comienza colocando un montaje, que incluye todos los clips que pueden aparecer en la película final, empalmados en el orden correcto. Podría llamar a su primera secuencia "secuencia de montaje". Una vez que ha ensamblado todo el material, la siguiente etapa es crear un montaje crudo, en el que los clips se colocan en el orden correcto y se recortan a la duración aproximada. Puede llamarlo "secuencia de montaje crudo". Puesto que el material es digital, las secuencias se duplican fácilmente. Puede crear una secuencia en martes, duplicarla el miércoles por la mañana y comenzar a realizar cambios. En cualquier momento, puede abrir la versión del martes para comparar. Según llegue al final de la edición, estará trabajando en lo que se denomina normalmente "montaje bueno". Las tomas están recortadas para darle a cada escena el ritmo adecuado.

Añadir títulos y efectos

Una vez editada la secuencia, puede añadir fácilmente títulos y efectos. Avid tiene herramientas para crear efectos y títulos multicapa. Pueden crearse y añadirse títulos a una secuencia en unos minutos. La mayoría de los efectos tardan unos segundos en crearse.

Cuando todos los títulos y efectos visuales se han añadido, habremos llegado a la etapa llamada "cierre de imagen". No se realizarán cambios a ninguna de las pistas de imagen.

Trabajo de sonido

Una vez llegados al cierre de imagen, es momento de añadir efectos de sonido y pistas de música que enriquecerán y darán fuerza a la banda sonora. Avid puede monitorizar hasta 24 pistas de sonido y, utilizando las herramientas integradas, puede realizar intrincados ajustes de sonido a todas y cada una de las pistas.

Salida del proyecto

Finalmente, el flujo de trabajo de Avid termina cuando la secuencia final editada se envía al mundo.

Hay muchas opciones de salida:

- Grabar la secuencia finalizada en una cinta de vídeo.

- Crear un DVD.

- Crear una lista de decisión de edición (EDL) para una sesión de edición de cinta de vídeo en línea.

- Pasar la secuencia a archivos `.AVI`, `.MOV`, `.WMV` o `.MPG` para publicarla en la Web.

Dicho esto, volvamos al ordenador, iniciemos el software y exploremos el espacio de trabajo que ofrece Avid. Su sistema puede estar configurado de forma ligeramente distinta de lo que aquí se describe, pero todos los sistemas son bastante parecidos.

Inicio

Si aún no ha montado el proyecto Wanna Trade Scene del DVD que viene con este libro (o que el profesor ha cargado para usted), éste sería un buen momento (véase la figura 1.9). Asegúrese de salir del software Avid si está abierto. Siga las indicaciones del DVD de la parte final del libro. Una vez terminado, reinicie su ordenador y estará listo para comenzar.

Figura 1.9. *Alumnos practicando técnicas de edición en un aula.*

Si tiene otro proyecto y quiere trabajar en él, excelente.

El proceso para abrir Avid es prácticamente el mismo si está trabajando en un PC con Windows o en Mac.

Cuando se carga por primera vez el software en el sistema, se crea un acceso directo y se deja en el escritorio (véase la figura 1.10).

Figura 1.10. *Acceso directo a Avid.*

Cuando todo esté listo, haga clic en el acceso directo o el icono para abrir el software de Avid.

Para abrir Avid:

1. Encienda todos los dispositivos que conforman su sistema. Esto significa altavoces, unidades externas, la pletina o bien la cámara así como el monitor cliente.

2. Pulse el botón de encendido que activa la CPU. Espere a que se inicie el sistema.

3. Si hay un proceso de registro, escriba ahora su nombre de usuario y su contraseña.

4. Haga clic sobre el acceso directo a la aplicación Media Composer o bien Xpress.

5. Cuando aparece la ventana Avid Project (Proyecto Avid), haga clic en el proyecto que se le ha asignado. Si se encuentra en una unidad diferente, haga clic sobre el icono de carpeta para examinar las otras unidades (véase la figura 1.11). Si ya está montado, haga clic entonces sobre Wanna Trade Scene.

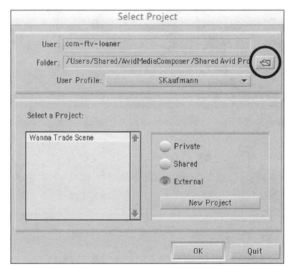

Figura 1.11. *Haga clic en el icono de carpeta para buscar proyectos en unidades externas.*

6. Haga clic sobre **OK**. El proyecto se abrirá, mostrando entonces la interfaz de Avid.

La interfaz Avid en su ordenador

Menú de herramientas

Antes de comenzar a editar, vamos a asegurarnos de que estamos usando la misma interfaz de edición. Vaya a la barra de menú de la parte superior de la pantalla y despliegue el menú Toolset (Herramientas). Seleccione el modo Source/ Record Editing (Origen/Edición de grabación), tal como muestra la figura 1.12. Probablemente ya está configurado de esa forma, pero es mejor que empecemos todos con el mismo pie. Arrastre el ratón hacia abajo en la lista del menú y haga clic en Source/Record Editing. Coloque la ventana como se muestra en la figura 1.13.

Figura 1.12. *El menú Herramientas.*

Una lata abierta conteniendo clips   Los monitores de origen y grabación

La ventana de proyecto contiene todas las latas   Línea de tiempo

Figura 1.13. *Interfaz de Avid.*

Las aplicaciones Media Composer y Xpress pueden funcionar con un único monitor, que muestra la ventana de proyecto que contiene todas las latas, la ventana de Composer que contiene los monitores de origen y grabación, y la escala de tiempo (véase la figura 1.13). Selecciona los clips en las latas y los coloca en Source Monitor (Monitor de origen), a la izquierda, que contiene los clips que se editarán en el proyecto. Record Monitor (Monitor de grabación), a la derecha, muestra la secuencia editada. Timeline (Línea de tiempo) muestra una representación visual de los clips de la secuencia.

Ventana de proyecto

La ventana de proyecto es como una página de inicio (véase la figura 1.14). Enumera todas las latas y debe estar abierta para trabajar en un proyecto, así que no cierre la ventana de Project hasta que no termine de trabajar.

Icono de lata abierta

Icono de lata cerrada

Figura 1.14. *Ventana de proyecto.*

Latas

Coloque el material (clips) importado o capturado en latas para organizar el material. Puede nombrar las latas como quiera. Los nombres comunes para las latas son **Tape 001** (Cinta 001) y **Tape 002** (Cinta 002), **Dailies-Day 1** (Diarios-Día 1), **Assembly** (Montaje), **Sound Effects** (Efectos de sonido) o **Music** (Música). Sea cual sea la forma que le resulte más fácil para organizar el material será el mejor sistema. Si hace doble clic en el icono de lata llamado **Dailies-Day 1**, se abrirá la alta y verá que contiene clips maestros y columnas (véase la figura 1.15). Ésta muestra columnas para el nombre del clip y el código de tiempo de inicio.

Clips

Los clips de la lata son el metraje y el sonido; las tomas de la cinta de origen. El icono de clip está en la parte izquierda. A continuación se ve el nombre del clip, seguido de información importante sobre cada clip.

El icono de clip: haga doble clic sobre el icono y se abrirá en el Monitor de origen

Haga clic entre las letras y se resaltarán para escribir un nuevo nombre

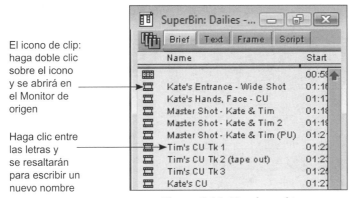

Figura 1.15. Una lata abierta.

Los clips no ocupan espacio de disco. No obstante, están conectados al archivo de medios al que representan. El archivo de medios es la imagen y sonido digital real y reside en el disco duro. El clip contiene toda la información de código de tiempo (código de tiempo de inicio y final) del archivo de medios.

Vistas de Bin

Puede ver los clips de la lata de varias formas distintas:

- Brief View (Vista breve) muestra una información mínima en forma de columna.

- Text View (Vista Texto) es similar a Brief View pero puede mostrar muchas más columnas de información.

- Frame View (Vista fotograma) muestra una imagen de un fotograma del clip (véase la figura 1.16).

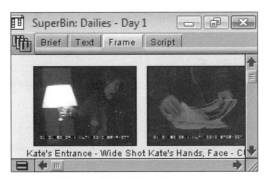

Figura 1.16. Vista fotograma.

- Script View (Vista guión) es como Frame View pero hay espacio para escribir comentarios (véase la figura 1.17).

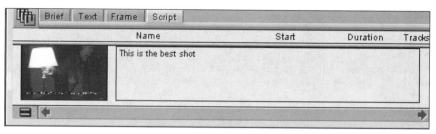

Figura 1.17. *Cambie la vista haciendo clic en la pestaña de la parte superior de la lata.*

SuperBin

En este modo, todas las latas pueden abrirse en la misma ventana, mostrando una cada vez. Esto ahorra espacio de pantalla y evita que la pantalla se llene de cosas. Es ideal para trabajar con un único monitor.

Activemos SuperBin puesto que nos facilitará la vida manteniendo todas las latas abiertas en una sola ubicación.

1. Haga clic sobre la pestaña Settings de la ventana Project (véase la figura 1.18).

Figura 1.18. *Haga clic en la pestaña Settings.*

2. Haga doble clic en la palabra Bin.

3. En el cuadro de diálogo que aparece, seleccione Enable SuperBin (Activar SuperLata) (véase la figura 1.19).

4. Haga clic en **OK** y haga clic en la pestaña Bins. En lugar de hacer doble clic sobre el icono de lata de la ventana Project, haga un solo clic para abrirla en la SuperLata. Si quiere abrir otra lata, en lugar de hacer doble clic, haga un solo clic en el icono y sustituirá a la lata que hay.

Figura 1.19. Activar SuperLata.

Monitor de origen

Cuando se hace doble clic sobre un clip, éste aparece en el Source Monitor (Monitor de origen). Aquí es donde determinamos lo que se editará en el proyecto. Debajo del Source Monitor, hay una barra de posición y debajo una barra de herramientas con botones (véase la figura 1.20).

Figura 1.20. Monitor de origen.

La barra de herramientas contiene botones que ejecutan comandos. Haga clic en un botón con el ratón y se ejecutará el comando. Los tres botones de comando del centro son (de izquierda a derecha) la marca de edición IN (Entrada), el botón de reproducción **Play** y la marca de edición OUT (Salida).

Monitor de grabación

Record Monitor (Monitor de grabación) muestra lo que hay en la secuencia; muestra lo que se ha creado al editar varios clips. Igual que Source Monitor, tiene una ventana de posición, indicador de posición y barra de herramientas. La figura 1.21 muestra Source monitor y Record Monitor juntos.

Figura 1.21. *Monitor de origen y Monitor de grabación.*

Línea temporal

Timeline (véase la figura 1.22) muestra una representación gráfica de las tomas de la secuencia, en forma de pistas: V1, A1, A2, A3, A4. Timeline tiene selectores de pista de Source (Origen) y Record (Grabación), barras de Scale (Escalado) y Scroll (Desplazamiento) y un indicador de posición azul.

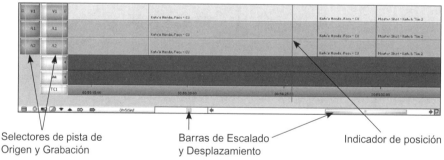

Selectores de pista de   Barras de Escalado   Indicador de posición
Origen y Grabación   y Desplazamiento

Figura 1.22. *Línea temporal.*

Comandos

Le diremos a Avid lo que queremos hacer a través de comandos. Algunos de los comandos se muestran como botones bajo los monitores y otros están ocultos dentro de los botones de **Fast Menu** (Menú rápido) (llamados en ocasiones "hamburguesas" por su parecido) (véase la figura 1.23). Haga clic y mantenga pulsado sobre Menú rápido y aparecerá entonces una paleta. Puede hacer clic y arrastrar cualquier paleta y colocarla donde desee. Una vez desplegada la paleta, al hacer clic sobre el botón de cierre la devolverá al interior del Menú rápido. Muchos comandos se ofrecen también como teclas del teclado.

Botón de Menú rápido

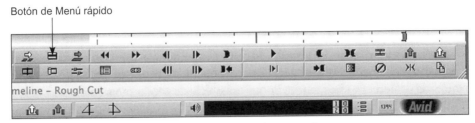

Figura 1.23. *Barra de comandos.*

El teclado

El teclado es parte importante de la edición en Avid. Muchos de los más importantes comandos pueden ejecutarse simplemente pulsando una tecla en el teclado. El teclado estándar o predeterminado para el Media Composer puede verse en la figura 1.24.

Cuando se compra un sistema Avid, normalmente contiene una hoja con pegatinas de todos los iconos de comando; puede pegarlas en las teclas para que el teclado sea como el de la figura 1.24. Puesto que todos estos comandos de teclado son mapeables, es decir, que puede cambiarlos para ajustarse a sus preferencias, recomiendo que espere a leer el capítulo 4 antes de colocar las pegatinas, ya que puede querer colocar distintos comandos en esas teclas. Las únicas que colocaría ahora son los comandos **J-K-L**, como muestra la figura 1.24. Por ahora, utilizaré las capturas de pantalla para mostrar dónde se encuentran las teclas de comando. Hay proveedores que ofrecen teclados con todas las teclas estándar escritas. Busque "teclados Avid" en Google y verá varias empresas entre las que elegir.

Marca de entrada   Marca de salida

Figura 1.24. *Comandos de teclado de Media Composer.*

Reproducción con tres botones

Una importantísima combinación de teclas implica las teclas **J-K-L** del teclado. Pulse la tecla **L** para reproducir el clip o la secuencia hacia adelante. La tecla **K** es como una tecla de pausa y la tecla **J** reproduce la escena hacia atrás. Colocando tres dedos de la mano izquierda (con el dedo medio en la letra **K**) sobre esas tres letras, tendrá un control estupendo. Mucha gente llama a esto reproducción con tres botones. Le insto a que se acostumbre a mantener esos tres dedos de la mano izquierda (o derecha si es zurdo) sobre esas teclas en todo momento.

Puede utilizar estas tres teclas para reproducir la secuencia a distintas velocidades. Si pulsa dos veces la tecla **L**, el clip se reproducirá al doble de velocidad. Pulse de nuevo la tecla y lo hará tres veces la velocidad normal. Si pulsa de nuevo, lo estará reproduciendo a 150 fotogramas por segundo, o cinco veces la velocidad. Una pulsación más le llevará a 240 fotogramas por segundo. La tecla **J** funciona del mismo modo pero hacia atrás. Si mantiene pulsada la tecla **K** mientras presiona **J** o **L**, Avid irá a cámara lenta, hacia atrás o hacia adelante.

La barra espaciadora

La barra espaciadora funciona como un gran botón de Stop. Si está reproduciendo un clip o secuencia, pulse la barra espaciadora y el clip detendrá su reproducción. La barra espaciadora también es un botón de reproducción. Pulse la barra y el clip o secuencia se reproducirá; púlsela de nuevo y se detendrá.

Las teclas I y O

Al igual que las teclas **J-K-L**, las teclas **I** y **O** del teclado son especialmente útiles. Cuando pulsa la tecla **I**, se marca una entrada y se le dice a Avid cuál es el inicio del clip. Cuando pulsa la tecla **O** está marcando una salida y diciéndole a Avid dónde está el final del clip. Observe que estas dos letras se encuentran justo encima de **J-K-L**, facilitando así marcar las entradas y salidas.

Otros comandos importantes

Examine la lista de algunos de los comandos más importantes y sus símbolos en la figura 1.25. La mayoría están disponibles en el teclado, como botones en la pantalla o en un Menú rápido. Dos de los comandos más importantes son **Undo** (Deshacer) y **Redo** (Rehacer).

Para deshacer una acción, simplemente pulse **Control-Z (Comando-Z)**. Para rehacer una acción anterior, pulse **Control-R (Comando-R)**:

- Deshacer: **Control-Z (Comando-Z)**.

- Rehacer: **Control-R (Comando-R)**.

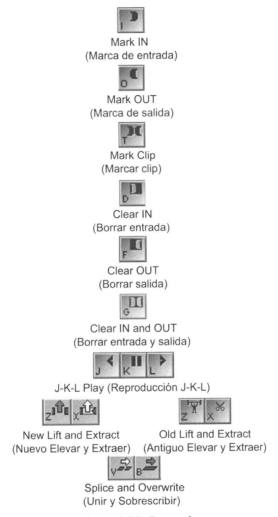

Mark IN
(Marca de entrada)

Mark OUT
(Marca de salida)

Mark Clip
(Marcar clip)

Clear IN
(Borrar entrada)

Clear OUT
(Borrar salida)

Clear IN and OUT
(Borrar entrada y salida)

J-K-L Play (Reproducción J-K-L)

New Lift and Extract   Old Lift and Extract
(Nuevo Elevar y Extraer)   (Antiguo Elevar y Extraer)

Splice and Overwrite
(Unir y Sobrescribir)

Figura 1.25. *Comandos.*

Puede volver atrás y deshacer o rehacer hasta 32 acciones previas. Memorice las teclas mostradas en la figura 1.25 y dominará Avid en poco tiempo. En realidad son casi las únicas teclas que necesita memorizar.

Ventana activa

Como puede ver, la pantalla de Avid tiene varias ventanas y monitores: Timeline (Línea de tiempo), Source Monitor (Monitor de origen), Record Monitor (Monitor de grabación) y la ventana Project (Proyecto). Si quiere trabajar dentro de una ventana concreta, debe activarla. Muchos usuarios principiantes se confunden cuando pulsan un botón y no ocurre nada o el comando se ejecuta en el lugar incorrecto. Si quiere trabajar en Source Monitor, primero haga clic en él. Lo mismo ocurre para Timeline o una ventana de lata.

Práctica

Hay muchos más comandos y menús que tratar y veremos todos ellos pero, por ahora, practiquemos lo que hemos visto hasta ahora comenzando una sesión de edición. Es cierto, no hemos visto cómo utilizar muchas de las más potentes herramientas de Avid, pero tenemos las herramientas básicas para hacer un montaje crudo de una escena. Siga las instrucciones de la sección siguiente. Le guiarán a través de su primera edición. Si está cortando una escena diferente que no es *Wanna Trade*, simplemente sustituya los nombres de clip por los que doy en las instrucciones.

Antes de realizar cualquier edición, mire el guión de la escena que va a montar para tener una idea de la acción y el diálogo. Si va a editar *Wanna Trade*, encontrará el guión al final de este capítulo. La mayor parte de la acción se ha filmado desde varios ángulos de cámara. Cada actor tiene una toma maestra y un primer plano. Parte de la acción tiene más de una toma. Su trabajo es hacer que la escena cobre vida escogiendo entre las mejores partes. Examine las interpretaciones y determine también qué ángulo funciona mejor para cada sección de la escena.

Inicio de una sesión de edición

La pantalla de la figura 1.26 muestra el aspecto de Avid durante una sesión de edición. La ventana Project se encuentra en la esquina inferior izquierda. La lata Dailies-Day 1 está abierta en vista breve y muestra los clips que forma la escena *Wanna Trade*. Se ha abierto un clip, un primer plano de Kate, en Source Monitor. Se han unido varias tomas en Timeline, creando una secuencia. Record Monitor está al lado derecho y muestra lo que hay en Timeline. Vemos un primer plano de Tim, porque el indicador de posición de Timeline está en ese clip.

Figura 1.26. *Pantalla de Avid durante una sesión de edición.*

Comenzaremos cargando clips en Source Monitor. El monitor de origen es como un tanque de contención. Cada vez que hace clic sobre el icono de un clip, éste aparece en Source Monitor. Source Monitor tiene un menú que muestra todos los clips que se han cargado. Haga clic en el nombre del clip en la esquina superior derecha de Source Monitor para ver una lista de todos los clips que se encuentran ahí.

Arrastre hacia abajo y suelte para escoger otro clip de la lista; la vista actual se sustituirá con el elegido.

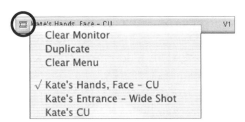

Figura 1.27. *Haga clic y arrastre para ver la lista de clips en el Monitor de origen.*

Realizar el primer montaje

Siga las instrucciones paso a paso, que le guiarán a lo largo de su primera sesión de edición:

1. En la ventana Project de Wanna Trade, verá dos latas: Dailies-Day 1 y Assembly (ignore la carpeta llamada `Chapter 3`). Haga clic una vez sobre el icono de lata de Dailies-Day 1. Debería abrirse en SuperBin. Para que vaya a la SuperLata, tendrá que hacer doble clic en el icono de lata vacía de la ventana Project (en gris para mostrar si ya está abierta).

2. Haga clic una vez en el icono de lata de Assembly. Aparecerá entonces en SuperBin, sustituyendo la lata Dailies-Day 1. En la ventana Project, haga clic una vez más en el icono de lata de Dailies-Day 1. Aparecerá en la vista, sustituyendo a la lata Assembly.

3. En la lata Dailies-Day 1 verá varios clips. Probablemente esté en Brief View. Haga clic en las pestañas de la parte superior de la lata para cambiar las vistas. Cambie a Text View. Cambie a Frame View. Pruebe la Script View. Vuelva a la Brief View.

4. En la lata Dailies-Day 1, haga doble clic sobre el icono de clip de Kate's Entrance-Wide shot (Entrada de Kate-Plano largo). El clip aparece en Source Monitor. También puede colocar clips en Source Monitor haciendo clic y arrastrando el icono de clip desde la lata a Source Monitor.

5. Puede reproducir el clip seleccionando el botón **Play** de la parte inferior del Source Monitor, pero le sugiero que se acostumbre a utilizar las teclas **J-K-L** del teclado. Practique reproduciendo los clips utilizando esas teclas con la mano izquierda. Pulse **J** o **L** varias veces para ir a cámara rápida hacia atrás o hacia adelante. Puse la tecla de pausa (**K**) mientras pulsa **J** o **L** para ir hacia atrás o adelante a cámara lenta.

6. Para moverse rápidamente por el clip, arrastre la barra de posición de la ventana de barra de posición de Source Monitor.

7. Una vez se haya familiarizado con el clip en Source Monitor, seleccione sus puntos de corte. Marque una ENTRADA en algún punto después de la pizarra y marque una SALIDA después de que Kate busque entre los papeles de la mesa. Utilice las teclas **I** y **O**, o los botones de comando **Mark IN** (Marcar ENTRADA) o **Mark OUT** (Marcar SALIDA) en el monitor de origen, como muestra la figura 1.28.

Para realizar la primera edición, haga clic sobre el botón **Splice** (Unir) (véase la figura 1.29).

Aparecerá un cuadro de diálogo, preguntándole dónde quiere que vaya la Untitled Sequence (Secuencia sin título) (véase la figura 1.30). Seleccione la lata Assembly y haga clic en **OK**. Ya está. Acaba de crear una Secuencia sin título y Timeline muestra que la imagen y las pistas se han unido en la secuencia.

Marca de entrada ————— ————— Marca de salida

Figura 1.28. Monitor de origen.

Figura 1.29. Botón Unir.

Icono de
Secuencia

Haga clic aquí para
escribir un nombre

Figura 1.30. Secuencia sin título.

En la lata Assembly, haga clic sobre las letras de Secuencia sin título (no en el icono de secuencia) para poder escribir un nombre, como **Assembly#1**.

Haga clic sobre Timeline para activarla. Ahora, practique la navegación en Timeline reproduciendo la toma a varias velocidades utilizando **J-K-L** o arrastrando el indicador azul de posición.

Añadir tomas a la secuencia

1. Está listo para cortar la siguiente toma. El clip que queremos se llama Kate's Hands, Face – CU (Manos y rostro de Kate – Primer plano) y muestra un primer plano de las manos de Kate buscando papeles en la mesa. La toma se inclina hacia arriba para mostrar un primer plano de la cara de Kate. Vaya a la lata Dailies-Day 1 y haga doble clic en Kate's Hands, Face-CU.

2. Reproduzca el clip para ver cuáles son las opciones.

3. Haga clic en cualquier punto de Timeline. Navegue por ella, buscando un punto en el que montar esta toma de sus manos en el plano largo de ella buscando en la mesa.

4. Coloque la marca de entrada en Timeline donde quiere colocar el primer plano de las manos. Hágalo colocando el indicador de posición en el punto correcto de Timeline. Ahora pulse la tecla **I** o haga clic en el botón **Marck IN** de Record Monitor. Esto coloca una marca de entrada en Timeline donde quiere hacer el corte.

5. Haga clic en cualquier parte del monitor de origen para activarlo, busque un punto en el clip Kate's Hands, Face – CU donde piense que funcionará el corte y marque una entrada. Vaya a la sección del clip justo antes de que la cámara se incline para mostrar su cara y marque una salida.

6. IMPORTANTE: Son necesarias tres marcas para realizar una edición y ahora tiene tres: una entrada y una salida en Source Monitor y una entrada en Timeline, en la pista TC1. Cuente para asegurarse de que tiene tres (véase la figura 1.31).

7. Ahora tiene dos opciones. Puede seleccionar el botón **Splice**, o puede seleccionar el botón **Overwrite** (Sobrescribir) (véase la figura 1.32). El botón **Splice** inserta material en la secuencia en la marca de entrada y empuja lo que hay después de ese punto hacia la derecha. La secuencia se alarga. El botón **Overwrite** sustituye lo que hay en la secuencia con material nuevo. En este ejercicio, pulsaremos el botón **Overwrite**.

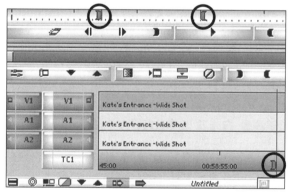

Figura 1.31. *Tres marcas.*

Figura 1.32. *Unir y Sobrescribir.*

8. Cuando pulsa el botón **Overwrite**, una parte de la entrada de Kate es sustituida con la inserción de sus manos en el punto de entrada que seleccionó. Reproduzca la secuencia entera para ver si le gusta cómo funciona. Si no es así, pulse **Control-Z (Comando-Z)** para deshacer la última acción. Desaparecerá lo sobrescrito. Seleccione nuevos puntos de edición borrando las entradas y salidas de Source Monitor y la entrada en Timeline y estableciendo nuevas marcas.

9. Cuando se montan varias tomas, normalmente se sobrescribe, colocando una toma sobre la cola de la última toma de Timeline.

10. Ahora pruebe a montar un primer plano del rostro de Kate. Arrastre o reproduzca en Timeline hasta encontrar un nuevo punto para la entrada. Coloque la entrada utilizando la tecla **I** del teclado o el comando **Mark IN** en el monitor de reproducción. Ahora reproduzca el clip Kate's Hands, Face – CU en el monitor de origen. Para asegurarse de que la ventana está activa, haga clic en cualquier parte de Source Monitor.

    Ahora seleccione sus puntos de entrada y salida. Tiene tres marcas. Pulse el botón **Overwrite**. Ahora debería tener tres tomas en su Timeline.

11. Si quiere recortar más imágenes y sonido de Timeline (por ejemplo si el final de la toma es muy largo), marque una entrada y después una salida al final del clip en Timeline, como muestra la figura 1.33. Asegúrese de que están marcadas todas las pistas (resaltadas). Ahora, pulse la tecla **Extract** (**X** en el teclado). Utilice el comando **Undo** (**Control-Z/Comando-Z**) si hay algún problema y vuelva a intentarlo para corregirlo.

Hay dos tomas de la Toma Maestra; una cubre la escena completa y la otra es una selección. Hay varias tomas de primer plano de Tim. Kate tiene un primer plano y un plano medio. Observe las interpretaciones, examine las opciones y siga montando la secuencia. Deje las tomas un poco largas y las recortaremos más adelante.

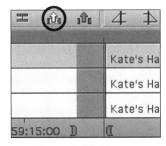

Figura 1.33. *Extraer.*

Finalizar una sesión de edición

Para cerrar el proyecto, haga clic en cualquier lugar de la ventana Project. Ésta es la ventana que contiene todas las latas. Pulse **Control-S** (**Comando-S**) para guardar los cambios. Pulse **Control-Q** (**Comando-Q**) para salir del programa o seleccione Exit en el menú File o Quit en el menú de Media Composer.

Bien hecho.

En la figura 1.34 puede ver el guión de *Wanna Trade*.

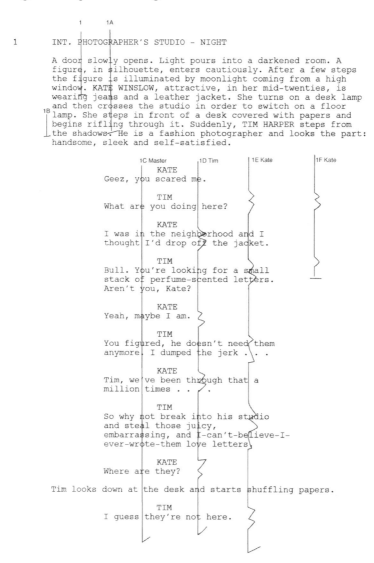

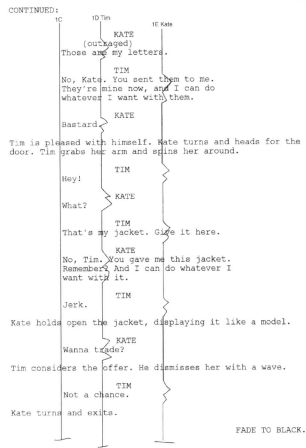

Figura 1.34. Guión para Wanna Trade.

2. Conceptos básicos de edición

Reglas de edición

Por desgracia, o por suerte, dependiendo de su perspectiva, no hay reglas de edición. Eso no quiere decir que no hay una estética en funcionamiento o bien que cualquier orden de tomas es correcto. Si tal fuera el caso, un mono entrenado sería tan buen editor como Thelma Schoonmaker, que ganó óscars por *Toro salvaje*, *El aviador* e *Infiltrados*.

Así pues, ¿qué es lo que hace que un editor sea bueno? Cuando se edita una secuencia que implica varias tomas, entran en juego muchas habilidades y talentos. En primer lugar, debe ser capaz de escoger entre las opciones que se le ofrecen. Para elegir correctamente debe comprender el guión y no sólo la línea argumental sino también las necesidades de los temas o los personajes. Si no sabe lo que motiva a un personaje o tema, no podrá realmente determinar qué toma funcionará mejor. También debe juzgar la interpretación, composición, dirección de pantalla, bloqueos, movimientos de cámara, iluminación y sonido, puesto que todos esos elementos pueden ayudar a atraer al público. La capacidad para juzgar el material es crítica sea cual sea la naturaleza del programa que esté editando, ya sea documental, narrativa, comercial o experimental.

Una vez escogido el material que mejor funciona, debe cortarlo a la longitud correcta y unirlo a la toma correcta. Y, una vez piense que ha hecho eso, entra en juego la más importante de las habilidades. Para ser un buen editor debe ser un buen observador. Parece simple, pero no lo es. Los buenos editores pueden dejar de ser editores y transformarse rápidamente en buenos espectadores. Debe ser capaz de borrar de su mente todas sus preocupaciones, punzadas de hambre, músculos doloridos, pensamientos aleatorios y cualquier otra cosa que impida su concentración. Y entonces debe observar realmente. Mientras observa, se estará haciendo una pregunta: ¿Funciona? Espero que sepa la respuesta a esa pregunta al final de este libro.

Comenzar la segunda sesión de edición

Con todas las unidades externas conectadas y encendidas, haga clic en el icono de Avid para abrir el software. Cuando se abra, verá la ventana Select Project (Seleccionar Proyecto), como se muestra en la figura 2.1.

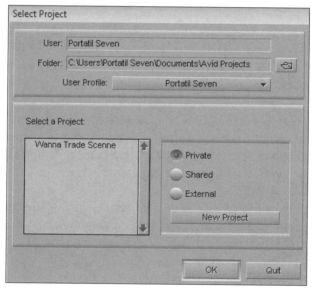

Figura 2.1. *Ventana Seleccionar Proyecto.*

Si está trabajando en *Wanna Trade*, haga clic para que se resalte y pulse **OK**. Si su profesor ha cargado un proyecto distinto, haga clic en él y pulse **OK**. Cuando llegue a la ventana Project (Proyecto), abra las latas `Dailies-Day 1` y `Assembly`. Busque la secuencia que creó en la primera sesión de edición.

Probablemente la nombrase algo parecido a `Assembly 1`. Hay dos formas de llevar una secuencia a **Record Monitor** (Monitor de grabación, el de la derecha). Puede hacer clic en ella y arrastrarla al monitor, o hacer doble clic en el icono de secuencia. Se abrirá en **Timeline** (Línea de Tiempo), lista para continuar.

Habilidades básicas de edición

Revisemos lo que vimos al final del primer capítulo. Comencemos abriendo la lata que contiene los clips. Los usuarios de **SuperBin** (SuperLata) harán un solo clic sobre el icono de la lata, mientras que los que no utilicen este modo harán doble clic. Ahora, haga doble clic en el icono del clip para abrirlo en **Source Monitor** (Monitor de origen).

Marcar clips

Splice (Unir) y **Overwrite** (Sobrescribir) permiten unir tomas en el orden que deseamos que aparezcan. Nos ayudan a construir nuestra secuencia. El material se selecciona colocando una ENTRADA en el lugar que queremos comenzar y una SALIDA donde queremos que termine la toma. Haga clic en cualquier parte de **Source Monitor** para activarlo. Utilice las teclas **J-K-L** para reproducir el clip, o haga clic y arrastre el indicador de posición de la ventana de **Source Monitor**. Una vez familiarizado con el clip, seleccione sus puntos de corte. Marque una entrada y una salida. Acaba de determinar qué se unirá o sobrescribirá en la secuencia (véase la figura 2.2).

Marcar una entrada   Marcar una salida   Borrar entrada y salida

Figura 2.2. *Puede borrar las marcas haciendo clic en el botón Borrar Entrada y Salida.*

En vez de usar los botones de comando que hay debajo de **Source Monitor**, utilice las teclas de comando del teclado. Son las teclas **I** y **O**. Puede ser más lento al principio pero verá como a la larga es más rápido.

Ahora debe determinar a dónde debe ir material. Haga clic en cualquier parte de **Timeline** para activarla. Reproduzca la secuencia. Utilizando el teclado, pulse la tecla **I** para colocar una marca de entrada.

Recuerde, son necesarias tres marcas para hacer una edición, y ya tiene tres: una entrada y una salida en Source Monitor y una entrada en Timeline. Cuente para asegurarse de que tiene tres marcas.

Ahora tiene dos opciones. Puede seleccionar el botón **Splice** o bien el botón **Overwrite** (véase la figura 2.3).

Figura 2.3. *Splice y Sobrescribir.*

Splice y Overwrite

El botón **Splice** inserta el material en la secuencia en la marca de entrada y empuja el resto a partir de ese punto. El botón **Overwrite** sustituye lo que ya había en la secuencia con nuevo material. Digamos que su tercera toma, el primer plano de Kate, es algo largo. Puede utilizar **Overwrite** para recortar el final de la toma a la vez que inserta la cuarta toma. En la figura 2.4, el final del primer plano de Kate es algo largo. He colocado una marca de entrada en Timeline donde quiero que vaya la cuarta toma. **Overwrite** colocará el primer plano de Tim en la marca de entrada y eliminará el final del primer plano de Kate.

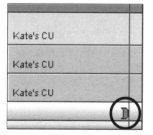

Figura 2.4. *El primer plano de Tim va en la marca de entrada, sobrescribiendo el final del primer plano de Kate.*

Menú de Source Monitor

Al hacer doble clic en un icono de clip se abre dicho clip en Source Monitor. Si quiere colocar más de un clip a la vez en Source Monitor, pulse **Mayús** mientras hace clic y arrastre un grupo de clips a la pantalla de Source Monitor. Una vez se han cargado los clips en Source Monitor, están disponibles en el menú de Source Monitor. Pulse y mantenga pulsado sobre el nombre del clip en la parte superior de la pantalla de Source Monitor. Cuando se despliega la lista, arrastre y suelte el clip que quiere abrir en Source Monitor. La figura 2.5 muestra que se han abierto tres clips en Source Monitor. La marca muestra cuál de ellos aparece en el monitor.

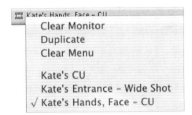

Figura 2.5. *Lista de clips de Source Monitor.*

El menú muestra los clips en orden alfabético. Un buen truco a recordar es que si pulsa la tecla **Alt** (**Opción**) mientras despliega el menú, verá los clips enumerados en el orden en el que los utilizó la última vez.

Timeline

Como vimos en el capítulo 1, Timeline es una representación gráfica de las tomas de la secuencia. Es una de las funciones de Avid más intuitiva y amable con el usuario.

Seleccionar y deseleccionar pistas

Los paneles de Track Selector (Selector de pista) se encuentran a la izquierda de Timeline. Cuando hay un clip en Source Monitor, aparece Source Track Selector (Selector de pista de origen) junto al panel de Record Track Selector (Selector de pista de grabación).

Antes de realizar ninguna edición, compruebe siempre qué pistas están seleccionadas antes de unir y sobrescribir. En la figura 2.6, si intentásemos unir el material de Source Monitor a la secuencia, el sonido de las pistas A1 y A2 no se uniría. ¿Por qué? Porque los botones de **Record Track** (Grabación de pista) para A1 y A2 no están seleccionados. Para seleccionarlos simplemente haga clic sobre los botones de pista.

Si las pistas de grabación están seleccionadas pero no lo están los botones de **Source Track**, el material de origen tampoco se unirá o sobrescribirá a la secuencia. Compruebe las pistas antes de unir o sobrescribir.

Esta pista de vídeo está seleccionada

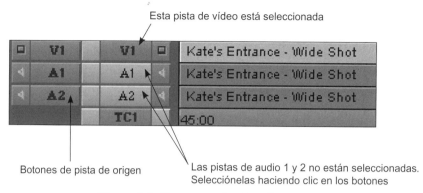

Botones de pista de origen

Las pistas de audio 1 y 2 no están seleccionadas.
Selecciónelas haciendo clic en los botones

Figura 2.6. Pistas no seleccionadas.

Navegación de Timeline

Es fácil moverse por Timeline. Utilice las teclas **J-K-L** o el ratón para arrastrar el indicador azul de posición a cualquier lugar de Timeline.

Inicio y Fin

Haga clic en cualquier parte de Timeline para activarla y después pulse la tecla **Inicio** que se encuentra en el teclado (véase la figura 2.7). Saltará al principio de la secuencia. Si pulsa la tecla **Fin**, saltará al final de la secuencia. Si Source Monitor está activo, también funcionan las teclas **Inicio** y **Fin**. Los usuarios de portátiles pueden necesitar pulsar la tecla de función (**Fn**) para que funcionen las teclas de **Inicio** y **Fin**.

Figura 2.7. Teclas de Inicio y Fin.

Saltar instantáneamente a puntos de corte

Muy a menudo, utilizará el ratón para ir donde quiere ir, bien haciendo clic en Timeline o usando el ratón para arrastrar el indicador de posición. Cuando se edita, a menudo querrá ir al final de una toma para marcar una salida o ir a su inicio para marcar una entrada. Pero hacer que el indicador de posición aterrice exactamente al inicio de una toma no es tan fácil. Si el indicador de posición en Timeline no está en el primer fotograma y comienza a unir, le quedarán fotogramas huérfanos. Para saltar rápidamente al inicio de un clip en Timeline, pulse **Control** (**Comando**) y haga clic con el cursor cerca de la transición a la que desea saltar. Pruébelo.

Para poder pasar rápidamente al final de un clip, pulse **Control-Alt** (**Opción-Comando**) y haga clic cerca de la transición que desea.

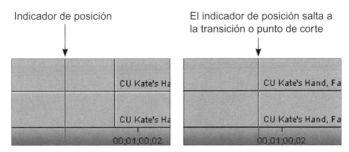

Figura 2.8. Saltar a transiciones.

Indicador de posición

- Pulse **Control** (**Comando**) y haga clic cerca de la transición a la que desea saltar. Irá al primer fotograma de esa toma.

- Pulse **Control-Alt** (**Comando-Opción**) y haga clic cerca de la transición a la que desea ir. Irá al último fotograma de esa toma.

Practique esta técnica hasta que sea automática.

Teclas de fotograma único

Para moverse una cantidad muy precisa, haga clic en las teclas de fotograma único (las flechas de cursor de izquierda y derecha del teclado) (véase la figura 2.9). Cada pulsación le moverá un fotograma hacia adelante o hacia atrás. Mantenga pulsada la tecla para moverse a cámara lenta.

Figura 2.9. Teclas de fotograma único.

Cambiar la vista de Timeline

Hay ocasiones en las que querrá tener una vista de Timeline de la secuencia completa y en otras querrá ver la sección en la que está trabajando. Obviamente, si tiene una emisión que dura una hora y contiene miles de cortes, mostrar Timeline completa no es útil porque sólo verá líneas negras. Para editar, querrá ver un punto de edición específico, o cinco o seis tomas. La capacidad para controlar lo que ve en Timeline es importante.

Hay varias formas de controlar qué cantidad de la secuencia completa se muestra en Timeline.

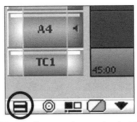

Figura 2.10. *Haga clic en el menú rápido para abrirlo.*

Menú rápido de Timeline

Timeline tiene un menú rápido que contiene varias opciones que permiten cambiar la apariencia de Timeline y la vista de la secuencia. Simplemente haga clic y mantenga pulsado el botón de **Fast Menu** (Menú rápido) y entonces éste se abrirá.

Pruebe a seleccionar More Detail (Más detalle) y Less Detail (Menos detalle). Las opciones Zoom In (Aumentar Zoom) y Zoom Out (Disminuir Zoom) son las únicas que no son autoexplicativas. Cuando seleccionamos Zoom IN, (**Control-M/ Comando-M**) el cursor cambia. Ahora haga clic y arrastre a lo largo de un área de Timeline con el cursor. Suelte y esa sección se mostrará en Timeline. Pulse **Control-J** (**Comando-J**) para volver a la vista original.

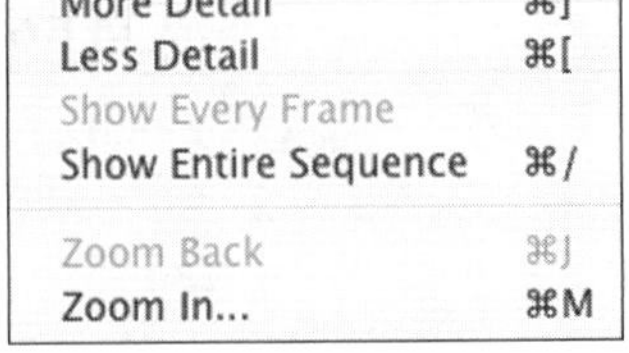

More Detail	⌘]
Less Detail	⌘[
Show Every Frame	
Show Entire Sequence	⌘/
Zoom Back	⌘J
Zoom In...	⌘M

Figura 2.11. *Menú rápido de Timeline.*

Escalar y Desplazar la Timeline

Otra forma de cambiar la vista de Timeline es arrastrando las barras de Scale (Escalar) y de Scroll (Desplazar) de la parte inferior de Timeline (véase la figura 2.12). La barra de la izquierda contiene la barra de Scale. Arrastre la pequeña barra deslizadora hacia la derecha para hacer zoom y ver unos cuantos cortes, o incluso unos fotogramas. Pruébelo. Arrástrela hacia la izquierda y Timeline se comprimirá de forma que verá un mayor porcentaje de la secuencia.

Figura 2.12. *Barras de Scale y Scroll.*

El rectángulo de la derecha se llama barra de desplazamiento que tiene su propio deslizador. En realidad no lo verá hasta que arrastre la barra de escalar a la derecha. Entonces aparece porque hay clips ocultos a la vista. Cuando arrastra la barra de desplazamiento hacia la derecha, ésta muestra una sección distinta de Timeline. Así determina qué parte del proyecto se muestra en Timeline.

Por último, está el botón **Focus** (Enfoque) (véase la figura 2.13). Haga clic una vez y hará zoom. Si hace clic una vez más, saldrá del zoom. Practique cambiar las vistas de Timeline utilizando todas las opciones.

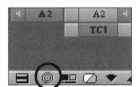

Figura 2.13. *Botón Focus.*

Aumentar y reducir pistas

Puede hacer más grandes o más pequeñas las pistas de Timeline. Pienso que las pistas en el modo predeterminado son demasiado pequeñas. Más adelante, no obstante, son prácticas cuando se trabaja con más de cuatro pistas, puesto que es difícil meterlas todas en Timeline a menos que se reduzca su tamaño. Para cambiar el tamaño de las pistas, seleccione las que quiere cambiar (para que estén resaltadas) y después pulse:

- **Control-L** (**Comando-L**) para aumentar.
- **Control-K** (**Comando-K**) para reducir.

Si quiere cambiar rápidamente el tamaño de una sola pista, mantenga pulsada la tecla **Alt** (**Opción**) mientras coloca con cuidado el cursor en la parte inferior del botón de pista. El puntero cambia de forma. En la figura 2.14 se encuentra entre las pistas A1y A2. Arrastre el cursor hacia abajo y la pista A1 se aumentará. Arrástrelo hacia arriba y la pista se reducirá.

Si está utilizando software Xpress, no necesita pulsar la tecla **Alt** (**Opción**). Simplemente coloque el cursor en la línea inferior del botón de pista y podrá cambiar su tamaño.

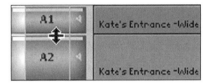

Figura 2.14. *Cursor para cambiar el tamaño de pista.*

Iconos de Track Monitor (Monitor de pista)

Estos pequeños cuadros a la derecha de los selectores de pista tienen pequeños iconos de monitor (véase la figura 2.15). El icono de monitor de audio es un pequeño altavoz y el icono de monitor de vídeo es una pequeña pantalla. Muestran qué pistas se verán y oirán. Si el botón de una pista está vacío, no verá ni oirá nada. La excepción es cuando se tiene más de una pista de vídeo. Si la pista de vídeo superior tiene el icono de monitor entonces también se monitorizarán el resto de pistas de vídeo que hay debajo.

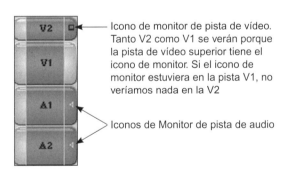

Figura 2.15. *Iconos de Track Monitor.*

Haga clic en el cuadro y desaparecerá el indicador de icono de monitor. No oirá (o verá) esa pista. Haga clic de nuevo y volverá a aparecer el indicador y oirá (o verá) esa pista.

Marcar clips en Timeline

Uno de los botones más útiles es el botón **Mark Clip** (Marcar clip). A menudo estará trabajando en una secuencia y verá que quiere deshacerse de una toma. Una forma de hacerlo es trabajar en Timeline y colocar una marca de entrada al comienzo del clip y una de salida al final. Pero hay una forma mucho más sencilla:

1. Coloque el indicador de posición en el clip que desea marcar (asegúrese de que sólo están seleccionadas las pistas activas).

2. Pulse el botón **Mark Clip**.

El comando **Mark Clip** está en la tecla **T** del teclado o en la fila de comandos que hay sobre Timeline (véase la figura 2.16).

Figura 2.16. *Marcar clip.*

Verá una marca de entrada en el comienzo y una de salida al final del clip. El clip completo se resalta. Observe que, si tiene pistas que si hay pistas vacías de clips y están seleccionadas, **Mark Clip** marcará la secuencia completa. Deseleccione primero las pistas vacías.

Ahora estamos listos para dominar dos comandos importantes: **Lift** (Elevar) y **Extract** (Extraer). Pero antes de practicar estos comandos en la secuencia, vamos a duplicarla, por si nos animamos demasiado y la estropeamos no nos importe porque el original aún está en la lata.

Duplicar una secuencia

La capacidad para guardar versiones del trabajo es importante. Digamos que tiene una brillante idea y la edita. Después, ve que no funciona y que Timeline es un desastre. Si eso ocurre, querrá poder volver a la versión anterior. Así pues, acostúmbrese a realizar un duplicado de la secuencia antes de poner en práctica esa brillante idea y cree siempre una secuencia duplicada al final de cada sesión de edición para comenzar desde cero al día siguiente. De esa forma, puede seguir la pista de los cambios y volver a una versión anterior si es necesario. Así es cómo se hace:

1. Vaya a la lata `Assembly` y busque la secuencia en la que ha estado trabajando.

2. Selecciónela haciendo clic sobre el icono de secuencia de forma que quede resaltada.

3. Vaya al menú **Edit** (Editar) y después seleccione **Duplicate** (Duplicar) o pulse **Control-D** (**Comando-D**) en el teclado. Ha creado una copia idéntica de la secuencia. Se añade el sufijo `.copy.01` para poder diferenciar las versiones (véase la figura 2.17).

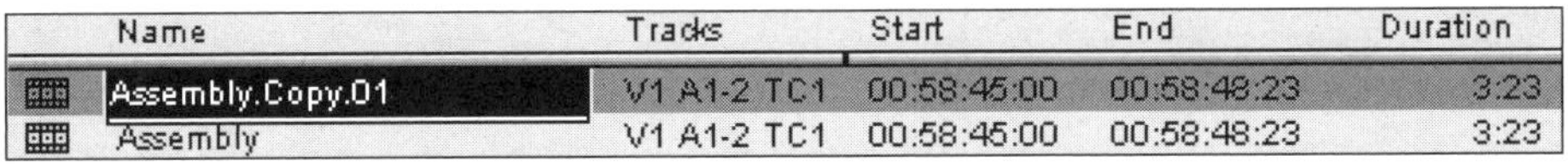

Name	Tracks	Start	End	Duration
Assembly.Copy.01	V1 A1-2 TC1	00:58:45:00	00:58:48:23	3:23
Assembly	V1 A1-2 TC1	00:58:45:00	00:58:48:23	3:23

Figura 2.17. *Secuencia duplicada.*

4. Sustituya el sufijo `.copy.01` por la fecha de hoy y otro nombre para poder diferenciar las versiones.

Haga doble clic sobre el icono de la nueva secuencia para abrirla en **Record Monitor** y **Timeline**. Ahora tiene una nueva versión en la que trabajar.

Lift y Extract

Ahora empezaremos a explorar **Lift** y **Extract**, dos comandos importantes que nos ayudan a comprender la edición en Avid. Puesto que son tan importantes, los encontrará en el teclado: son las letras **Z** (elevar) y **X** (Extraer). Avid ha cambiado el aspecto de estos comandos en Media Composer 3.0.

Las dos capturas de pantalla de la figura 2.18 muestran los comandos antiguos y nuevos.

Antiguo Elevar y Extraer   Nuevo Elevar y Extraer

Figura 2.18. *Lift y Extract.*

Vayamos ahora a la tercera toma de **Timeline**. En mi secuencia, es `Master Shot 1`. Para este ejercicio, utilizaremos el botón **Mark Clip** para seleccionar el clip que vamos a elevar y extraer. Coloque el indicador de posición en cualquier lugar del clip y después pulse el botón **Mark Clip** (véase la figura 2.19).

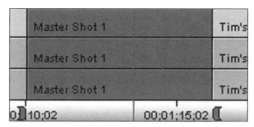

Figura 2.19. *Marcar clip.*

Ahora pulse el botón **Lift**. El clip desaparece y se rellena su espacio de negro (véase la figura 2.20).

Observe que, cuando eleva, la longitud de la secuencia no cambia. Timeline sigue teniendo la misma longitud.

Figura 2.20. *Se ha elevado la toma maestra de la secuencia.*

Pulse **Control-Z** (**Comando-Z**) para deshacerlo.

Ahora utilice el botón **Mark Clip** para marcar de nuevo la toma maestra. Esta vez, pulse el botón **Extract**. El clip ha desaparecido y Timeline ha encogido (véase la figura 2.21). Esto puede confundirnos en ocasiones porque ocurre tan rápido que no lo vemos y nos preguntamos si hemos hecho algo o no.

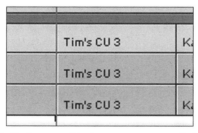

Figura 2.21. *Se ha extraído la toma maestra de la secuencia.*

Si quiere tener de nuevo la toma maestra pulse **Control-Z** (**Comando-Z**) para deshacer la extracción.

Ahora probemos a elevar y extraer clips con la pista de vídeo (V1) sin seleccionar. Verá que el botón **Lift** se llevará el sonido, dejando la imagen y un relleno negro donde estaba el sonido. En la figura 2.22, he seleccionado las pistas de audio pero no la de vídeo y he pulsado el botón **Lift**. La imagen permanece pero el sonido se ha sustituido por un relleno negro.

Figura 2.22. Se han elevado las pistas de sonido, pero no la de vídeo.

Lift funciona sin problemas, pero tenga cuidado con el botón **Extract**. Al extraer el audio y dejar el vídeo en su lugar, se altera todo el audio que viene después de este clip. Veamos cómo **Extract** difiere de **Lift** en esta situación (véase la figura 2.23).

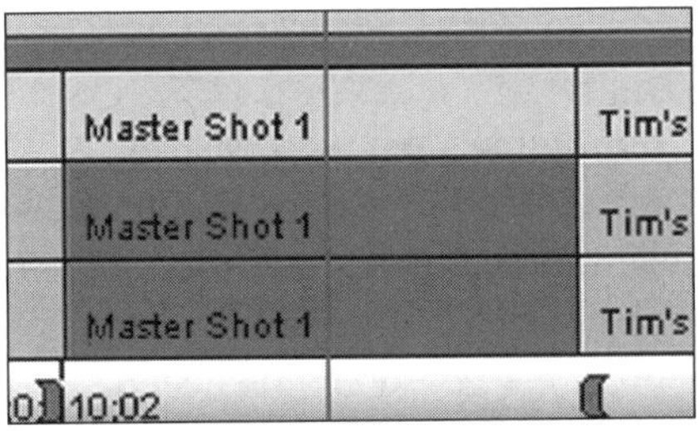

Figura 2.23. Seleccione las pistas de sonido de la toma maestra y deseleccione V1. Ahora marque el clip. Sólo se ha marcado el sonido.

Como hemos visto, si se eleva el audio de la toma maestra, éste desaparece y es sustituido por un relleno. El audio de este punto no se empuja para rellenar el espacio dejado por el audio que falta porque hay algo ahí: el relleno. Pero, cuando se extrae, no hay relleno. El audio se mueve para rellenar el hueco. Observe cómo el audio de Tim pasa al hueco producido cuando se extrae el audio de la toma maestra, desincronizando todo (véase la figura 2.24).

Esto no es lo que queremos. Como hemos extraído 184 fotogramas de audio mientras que hemos dejado el vídeo en su lugar, el audio se desincroniza 184 fotogramas desde el punto de la extracción.

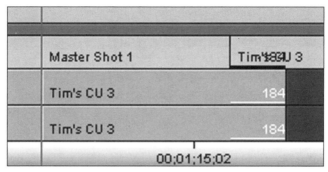

Figura 2.24. El audio posterior ocupa el espacio del audio extraído.

Por suerte, Timeline nos muestra cuándo y cuánto nos hemos desincronizado. Los signos de suma y resta indican la dirección del problema de sincronía. El número de fotogramas indica la extensión del problema de sincronía.

Tenga cuidado al utilizar **Extract**. Es una herramienta estupenda, pero sólo cuando se seleccionan todas las pistas. Prepárese para utilizar **Undo** para arreglar problemas al utilizar **Extract**.

Recortar tomas utilizando Extraer

Una forma de recortar rápidamente el comienzo o final de una toma es utilizar **Extract**. Digamos que el inicio de una toma que ha montado en la secuencia parece demasiado largo. Busque el punto en el que quiere cortarlo. Marque una salida. Pase al inicio del clip (**Control/Comando** y arrastre el indicador de posición) y marque una entrada. Pulse **Extract** y la toma se recortará a la longitud deseada.

Son necesarias tres marcas para hacer una edición

Ésta es una sencilla declaración de hechos y, aun así, cuando se comprende realmente, tiene un profundo sentido. Siempre que una o sobrescriba, necesitará hacer tres marcas. Solamente hay cuatro opciones posibles. Observe las opciones de la siguiente tabla (véase la tabla 2.1). Hasta el momento, nos hemos concentrado en la primera. En Source Monitor, marcamos el material que deseamos editar en la secuencia con una entrada y una salida, y después marcamos una entrada en Timeline allí donde queremos insertarla. Tenemos tres marcas.

Tabla 2.1. *Opciones de marcado.*

Source Monitor	Marca de grabación/Timeline
1. Marca de entrada y salida	Entrada
2. Marca de entrada	Entrada y Salida
3. Marca de salida	Entrada y Salida
4. Marca de entrada y salida	Salida

Veamos las otras tres opciones. Éstas se utilizan más frecuentemente con el botón **Sobrescribir**, mientras que la opción 1 se usa, por lo general, con el botón **Splice**.

La opción 2 es útil cuando quiere sustituirse una toma (o audio) que ya está montada en Timeline por una toma mejor. Digamos que ha montado una toma de un bebé sonriente en la secuencia. Cuando reproduce la secuencia, se da cuenta de que tendría más sentido utilizar una toma de un bebé llorando. Le gusta la longitud de la toma, pero no el contenido.

Así pues, simplemente marca el clip (utilice el botón **Mark Clip**) en Timeline y después busca el clip del bebé llorando en la lata. Reproduce el clip del bebé llorando en Source Monitor y marca una ENTRADA donde quiere que comience la toma.

Ahora pulsa **Overwrite** y la toma del bebé sonriente se sustituye por la del bebé llorando. La longitud de la secuencia no cambia. Simplemente hemos sustituido una toma por otra.

La opción 3 es igual que la opción 2, sólo que marca el clip en Source Monitor desde la SALIDA en lugar de la ENTRADA. Piense en ello. En Timeline marca el clip que quiere sustituir. Después busca la toma que quiere colocar en su lugar. Quizá es el final de la toma del bebé llorando lo que la hace especial. Por tanto, utiliza una marca de SALIDA en lugar de una de ENTRADA. Tenemos tres marcas y pulsamos **Overwrite**. La toma del bebé sonriente se sustituye por la del bebé llorando.

La longitud de la secuencia no cambia. Simplemente hemos sustituido una toma por otra.

Cuando conducía un camión para ganarme la vida, me dijeron que el 99 por 100 de los accidentes ocurrían cuando se daba marcha atrás. Ésa es la razón por la que rara vez utilizará la opción 4. Con esta opción, el material se desplaza hacia atrás en Timeline y puede acabar borrando material que quiere conservar; no obstante, es una opción práctica cuando se está montando música, como veremos en el capítulo 8.

Como un mantra

Se necesitan tres marcas para hacer una edición. Piense en esta sencilla frase. Examine las opciones. Imagine distintas situaciones en las que utilizaría cada una de ellas. Pruébelas. ¿Ve lo que quiero decir? Profundo.

Utilizar el portapapeles

Clipboard (Portapapeles) es una de las herramientas más útiles de Avid. Puede marcar una sección en Timeline con una ENTRADA y una SALIDA y después colocarla en **Clipboard** pulsando **Lift** o **Extract** o el icono de **Clipboard** (véase la figura 2.25).

Figura 2.25. *Elevar, Extraer y Portapapeles.*

A diferencia de **Lift** y **Extract**, que eliminan material de Timeline, cuando pulsa el icono de **Clipboard** el material se mantiene en la secuencia y una copia, incluyendo todas las pistas de vídeo y audio que haya seleccionado, se guarda en **Clipboard**. De esta forma puede coger algo que ya ha hecho y colocar una copia exacta en otro lugar. Incluso en otra secuencia.

Para ver el material de **Clipboard**, vaya al menú de Source Monitor y mantenga pulsada la tecla del menú. Seleccione Clipboard Contents (Contenido del portapapeles) y lo que haya seleccionado aparecerá en Source Monitor (véase la figura 2.26). Ahora puede marcar el material que desea montar en la misma secuencia o en otra. Cuando coloque más de un clip en **Clipboard**, todos ellos aparecerán en una lista en el menú de Source Monitor. Se borrarán de la memoria una vez cierre el proyecto o haga clic en **Exit**.

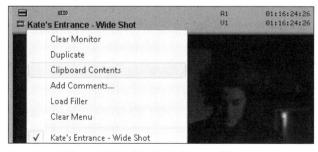

Figura 2.26. *Menú de Source Monitor.*

Lista Deshacer/Hacer

Como ya hemos visto, podemos deshacer y rehacer (Undo y Redo) acciones pulsando **Control-Z** (**Comando-Z**). Si pulsa el comando Undo cuatro veces seguidas, puede deshacer las últimas cuatro acciones. Hay una forma más fácil de hacerlo. Vaya al menú Edit de la parte superior de la pantalla y despliéguelo. Arrastre y después mantenga pulsado Undo/Redo List (Lista Deshacer/Rehacer), como muestra la figura 2.27. Verá una lista de todas sus acciones. Si ha estado trabajando durante bastante tiempo, puede tener hasta 32 acciones en la lista. Busque la que quiere deshacer o rehacer y selecciónela en la lista. Recuerde que también se desharán todas las acciones anteriores (las que se encuentran por encima de ésta en la lista). ¿Quién dijo que no se podía volver atrás en el tiempo?

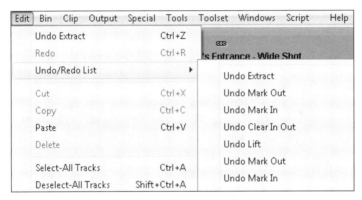

Figura 2.27. *Undo/Redo List.*

Tareas recomendadas

1. Duplique la secuencia. Cambie el nombre de la versión duplicada a Rough Cut (Montaje crudo) y añada la fecha de hoy.

2. Practique el Snapping to Cut Points (Salto a puntos de corte).

3. Cambie la vista de Timeline utilizando el menú rápido, el botón **Focus**, y las barras de deslizamiento de Scale y Scroll.

4. Utilice el comando **Mark Clip** para seleccionar segmentos de Timeline y después utilice los comandos **Lift** y **Extract**. Observe las diferencias.

5. Coloque material en **Clipboard** y utilice **Splice** y **Overwrite** para montarlo en Timeline.

3. Recorte

Siempre que doy una clase de edición, una de las preguntas que los alumnos me hacen a menudo es: "¿Cómo sabes durante cuánto mantener una toma?". La primera vez que me hicieron esa pregunta di la peor respuesta posible. Dije: "No lo sé, simplemente lo sabes".

Desde entonces he pensado un poco más en la pregunta. En ocasiones es evidente. Si la toma es de una acción específica, debes mantenerla hasta que la acción ha terminado. Por ejemplo, si alguien está metiendo una tarta en el horno, no querrás cortar antes de que la tarta esté en la bandeja del horno. Pero todo el mundo sabe eso. Las más problemáticas implican la longitud de un corte, o cuánto tiempo mantener a una persona que está hablando, o una toma estática o la toma de una reacción. Mis alumnos saben que no hay una única respuesta, igual que saben no hay reglas. Lo que realmente están preguntando es: "¿Cómo se aprende el ritmo?".

La respuesta es aprender a observar de verdad. El corte se hace de la forma que uno piensa que debería ser, y después se observa. Y se mira de nuevo y se presta atención al ritmo. ¿Es demasiado rápido? ¿Demasiado lento? ¿Confuso? ¿Aumenta la energía de la escena o la echa por tierra? Se prueba alargando y acortando la toma hasta que está bien.

Avid contiene una potente función llamada Trim Mode (Trim Mode), y cuando se está en Trim Mode pueden acortarse y alargarse las tomas de la secuencia fácilmente. Es la herramienta que ha convertido a Avid en el estándar de la industria televisiva y cinematográfica, y es la razón principal por la que le convertirá en un mejor editor. Recuerde: la clave para ser un buen editor es tener la capacidad de observar realmente. En Trim Mode puede cortar y observar a la vez. Suena increíble, y lo es.

Trim Mode

Una vez unidos o sobrescritos los clips en Timeline para visualizarlos en Record Monitor, comienza la edición real: recortar las tomas a su duración correcta, obteniendo la coordinación y el ritmo adecuados, creando un ajuste perfecto, y todo ello tiene lugar en Timeline utilizando Trim Mode. Trim Mode tiene lugar en las transiciones. Algunos editores las llaman puntos de edición. En Timeline, son las líneas que muestran dónde termina una toma y comienza la siguiente. Vamos a aprender en unas cuantas páginas cómo entrar y salir de Trim Mode, así que sea paciente. La recompensa está cerca.

Práctica del Trim Mode

Para aquellos que montaron la escena *Wanna Trade* del DVD del libro, hay una carpeta en la ventana de Project llamada Chapter 3. Dentro de la carpeta hay una lata llamada Trim Practice (Práctica de recorte), que está ahí para utilizarla durante este capítulo. Abra la lata y verá la secuencia llamada Fix these Problems (Arregle estos problemas). La mayoría de los cortes son o demasiado cortos (se ha cortado el diálogo) o demasiado largos (escuchamos diálogo fuera de micro que debería eliminarse). Duplique la secuencia y haga doble clic en el icono para colocarla en Record Monitor. Ahora reproduzca la secuencia mientras observa el guión de *Wanna Trade* del final del capítulo 1. Verá errores obvios y pronto corregirá los problemas utilizando Trim Mode.

Rodillo doble en Trim Mode

Para entrar en Trim Mode, haga clic con el cursor cerca del punto de corte, o transición, en el que quiere trabajar y haga clic en la tecla **Trim Mode**. Puesto que es tan útil, el comando de **Trim Mode** se encuentra en la barra de herramientas de Timeline, bajo los comandos **Splice/Overwrite** y en la tecla **U** del teclado (véase la figura 3.1).

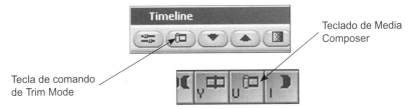

Teclado de Media Composer

Tecla de comando de Trim Mode

Figura 3.1. *Comando Trim Mode.*

Para ayudar a explicar lo que ocurre cuando se recorta, los editores hablan de la cara-A y la cara-B de la transición. La cara-A es la toma saliente y la cara-B la toma entrante.

Puesto que tenemos una escena que implica a dos actores, colocaremos el primer plano de Kate en la cara-A y el primer plano de Tim en la cara-B para asegurarnos de que lo que está viendo es lo que muestran las figuras 3.2 y 3.3.

Como verá, al pulsar la tecla de comando **Trim Mode** ocurren dos cosas. Primero, el monitor cambia; ya no estamos viendo los monitores de origen y grabación. En su lugar, aparece el último fotograma de la cara-A (primer plano de Kate) a la izquierda y el primer fotograma de la cara-B (primer plano de Tim) a la derecha. En segundo lugar, verá unos rodillos de colores a ambos lados de los puntos de corte en Timeline.

Cara-A. Es el último fotograma de este segmento, a menudo llamado Cola

Cara-B. Es el primer fotograma de este segmento, a menudo llamado Cabeza

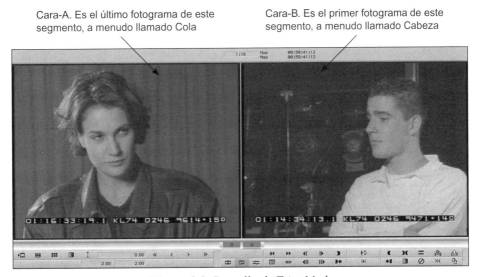

Figura 3.2. *Pantalla de Trim Mode.*

Estamos viendo la pantalla de Trim Mode y hemos entrado en Dual-Roller Trim Mode (Rodillo doble). Se llama así porque hay rodillos a ambos lados del punto de corte (véase la figura 3.3).

Ahora que sabemos entrar en Trim Mode, necesitamos saber salir de él.

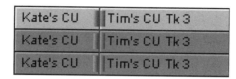

Figura 3.3. *En el modo de rodillo doble, los rodillos aparecen a ambos lados del punto de transición.*

Salir de Trim Mode

Puede salir de Trim Mode con cualquiera de estos métodos:

- Pulse de nuevo el botón de **Trim Mode**.

- Pulse cualquiera de los botones de fotograma único (las flechas de derecha e izquierda) (véase la figura 3.4).

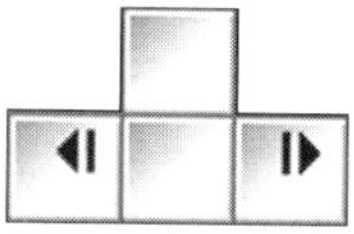

Figura 3.4. *Flechas de cursor del teclado.*

- Haga clic con el ratón en la pista del código de tiempo (TC1) de la parte inferior de Timeline (véase la figura 3.5).

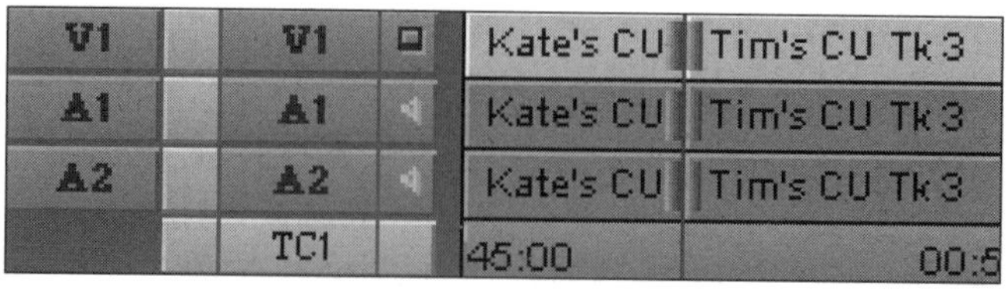

V1	V1	□	Kate's CU	Tim's CU Tk 3
A1	A1	◁	Kate's CU	Tim's CU Tk 3
A2	A2	◁	Kate's CU	Tim's CU Tk 3
	TC1		45:00	00:5

Figura 3.5. *Haga clic en cualquier punto de la pista de código de tiempo y saldrá de Trim Mode. El indicador de posición saltará al lugar sobre el que ha hecho clic.*

Yo prefiero hacer clic en la pista del código de tiempo para salir de Trim Mode. Normalmente hago clic a la izquierda de la transición, de esa forma el indicador de posición salta al lugar donde hice clic y estoy listo para ver la transición que acabo de cortar.

Enlazar la transición

Existe un modo más rápido de entrar en Trim Mode. Haga clic con el ratón en la zona gris que hay sobre las pistas y hacia la izquierda de la transición en la que quiere trabajar. Arrastre hacia abajo, de izquierda a derecha, rodeando la transición, incluyendo todas las pistas, y suelte (véase la figura 3.6). Entrará instantáneamente en Trim Mode. Enlazar la transición es el método más rápido porque no necesita seleccionar las pistas. Es el método que debe practicar más a menudo.

Si tiene una pista de vídeo y dos pistas de audio, enlace las tres pistas. Los editores zurdos pueden colocar el cursor en la parte superior derecha de la transición y arrastrar de derecha a izquierda. Tenga cuidado de no enlazar todo el clip. Si lo hace, entrará en Segment Mode (Modo Segmento) (capítulo 9) y se resaltará el clip completo. Avid se comporta de forma diferente en Segment Mode. Si entra sin querer en este modo, haga clic en cualquier botón de **Segment** que esté resaltado en la parte inferior de Timeline (véase la figura 3.7). Volverá al modo Edit. Ahora, intente enlazar sólo la transición.

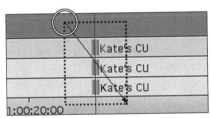

Figura 3.6. *Para enlazar la transición, coloque el puntero aquí y arrastre para rodear la transición.*

Figura 3.7. *Botones de Segment Mode.*

Rodillo único en Trim Mode

El modo de rodillo doble es el modo predeterminado, en el que se entra cuando se enlaza una transición. Obtendrá rodillos a ambos lados. Pero queremos editar en Trim Mode con un solo rodillo para editar los clips en Timeline.

Entrar en Single-Roller Trim Mode

Primero entre en Trim Mode con Rodillo doble y después haga clic en la imagen de la cara-A o la cara-B. Probemos.

1. Haga clic en el botón **Trim** (Recorte) o enlace la transición para entrar en el modo de doble rodillo.

2. Coloque el ratón en la pantalla de Trim Mode y haga clic en la imagen de la cara-A (izquierda). Los rodillos pasan a la cara-A en Timeline.

3. Coloque el puntero en la pantalla de Trim Mode y haga clic en la imagen de la cara-B (derecha). Los rodillos pasan a la cara-B en Timeline.

He hecho clic en la imagen de Kate en la pantalla de Trim Mode, la cara-A (véase la figura 3.8), y los rodillos han pasado a ese lado de la transición.

Observe que tiene rodillos en la cara-A o cara-B y no en ambas. No sea tímido. Practique haciendo clic en la imagen para ver saltar los controles de izquierda a derecha. Ahora, con los rodillos en la cara-A, utilicemos las teclas de **Trim Frame** (Recortar fotograma) para recortar a Kate.

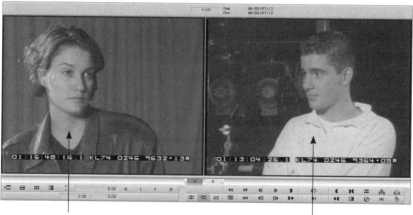

Haga clic en esta parte para entrar en Trim Mode de rodillo simple de la cara-A

Haga clic en esta parte para entrar en Trim Mode de rodillo simple de la cara-B

Figura 3.8. *Trim Mode con Rodillo simple.*

Para simplificar las capturas de pantalla de ahora en adelante, he eliminado una de las pistas de audio en mi Timeline de *Wanna Trade*. Usted debe conservar ambas y recortar las tres pistas como muestra la figura 3.8.

Teclas de recorte de fotograma

Si observa la figura 3.9, verá cuatro botones de **Trim Frame** en la parte inferior de la pantalla de Trim Mode. Las teclas < y > son para recortar un único fotograma. Recortarán la toma en un fotograma. Las teclas << y >> lo recortarán 10 fotogramas. Observemos un corte específico y veamos lo que ocurre cuando utilizamos estas teclas en el modo de recorte de rodillo sencillo. Examinemos la figura 3.10. Digamos que Kate está terminando su frase: "You scared me", pero la hemos cortado demasiado y hemos dejado fuera la palabra "me".

En Trim Mode, hacemos clic sobre la imagen de Kate en la pantalla Trim Mode y los rodillos pasan al lado de Kate (véase la figura 3.10). Hacemos clic tres veces en el botón >> y el clip de Kate se alarga en 30 fotogramas (véase la figura 3.11). Ahora podemos oír la palabra "me".

- Las teclas >> y > alargarán la toma de Kate.

Figura 3.9. *Teclas de recorte de fotogramas.*

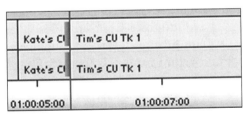

Figura 3.10. *Antes.*

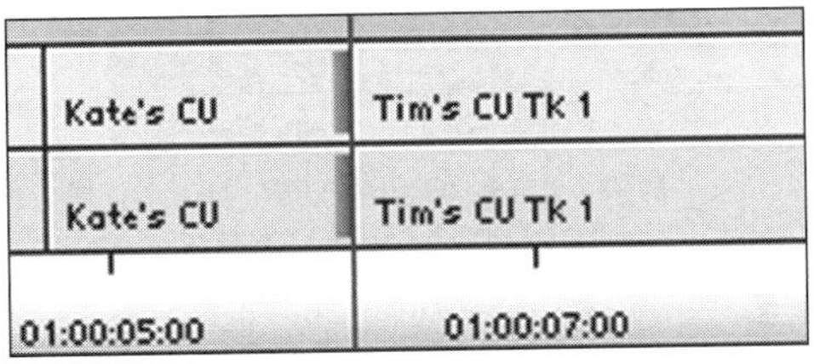

Figura 3.11. *Después.*

En la figura 3.12, he hecho clic en el botón << tres veces y el clip de Kate se ha acortado (véase la figura 3.13). Estamos donde empezamos.

- Las teclas << y < acortan la toma de Kate.

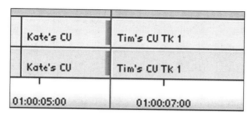

Figura 3.12. *Antes.*

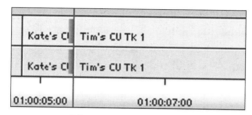

Figura 3.13. *Después.*

Me llevó un tiempo darme cuenta de cómo funcionaban los botones de **Trim Frame** en el recorte con un solo rodillo. Recuerde, cuando se encuentra en este modo, los botones de **Trim Frame** afectan tan sólo a una cara, en este caso a la cara-A (Kate).

Si nos quedamos en Trim Mode y hacemos clic con el cursor en la imagen de Tim en la pantalla de Trim Mode (cara-B), los rodillos saltarán al inicio del clip de Tim. Los botones de **Trim Frame** afectarán a la toma de Tim.

Observe los botones de **Trim Frame** y la figura 3.14.

Figura 3.14. *Rodillos en cara-B.*

- Las teclas >> y > alargarán la toma de Tim.

- Las teclas << y < acortan la toma de Tim.

Observe las figuras 3.10 a 3.14 y revise las explicaciones. Antes de continuar, debe comprender la relación entre la dirección de los rodillos y el efecto que esto tiene en la longitud de una toma.

Botón de Revisión de transición

Una vez recortado en una u otra dirección, pulse el botón **Play Loop** (Reproducir bucle) (véase la figura 3.15) para ver cómo queda la escena con los nuevos puntos de transición. Este botón revisa la escena que acaba de cortar en un bucle de reproducción continua. Pulse de nuevo el botón para detener el bucle y volver a la pantalla de Trim Mode.

Pulse este botón y la transición se reproducirá en bucle.
Púlselo de nuevo y se detendrá

Figura 3.15. Botón de revisión de transición.

Recortar arrastrando

Una vez se encuentre en Trim Mode de rodillo sencillo, puede hacer clic con el cursor sobre uno de los rodillos del punto de transición y arrastrarlo a izquierda o derecha. Observe que, cuando coloca el cursor cerca del rodillo, éste se convierte en el icono de **Trim Mode** (véase la figura 3.16). Si hace clic ahora sobre el rodillo, podrá arrastrarlo a izquierda o derecha. Inténtelo, le dará una idea de cómo funciona el modo de recorte de rodillo sencillo.

Veamos qué ocurre si arrastramos el rodillo de Tim. Observe la figura 3.17. Puede ver que, cuando arrastramos el rodillo hacia la izquierda, alargamos la toma. Si lo arrastramos hacia la derecha, la acortamos.

Figura 3.16. Icono de Trim Mode sobre el rodillo.

Antes
m's CU Tk 1
Kate's CU
Tim's CU Tk 1
Kate's CU
Después
m's CU Tk 1
Tim's CU Tk 1

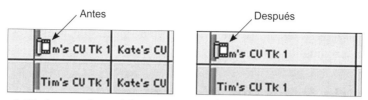

Figura 3.17. *Arrastre los rodillos hacia la izquierda para alargar la toma de Tim.*

Si llevamos el cursor y hacemos clic sobre la imagen de Kate en la pantalla de Trim Mode (la cara-A), los rodillos pasarán del inicio de la toma de Tim al final de la toma de Kate en la Timeline (véase la figura 3.18). ¿Qué ocurre si arrastramos los rodillos de Kate hacia la izquierda? Recortamos el final de su toma, ésta se acorta. Si arrastramos hacia la derecha, alargamos el clip.

Kate's CU
Tim's CU Tk 1
Kate's CU
Tim's CU Tk 1
01:00:05:00
01:00:07:00

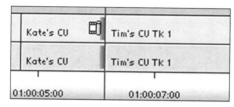

Figura 3.18. *Rodillos en cara-A.*

Si arrastra los rodillos hasta llegar al final de la toma, oirá un pitido y verá un pequeño marcador en el fotograma para indicar que no puede ir más allá porque no hay más fotogramas.

Práctica de recorte

Veamos un corte específico para observar lo que ocurre al utilizar Trim Mode con rodillo sencillo. En la figura 3.19, Tim está terminando su diálogo y Kate comienza el suyo.

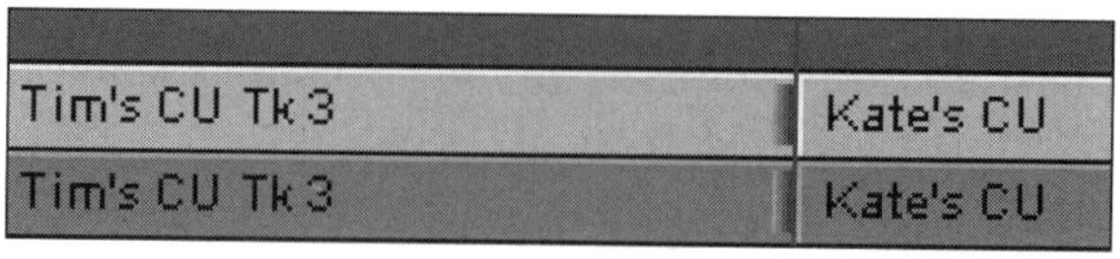

Tim's CU Tk 3
Kate's CU
Tim's CU Tk 3
Kate's CU

Figura 3.19. *Fin del diálogo de Tim y comienzo del de Kate.*

Digamos que estamos trabajando en la parte de la escena en la que Tim le dice a Kate que sabe que ha venido a llevarse sus cartas. El diálogo es el siguiente:

- Tim: "You're looking for a small stack of perfume-scented letters. Aren't you, Kate?"

- Kate: "Yeah, actually I am."

Imagine que cuando lo unió, dejó a Tim mucho tiempo, así que escuchamos el diálogo de Kate fuera de micro. La cola de la toma de Tim debe recortarse alrededor de un segundo. En el modo de rodillo único es fácil. Entre en Trim Mode:

1. Vaya a la transición.

2. Enlace el punto de transición incluyendo todas las pistas de audio y pulse el botón de **Trim Mode**.

3. Haga clic con el cursor en la imagen de Tim; los rodillos saltan al lado izquierdo de la transición.

4. Haga clic tres veces en el botón de recorte de diez fotogramas (<<) para recortar 30 fotogramas de la cola de la toma de Tim.

5. Pulse el botón **Review Transition** (Revisar transición). Ahora, al ver el montaje, verá que Tim termina su frase y hemos eliminado el diálogo de Kate fuera de micro.

Para salir de Trim Mode, haga una de estas cosas:

1. Haga clic sobre la pista de código de tiempo (TC1) de la parte inferior de Timeline.

2. Pulse el botón **Trim Mode** de nuevo.

3. Pulse uno de los botones de fotograma único.

Deshacer en Trim Mode

Puede deshacer y rehacer el trabajo en Trim Mode. Si realizó varios recortes, siga pulsando **Undo** hasta que vuelva al lugar en el que empezó.

Contadores de fotogramas

Los contadores de fotogramas en la pantalla de Trim Mode muestran cuántos fotogramas se han añadido o restado del segmento. Si pulsa los botones de recorte que apuntan a la izquierda (<< o <), los números serán negativos. Si pulsa los botones de recorte que apuntan a la derecha (>> o >) los números serán positivos (véase la figura 3.20).

Pulse estos botones y los números serán negativos

Pulse estos botones y los números serán positivos

Figura 3.20. *Botones de recorte.*

Más práctica

Antes de aprender a utilizar Trim Mode, utilizó **Splice** y **Overwrite** para colocar las tomas, dejándolas largas para empezar. Si deseaba acortar una toma, marcaba una ENTRADA y una SALIDA en Timeline y utilizaba **Extract** para acortarla. Si quería alargar la toma, unía más.

Ahora que tiene a su disposición Trim Mode, la forma de editar cambia de forma significativa. Si ve que una toma es demasiado larga o corta en Timeline, es fácil recortarla a la longitud adecuada.

Digamos que está reproduciendo su secuencia y ve que el final de la toma de Kate es demasiado corto. Cuando lo unió, lo marcó en el lugar incorrecto y cortó sus palabras. Necesitamos alargar la toma (véase la figura 3.21 y la tabla 3.1).

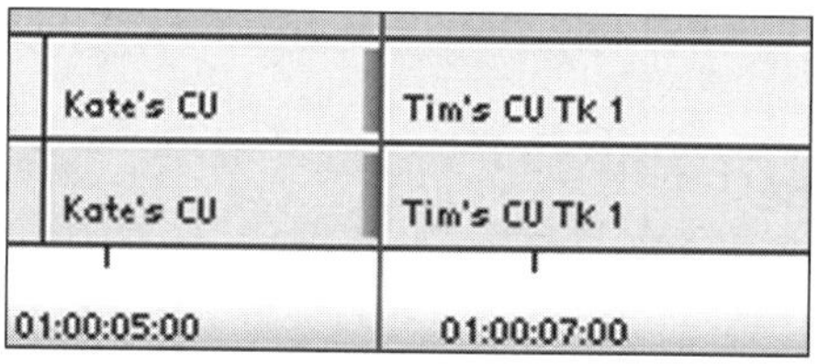

Kate's CU	Tim's CU Tk 1
Kate's CU	Tim's CU Tk 1
01:00:05:00	01:00:07:00

Figura 3.21. *Toma de Kate en Timeline.*

Tabla 3.1. *Procedimiento para alargar la toma.*

Acción	Resultado
Vaya a la transición y enlácela	Entra en Trim Mode.
Haga clic en la imagen de Kate en la pantalla de recorte	Entra en modo de rodillo único (véase la figura 3.21).
Haga clic en el botón >>	Ha alargado la toma de Kate en 10 fotogramas.
Haga clic en el botón **Review Transition**	El nuevo punto de corte se reproduce en bucle.

Mientras lo observa, verá que añadir diez fotogramas no es suficiente (véase la tabla 3.2).

Tabla 3.2. Añada aún más fotogramas.

Acción	Resultado
Haga clic en el botón **Review Transition**	El bucle se detiene.
Haga clic en el botón > tres veces	Ha añadido tres fotogramas más (13 en total).
Haga clic en el botón **Review Transition**	El nuevo punto de corte se reproduce en bucle.

Cuando lo observe, verá que el nuevo punto de transición funciona. Ahora queremos salir de Trim Mode (véase la tabla 3.3).

Tabla 3.3. Pasos a seguir para salir de Trim Mode.

Acción	Resultado
Haga clic en el botón **Review Transition**	El bucle se detiene.
Haga clic en la pista de código de tiempo	Sale de Trim Mode.

Utilizar el rodillo doble en Trim Mode

El rodillo doble de Trim Mode es el modo predeterminado. Cuando pulsa el botón **Trim** o enlaza una transición, entra en este modo (véase la figura 3.22).

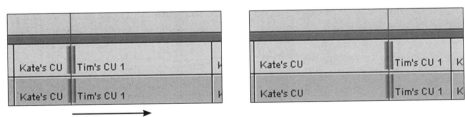

Figura 3.22. Arrastre el rodillo hacia la derecha.

Como puede ver en la figura 3.22, cuando se arrastran los rodillos de Kate hacia la derecha, el primer plano de Kate se alarga y el primer plano de Tim se acorta. Si el plano de Kate se alargó 40 fotogramas, el plano de Tim se acortó en 40 fotogramas.

Casi nunca hay razones para recortar las tomas de esta forma (con rodillo doble), porque se pierde el control sobre Timeline. En lugar de eso utilizamos el modo de rodillo sencillo en la cara-A y después en la cara-B.

Utilizará el rodillo doble a menudo para crear una superposición de imagen y sonido, llamada edición partida o corte en L.

Edición partida o corte en L

Todo el mundo sabe cómo es un corte recto. Cuando la imagen y el sonido terminan en el mismo punto, tenemos un corte recto. Cuando unimos a la siguiente toma, también tenemos un corte recto. Hasta el momento, hemos trabajado con cortes rectos, pero en ocasiones ocurre que el mejor lugar para cortar la imagen no es necesariamente el mejor para cortar el sonido. Cuando la imagen y el sonido se cortan en puntos distintos, tenemos una edición partida, también conocida como corte en L. Algunos los llaman superposiciones.

Supongamos que ha unido dos tomas y le gusta la forma en que fluye el diálogo de una persona a otra. Pero no está contento con el corte de imagen. Decide crear una edición partida o corte en L. Aquí es donde funciona bien el modo de recorte con rodillo doble.

Digamos que tenemos a Kate terminando su frase y Tim a punto de decir la suya. Decidimos eliminar 30 fotogramas de imagen y sustituirlos por 30 fotogramas de la imagen de Tim. El sonido se queda como está.

1. Entre en Trim Mode enlazando tan sólo la pista de vídeo en el punto de corte. Ahora está en Trim Mode con doble rodillo en V1, pero no en la pista de audio.

2. Si tiene rodillos en las pistas de audio, elimínelos haciendo clic en los cuadros de selección de pista (A1) (véase la figura 3.23).

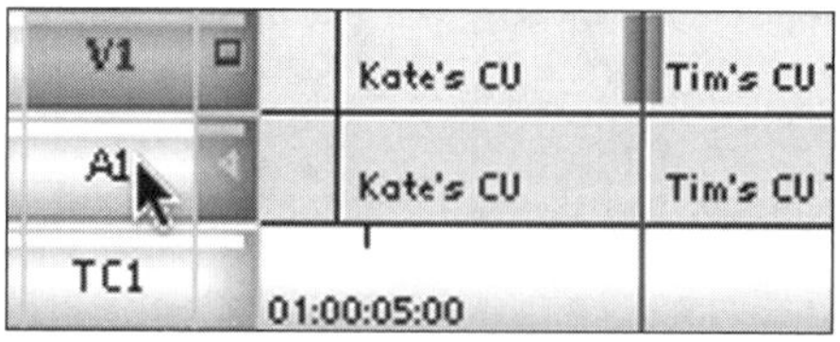

Figura 3.23. *Deseleccione la pista de audio.*

3. Arrastre los rodillos 30 fotogramas a la izquierda o pulse el botón de recorte de diez fotogramas (<<) tres veces.

4. Pulse el botón **Review Transition** para ver cómo queda.

Cuando se hace la edición partida, como muestra la figura 3.24, Kate sigue hablando pero antes de que termine vemos a Tim escuchándola y después Tim habla. La imagen de Tim está superpuesta al sonido de Kate.

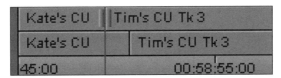

Figura 3.24. *Edición partida.*

Eliminar una edición partida

Después de trabajar en una transición y crear una edición partida, puede decidir que en realidad funciona mejor un corte recto. Una forma rápida de convertir una edición partida en un corte recto es pulsar **Control** y arrastrar (**Comando** y arrastrar).

1. Entre en Trim Mode enlazando sólo la pista V1.

2. Mantenga pulsada la tecla **Control** (**Comando**) mientras arrastra hacia el corte recto. El recorte saltará al punto de transición.

Advertencia: Crearemos las ediciones partidas en el modo de recorte con rodillo doble. Puesto que estamos trabajando en una pista y no en la otra, este modo mantiene todo sincronizado. Si utiliza el rodillo sencillo para recortar una pista y no la otra, todo perderá la sincronización.

Utilice el modo de recorte de rodillo doble para crear ediciones partidas. Utilice el modo de recorte con rodillo sencillo para justar la longitud de las tomas.

Cambiar de rodillo sencillo a rodillo doble

Si está en Trim Mode con rodillo sencillo y quiere pasar a rodillo doble, simplemente mueva el ratón a la pantalla de Trim Mode y, a continuación, haga clic en la línea entre la cara-A y la cara-B. No tiene que hacerlo exactamente sobre la línea.

Añadir y eliminar rodillos

Una vez en Trim Mode en ocasiones querrá añadir o eliminar un rodillo de forma que esté trabajando en unas pistas y no en otras.

Si entra en Trim Mode y observa que no hay rodillos en una o más pistas, probablemente lo que ocurre es porque no estaba seleccionado el cuadro de Track Selector.

Para añadir rodillos a dicha pista, simplemente haga clic en el selector de pista. Deseleccionar la pista también elimina su rodillo correspondiente (véase la figura 3.25).

V1
A1
Kate's Entrance - Wide Shot
Kate's Entrance - Wide Shot

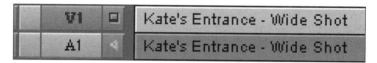

Figura 3.25. *Haga clic en el selector de pista.*

Otra forma rápida de añadir o eliminar rodillos es mantener pulsada la tecla **Mayús** mientras se hace clic en el punto de transición que se quiere cambiar (véase la figura 3.26).

- Pulse **Mayús-clic** sobre un rodillo para eliminarlo.
- Pulse **Mayús-clic** sobre una transición para añadir un rodillo.

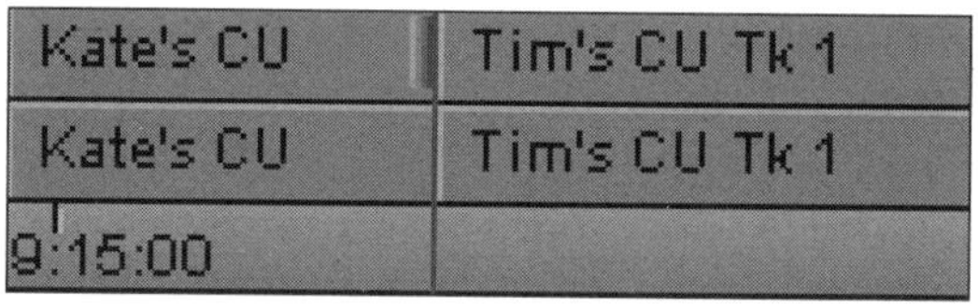
Kate's CU
Tim's CU Tk 1
Kate's CU
Tim's CU Tk 1
9:15:00

Figura 3.26. *Pulse Mayús-clic en la transición para añadir un rodillo.*

Técnicas avanzadas de Trim Mode

Suponiendo que ya se siente cómodo con el recorte explicado en este capítulo y quiere trabajar aún más rápido y con más precisión, veamos un par de técnicas avanzadas.

Recortar durante el visionado

Hemos hablado sobre el importante papel que el visionado tiene en cada fase de la edición. Hay una técnica muy sencilla que implica recortar una toma mientras se visualiza. En lugar de utilizar los botones de recorte de la pantalla de Trim Mode, utilizaremos las teclas de recorte del teclado. Observe la figura 3.27. Como puede ver, las teclas del teclado son iguales a las de la pantalla. Pulse el botón **Review Transition** y, mientras se reproduce el bucle, pulse las teclas de recorte del teclado con los dedos mientras mantiene la vista en la pantalla. Mire y recorte, mire y recorte, hasta que la toma funcione.

Figura 3.27. *Teclas de recorte.*

Probemos:

1. Entre en Trim Mode.

2. Seleccione la cara que quiere editar, la A o la B.

3. Pulse el botón **Review Transition**.

4. Mientras se reproduce la transición, pulse las teclas de recorte del teclado (<<, <, >> o >).

Cuando comience este ejercicio, pulse las teclas de diez fotogramas (>> o <<) para ver un gran cambio. Lo que ocurre es que Avid realiza el recorte y luego muestra cómo queda el punto de transición. Puede seguir pulsando las teclas de recorte hasta que el corte sea adecuado. Puede ir en cualquier dirección, dependiendo de lo que necesite. Probémoslo. Por ejemplo, supongamos que estamos intentando arreglar el inicio de la toma de Tim para darle la cantidad de pausa adecuada antes de que hable (véase la figura 3.28).

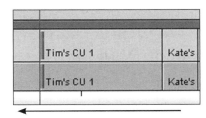

Figura 3.28. *Alargar el clip de Tim.*

Digamos que pulsamos el botón **Review Transition** y después la tecla <<, alargando la toma en 10 fotogramas. Cuando el bucle se reproduce, verá que necesita más, por lo que pulsaremos de nuevo la tecla <<. Ahora nos gusta la longitud de la toma. Cuando pulse el botón **Review Transition** para detener el bucle, aún estará en Trim Mode.

Mire el contador de fotogramas bajo el fotograma de Tim en la pantalla de Trim Mode. Mostrará 20. Añadimos 20 fotogramas al inicio de la toma de Tim, pero observe que hay un -20 (véase la figura 3.29). ¿Por qué? Siempre que vaya hacia la izquierda los números serán negativos, aunque haya alargado la toma de Tim.

Figura 3.29. *Contador de fotogramas.*

No importa cuántos fotogramas añada o elimine. Lo que importa es que la toma ahora funciona. Y funciona porque miró y recortó, miró y recortó, hasta obtener la toma correcta.

Recortar una cara y después la otra

A menudo ocurre que una vez recortada una cara, parece evidente que la otra debe recortarse. Sin salir de Trim Mode, haga clic en el otro recuadro de la pantalla de Trim Mode y los rodillos saltarán al otro lado. Ahora pulse el botón **Review Transition** y utilice los botones de recorte de fotograma para recortar la otra cara.

Arrastrar hasta una marca

Anteriormente hablamos de arrastrar los rodillos para alargar o acortar una toma. Simplemente haga clic sobre ellos y podrá arrastrarlos a derecha o izquierda. Es menos preciso que usar las teclas de recorte. No obstante, si combina el arrastre con la colocación de una marca de ENTRADA o SALIDA, entonces puede ser muy eficaz. Utilice esta técnica cuando sepa hasta dónde quiere llegar con el recorte.

Antes de entrar en Trim Mode, reproduzca la secuencia. Si encuentra una toma que necesita alargarse o acortarse, coloque una marca de ENTRADA si se encuentra a la izquierda de la transición y una marca de SALIDA si se encuentra a la derecha (véase la figura 3.30). Ahora, entre en Trim Mode. Mantenga pulsada la tecla **Control** (**Comando**) y haga clic y arrastre el rodillo hasta la marca. Avid se detendrá sobre la marca.

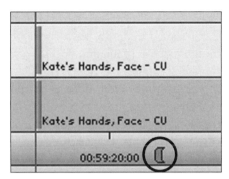

Figura 3.30. *Pulse Control (Comando) y arrastre hasta que salten a esta marca de salida.*

En este caso, he recortado rápidamente el inicio de este segmento. Esta técnica funciona tanto en modo de rodillo doble o sencillo.

Problemas de sincronización en Trim Mode de rodillo sencillo

Es un buen momento para examinar qué ocurre cuando se utiliza el recorte con rodillo sencillo en una pista y no en las otras. En la figura 3.31, entré en modo rodillo sencillo y, por error, seleccioné la pista de vídeo pero no la de audio. Sin darme cuenta, recorté y arrastré el rodillo hacia la izquierda, alargando la imagen de Tim en diez fotogramas. Puesto que el audio no se recortó, se perdió la sincronización del clip.

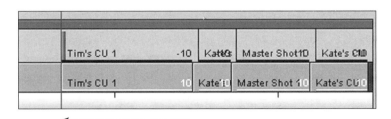

Figura 3.31. *Se alargó la pista de vídeo en diez fotogramas. La pista de audio no se alargó.*

El audio de Tim ahora es diez fotogramas más corto que el vídeo. Como puede ver, se ha perdido la sincronización de este punto de transición en diez fotogramas. El primer plano de Kate no se recortó pero, como Tim está fuera de sincronización, el clip de Kate también se ha desplazado. Recuerde: para mantener la sincronización de la imagen y el audio, debe cortar la imagen y el sonido a la vez. Cuando añade imagen, debe añadir sonido. Para conseguir la sincronización, o bien recortamos diez fotogramas de la imagen de Tim o añadimos diez fotogramas al audio. Añadiremos diez fotogramas al audio.

Cuando se ha perdido la sincronización, debe entrar en modo de rodillo sencillo para arreglar el problema. Ahora, haga clic en la pista A1 y deseleccione la pista de vídeo V1. El rodillo saltará para recortar el audio de Tim. Recuerde que deseamos alargarlo en diez fotogramas. Podemos utilizar varios métodos:

- Podemos pulsar la tecla << una vez.

- Podemos arrastrar el rodillo hacia la izquierda y observar el contador de fotogramas hasta que muestre –10.

Entrar en Trim Mode en pistas seleccionadas

En ocasiones queremos entrar en Trim Mode en pistas de audio. Quizá quiera crear un corte en L recortando la pista de audio en lugar de la de vídeo, pero no puede enlazar la pista de audio sin enlazar también la de vídeo. Sí, puede hacer clic en los botones de selección de pista para deseleccionar las pistas, o pude hacer **Mayús-clic** sobre los rodillos para eliminarlos, pero eso lleva tiempo. Hay una forma más fácil de hacerlo.

Mantenga pulsada la tecla **Alt (Control)** y enlace las pistas que quiere, funciona estupendamente. Observe la figura 3.32. Aquí no enlazo el vídeo y el audio, solamente la pista de audio. Esto no funcionará a menos que primero pulse la tecla **Alt (Control)**. Pulse y después enlace la transición desde la mitad de la pista superior.

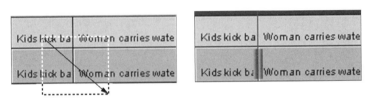

Figura 3.32. *Enlazar una pista.*

Ahora puedo crear un corte en L arrastrando los rodillos en cualquier dirección. Mantengo la sincronización puesto que estoy en modo rodillo doble. Practique esto.

Lo utilizaremos a menudo cuando trabajemos con múltiples pistas de audio o cuando tengamos varias pistas de vídeo en Timeline.

Recorte J-K-L

Avid tiene un modo de recorte avanzado llamado J-K-L Trimming (Recorte J-K-L). No quiero abrumarle con información por lo que esperaremos hasta el capítulo 10 para explicarlo, una vez domine todas estas técnicas.

Revisión de Trim Mode

Repasemos algunos de los cómos y porqués de Trim Mode.

Entrar en Trim Mode

- Enlazar la transición.

- Hacer clic cerca de la transición y pulsar el botón **Trim Mode**.

Salir de Trim Mode

- Pulse el botón **Trim Mode** de nuevo.

- Pulse una de las teclas de fotograma único.

- Haga clic sobre la pista de código de tiempo (TC1) de la parte inferior de Timeline.

Cambiar entre modos de recorte

- Para ir del modo de rodillo doble al de rodillo sencillo, haga clic sobre la imagen de la cara-A o cara-B de la pantalla de Trim Mode.

- Para ir del modo rodillo sencillo al de rodillo doble, haga clic sobre la línea divisoria entre las imágenes de la cara-A y B.

Añadir y eliminar rodillos

- En Trim Mode, pulse **Mayús-clic** sobre el lado de la transición en el que desea añadir un rodillo.

- Para eliminar un rodillo, pulse **Mayús-clic** sobre él y se eliminará.

Arrastrar rodillos

- Haga clic y arrastre a izquierda o derecha.

- Pulse **Control** (**Comando**) y después arrastre a marcas de ENTRADA o SALIDA.

- Pulse **Control** (**Comando**) y arrastre a puntos de transición.

Recortar durante el visionado

- En Trim Mode, pulse el botón **Review Transition** para reproducirla en bucle.

- Utilice las teclas de recorte del teclado (<<, <, > o >>) para recortar mientras visiona.

Tareas recomendadas

Aunque Trim Mode es una función estupenda, no siempre es intuitiva. Estudie este capítulo y después practique utilizando todas las técnicas tratadas.

Si no ha corregido la secuencia de práctica de *Wanna Trade* de la carpeta llamada Chapter 3, deberá hacerlo ahora.

Si no, utilice su propia secuencia y siga estos pasos:

1. Haga un duplicado de la secuencia y dele la fecha de hoy.

2. Practique entrar y salir de Trim Mode.

3. Practique recortes de rodillo doble y sencillo, recortando y alargando las caras A y B y creando superposiciones de imagen y sonido.

4. Practique el arrastre de rodillos.

5. Practique el recorte durante el visionado utilizando el teclado.

6. Practique añadir y eliminar rodillos.

7. Utilizando **Trim Mode**, cree un montaje bueno, con superposiciones de sonido donde sea apropiado para *Wanna Trade* o cualquier otra escena que haya estado editando hasta la fecha.

4. La ventana de proyecto

La ventana **Project** (Proyecto), como recordará del primer capítulo, es como la página de inicio del proyecto. Para comenzar a editar en Avid lo más rápido posible, nos saltamos alguna información importante sobre las latas en la ventana de **Project**, ahora prestaremos atención a esa información.

Crear una lata

A menudo, querrá organizar distintos tipos de material y la forma más sencilla de hacerlo es crear una nueva lata para cada categoría. Por ejemplo, además del metraje de vídeo, puede tener una narración en *off*, música y títulos. Según edite el metraje, puede tener una lata para las secuencias montadas, otra para los borradores de montaje de las secuencias y, a medida que avanza el trabajo, una para las del montaje final de las secuencias.

Probemos a crear una nueva lata y meter algo dentro.

1. En la ventana **Project**, haga clic en el botón **New Bin** (Nueva lata), y se abrirá una nueva lata (véase la figura 4.1). Se llamará `Wanna Trade Scene Bin`. Las latas se nombran como el proyecto. Querrá tener un nombre más útil y Avid lo sabe. Observe que el nombre está resaltado.

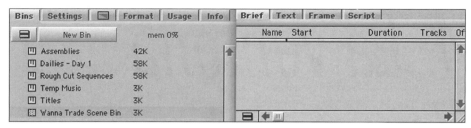

Figura 4.1. *Botón de Nueva lata en la ventana de Proyecto.*

2. Escriba el nombre que desee, como **Rough Cut**.

3. Ahora haga doble clic sobre el icono de lata `Assembly` (Montaje) para que se abra fuera del área de SuperBin. Duplique luego la secuencia en la lata `Assembly`. Recuerde, para duplicar una secuencia, selecciónela en la lata para que esté resaltada y después pulse **Control-D** (**Comando-D**) o seleccione Duplicar en el menú Edit (Edición).

4. Ahora querrá cambiar el nombre de la secuencia de `Assembly` a `Rough Cut` (Borrador de montaje). Selecciónelo y escriba el nuevo nombre.

5. Haga clic y arrastre el icono de secuencia a la lata `Rough Cut`.

6. Cierre la lata de `Rough Cut` haciendo clic en **Close** (Cerrar).

Todo sobre las latas

Recuerde que hay cuatro formas de visualizar el material de la lata: Brief View (Vista Breve), Text View (Vista Texto), Frame View (Vista Fotograma) y Script View (Vista Guión).

Si está trabajando en un único monitor, donde el espacio de pantalla es limitado, Brief View es útil porque ocupa menos espacio.

Brief View ofrece cinco columnas de información: el nombre del clip, el código de tiempo de inicio, duración del clip en segundos, las pistas de vídeo y audio del clip y si el clip está en línea (es decir, que es un medio digital en una unidad de medios).

En Text View puede seleccionar entre 30 columnas, como escena, toma, rollo de cámara y cinta de vídeo; es especialmente útil cuando quiere organizar y buscar entre muchos clips.

Frame View es más útil cuando se está trabajando en un documental que implica muchos clips visuales distintos. No utilizo mucho Script View pero tengo amigos que lo utilizan continuamente.

Seleccionar clips

Igual que con cualquier software Windows o Mac, puede seleccionar fácilmente más de un clip a la vez manteniendo pulsada la tecla **Control** (**Comando**) o enlazando. **Control-A** (**Comando-A**) es especialmente útil porque selecciona todos los clips con sólo dos teclas.

Trabajar en modo SuperBin

Lleva algo de tiempo acostumbrarse a SuperBin (SuperLata), pero es estupendo si está trabajando en un portátil o una sola pantalla. Le ofrece un modo fácil de evitar que las latas ocupen el espacio de edición. SuperBin ya no es el modo por defecto en Media Composer 3.0, por lo que lo hemos habilitado en el capítulo 1. Veamos lo que ocurre cuando hago doble clic en la lata que acabo de crear para guardar mis borradores de montaje. Se abre en Brief View, justo a la derecha de la ventana de proyecto (véase la figura 4.1). En un sistema con dos monitores, tiene mucho sitio para mover la lata y colocarla donde desee, pero si sólo tiene un monitor, puede estorbarle.

Cuando hace un solo clic sobre el icono de lata en la ventana Project, la lata se abre en un lugar especial o SuperBin. Abramos varias latas haciendo un único clic sobre su icono en la ventana Project como muestra la figura 4.2.

Estas latas
están abiertas
y en SuperBin

Figura 4.2. Haga clic sobre cualquier lata para colocarla en SuperBin.

Sabrá directamente cuándo está en SuperBin porque la lata se llama SuperBin, y hay un icono mostrando latas apiladas una sobre otra (véase la figura 4.3). Si hace clic en ese icono de **SuperBin**, aparece una lista mostrando las latas abiertas esperando a ser seleccionadas. Seleccione `Rough Cut` y aparecerá sustituyendo a la lata `Dailies-Day 1`.

Icono SuperBin.
Haga clic para
ver la lista de
latas abiertas

Figura 4.3. SuperBin.

Si quiere abrir sólo una lata, fuera de SuperBin, es fácil, haga doble clic sobre el icono de la lata en la ventana Project. Para volver a colocarla en SuperBin, vuelva a hacer doble clic.

Para repasar:

1. Un solo clic para colocar una lata en SuperBin.

2. Doble clic para abrir una lata independiente.

3. Doble clic para devolver una lata independiente a SuperBin.

Encabezados de lata en Vista Texto

Vivimos en la era de la información. Millones de datos están disponibles para nosotros a través de Internet. Tiene sentido, por tanto, tener todos los datos sobre los clips disponibles. Haga un solo clip sobre `Dailies-Day 1` para abrirlo en el área de SuperBin.

Vaya a Text View y arrastre para cambiar el tamaño de la ventana o desplácese por el cuadro de la lata para ver más columnas (véase la figura 4.4). En la parte superior de la lata, verá columnas como Name (Nombre), Tracks (Pistas), Start (Inicio), Duration (Duración) y Mark IN (Marca de entrada).

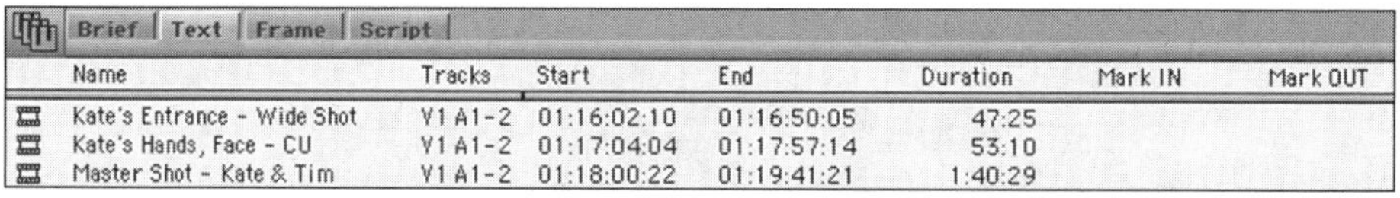

	Name	Tracks	Start	End	Duration	Mark IN	Mark OUT
	Kate's Entrance - Wide Shot	V1 A1-2	01:16:02:10	01:16:50:05	47:25		
	Kate's Hands, Face - CU	V1 A1-2	01:17:04:04	01:17:57:14	53:10		
	Master Shot - Kate & Tim	V1 A1-2	01:18:00:22	01:19:41:21	1:40:29		

Brief | Text | Frame | Script

Figura 4.4. *Vista Texto.*

Hay unos 30 encabezados de columna disponibles en Text View; cada uno ofrece información sobre cada clip.

Observará que no se muestran todas las columnas. Para ver todas las opciones, vaya a la parte inferior de la lata y verá un menú rápido (parece una hamburguesa). Mantenga pulsado y aparecerá el menú de Bin. Una de las opciones es Headings (Encabezados). Selecciónela y verá un cuadro de diálogo como el de la figura 4.5.

Puede seleccionar o deseleccionar encabezados haciendo clic sobre ellos. Algunos son más útiles que otros, y querrá distintos encabezados dependiendo de la etapa de edición en la que se encuentre. Mostrar todos los encabezados es más confuso que útil. Seleccione los que le parezcan útiles y deseleccione los que muestran información que no necesita. Éstas son mis opciones para las primeras etapas de edición:

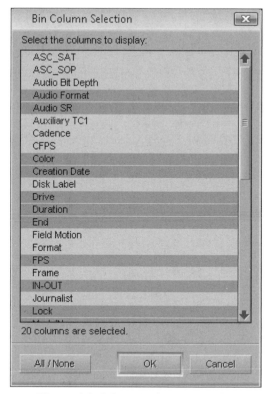

Figura 4.5. *Selección de encabezados.*

- **Duration** (Duración): Es útil saber la duración de un clip.

- **Start** (Inicio): El código de tiempo de inicio del clip lo localiza en la cinta de origen.

- **Drive** (Unidad): Muestra en qué unidad se encuentra almacenado el clip.

- **Tape** (Cinta): Muestra en qué cinta se grabó el clip.

- **Creation Date** (Fecha de creación): Fecha y hora en la que se grabó el clip.

- **Video** (Vídeo): El formato de vídeo: DV, DV-50, HD.

- **Offline** (Fuera de línea): Resulta útil cuando se han eliminado archivos de medios.

Otros encabezados serán más útiles más adelante cuando hablemos de proyectos más complejos. Para volver a su lata, haga clic en **OK**.

Mover columnas

Ahora que tenemos las columnas que queremos, podemos colocarlas en cualquier orden. Simplemente haga clic en el encabezado de columna (se resaltará la columna completa), arrastre la columna a una nueva ubicación y suelte el ratón. Yo no cambiaría la posición de la columna Name, porque es la más útil y debería estar a la izquierda, junto al icono. Pero puede ordenar sus columnas de esta forma: Name, Start, Duration, Drive, Video, Tape, Creation Date. Puede eliminar una columna seleccionándola y pulsando **Supr**. Seguirá estando disponible en Headings.

Puede saltar de columna en columna y de fila en fila pulsando **Tab** (**Retorno**), **Mayús-Tab** (**Mayús-Retorno**). En el menú Bin, hay un comando **Align Columns** (Alinear columnas) que organizará las columnas si no están espaciadas de forma uniforme.

Ordenar

Otro comando realmente útil es **Sort** (Ordenar). Cuando selecciona una columna y selecciona Sort en el menú Bin, Avid colocará los contenidos de la columna en orden alfabético o numérico. También puede utilizar el teclado para hacerlo: pulse **Control-E** (**Comando-E**). Sort está disponible tanto en Brief View como en Text View.

Digamos que quiere ver los clips de la lata en el orden en el que fueron grabados en la cinta original. Colocarlos alfabéticamente por nombre no nos dará esa información, pero sí si lo hacemos por el código de tiempo. Haga clic en la columna Start y seleccione Sort en el menú Bin, o utilice **Control-E** (**Comando-E**). Los clips aparecen ahora en orden según el código de tiempo de inicio. Para volver a colocarlos por nombre, haga clic en Name y seleccione Sort en el menú Bin o pulse **Control-E** (**Comando-E**).

Habrá ocasiones en las que desee invertir el orden de los elementos. Para ordenarlos en orden descendente, mantenga pulsada la tecla **Alt** (**Opción**) y después pulse **Control-E** (**Comando-E**).

Vista Fotograma

En ocasiones es más fácil editar material si se ven las opciones como imágenes en lugar de como columnas de palabras y números. Frame View muestra los clips en forma de imagen (véase la figura 4.6).

Haga clic en la pestaña Frame de la parte superior de la lata:

Figura 4.6. Vista Fotograma.

- Puede ampliar los fotogramas seleccionando Enlarge Frame (Ampliar fotograma) en el menú Edit o pulsando **Control-L** (**Comando-L**).

- Es posible reducir el tamaño de los fotogramas seleccionando Reduce Frame (Reducir fotograma) en el menú Edit o bien pulsando **Control-K** (**Comando-K**).

- Repita estos comandos y los fotogramas seguirán ampliándose o bien reduciéndose.

No puede ampliar o reducir sólo un fotograma ya que el comando afecta a todos los fotogramas de la lata, pero puede cambiar el fotograma del clip que está viendo.

Puede reproducir el clip dentro de la ventana de Bin: haga clic en él y utilice las teclas **J-K-L**. El fotograma en el que se detenga se convertirá en el fotograma de referencia, el que verá de ahora en adelante. También puede arrastrar los clips por la lata, colocándolos en cualquier orden. Si se descoloca demasiado, vaya al menú Bin y seleccione Align to grid (Alinear en cuadrícula).

Otra opción útil del menú Bin es Fill Window (Rellenar ventana). Cuando se selecciona, los fotogramas se colocan ordenadamente en la ventana de lata.

Iniciar una nueva secuencia

A menudo querrá empezar de nuevo, para probar algo nuevo o diferente. Avid nos facilita esta tarea. Vaya al menú Clip (parte superior de la pantalla).Verá que la primera opción es New Sequence (Nueva secuencia) (véase la figura 4.7). Selecciónelo y tendrá una nueva secuencia sin título. Si tiene varias latas abiertas, aparecerá un cuadro de diálogo preguntándole a qué lata desea que vaya la nueva secuencia. Seleccione una, como hicimos con la lata Rough Cut.

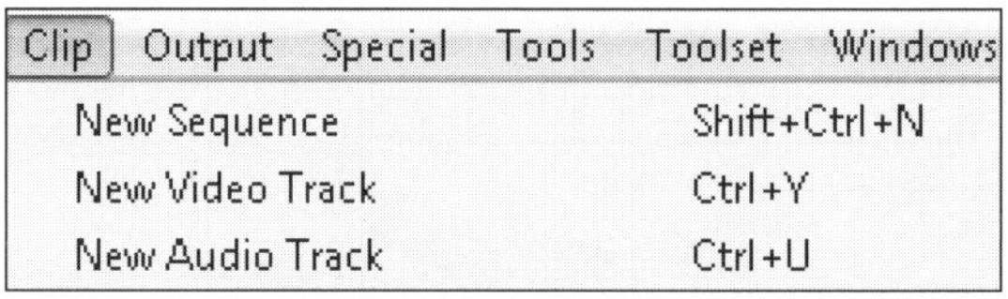

Clip	Output	Special	Tools	Toolset	Windows
New Sequence				Shift+Ctrl+N	
New Video Track				Ctrl+Y	
New Audio Track				Ctrl+U	

Figura 4.7. *Nueva secuencia.*

Ahora, vaya a la lata y luego ponga un nombre a la secuencia `Untitled Sequence`.

Edición arrastrar y soltar

Arrastrar y soltar es una forma asombrosamente rápida de unir un montaje o boceto de montaje. Primero, cree una New Sequence como se indicó anteriormente. Coloque un clip en el Source Monitor (Monitor de origen) y marque una ENTRADA y una SALIDA. Ahora, haga clic y mantenga pulsado el cursor en cualquier lugar de la ventana del monitor. Arrastre el clip a Timeline (Línea de tiempo) y suelte. Abra un nuevo clip, marque una ENTRADA y una SALIDA y arrastre el clip al final de Timeline. Se unirá a la cola del último clip que colocó en Timeline.

Observará que, cuando arrastra el clip desde Source Monitor, el cursor cambia de apariencia y se convierte en una mano (véase la figura 4.8).

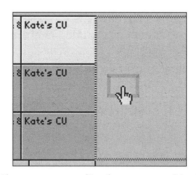

Figura 4.8. *Al arrastrar un clip el cursor cambia de apariencia.*

No tiene por qué arrastrarlo hasta el final de la secuencia. Puede soltar el clip en cualquier punto de transición de la Timeline y cuando suelte el clip se unirá en ese punto.

Practique esta técnica. Es asombrosamente rápida. Simplemente marque el clip en Source Monitor, haga clic y arrastre a Timeline.

Eliminar secuencias y clips

Puede eliminar cualquier cosa que haya creado. Esto se hace trabajando dentro de la lata. Digamos que desea eliminar una secuencia. Haga clic en el icono de secuencia y pulse la tecla **Supr** en el teclado. Puesto que no quiere borrar accidentalmente algo importante, Avid mostrará un cuadro de diálogo, del tipo: ¿Está usted seguro?, como el que se muestra en la figura 4.9. Haga clic en **OK**.

Figura 4.9. *Eliminar una secuencia.*

Probablemente borre muchas secuencias en el curso del trabajo. Afrontémoslo, no todo merece ser guardado. Pero piénselo dos veces antes de borrar un clip maestro. Recuerde que un clip maestro es "la toma". Es el metraje o el sonido. Tiene dos partes: el clip maestro, que contiene toda la información de código de tiempo, y el archivo de medios, que es el material capturado en el disco duro.

Si ha seleccionado un clip maestro para ser eliminado, los botones no estarán seleccionados. Tendrá que hacer clic en el botón para marcar su elección. Puede eliminar el clip maestro o los archivos de medios o ambos. Es una decisión importante. Veamos por qué podría querer borrar cualquier parte de un clip maestro.

Digamos que selecciona un clip en una de sus latas y pulsa la tecla **Supr**. La figura 4.10 muestra el cuadro de diálogo que aparece. Éstas son sus opciones:

1. Si quiere eliminar la toma porque no merece la pena, nunca la utilizará y quiere eliminarla de forma permanente, entonces seleccione ambas casillas: Delete master clip(s) (Eliminar clip maestro), y Delete associated media file(s) (Eliminar archivos de medios asociados). El clip y el archivo de medios se eliminarán. Sí, el metraje aún existe en la cinta original o tarjeta, pero Avid no sabrá nada sobre él.

2. Si se está quedando sin espacio de almacenamiento y necesita hacer sitio para otro material, elimine el archivo de medios asociado pero no el clip maestro. En este caso, seleccione sólo Delete associated media file(s). El metraje se elimina de la unidad de medios pero la información sobre el clip, incluyendo las opciones de edición sobre la toma, permanecerá en

Avid. Siempre que busque ese clip lo encontrará en la lata, pero aparecerá una etiqueta Media offline (Medio fuera de línea) en Frame View. Para recuperar el clip, deberá volver a capturarlo.

Figura 4.10. *Eliminar un clip maestro.*

3. Casi nunca querrá seleccionar sólo Delete master clip(s). Si lo hace, estaría utilizando espacio en el disco duro para almacenar material que no puede utilizar porque Avid no puede encontrarlo.

Crear carpetas

Si está editando un proyecto grande que implica muchas cintas, puede tener la necesidad de almacenar las latas en carpetas para que la ventana Project no sea un desorden. En la parte izquierda de la ventana Project, verá un menú rápido, Bin Fast menú. Despliéguelo y verá una lista de comandos. Seleccione New Folder (Nueva carpeta) en el menú rápido (véase la figura 4.11) y cuando aparezca en la ventana Project nómbrela y arrastre a su interior las latas que quiere que contenga.

Menú rápido de lata ——

Crea una carpeta para almacenar latas ——

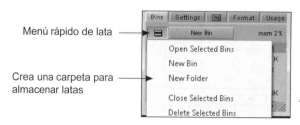

Figura 4.11. *Menú rápido de Bin.*

Hemos examinado Bin y el menú Bin con bastante detalle porque es el núcleo de lo que haremos con los clips. Otra parte importante de la ventana Project tiene que ver con Settings (Configuración).

Settings: A su manera

Los amigos de Tewksbury, Massachusetts (cuartel general de Avid), han creado un sistema de edición que puede configurarse y reordenarse de tantas formas diferentes que aturde. Algunos críticos dicen que hay demasiadas opciones y demasiadas formas de hacer lo mismo y que todas esas opciones han convertido lo que se suponía que era una máquina de edición intuitiva y divertida en cualquier cosa, pero entiendo por qué lo dicen. Es un software maduro, en los ciclos de vida informáticos, ha sufrido muchos cambios. Mientras que Avid ha ganado muchas funciones en el camino, no ha perdido tantas y, como saben los niños, seguir añadiendo bloques a la torre puede hacer que pierda el control.

Puesto que este libro es principalmente para usuarios principiantes, sólo muestro lo que considero que debe saber para crear películas o vídeos destacados. Si incluyera cada truco o función, se abrumaría. La ventana Settings es un área en la que puede empantanarse fácilmente. Aun así, configurar Avid para que se ajuste a su estilo de edición es una de las mejores funciones de Avid.

Examinemos algunas de las formas en las que puede configurarse Avid. Lo exploraremos con detalle más adelante, pero, por ahora, veamos de qué se trata.

Perfil de usuario

Si va a la parte superior de la ventana Project y hace clic en el botón **Settings** (véase la figura 4.12), aparecerá la ventana Settings.

Pulse este botón para abrir Settings

Menú desplegable de usuario

Figura 4.12. Botón Settings.

En la ventana de proyecto hay un menú desplegable que muestra a los distintos usuarios del ordenador que han configurado su propio perfil. Hasta el momento, probablemente haya estado utilizando la configuración predeterminada. Cuando comience a seleccionar su propia configuración, querrá tener esa configuración cada vez que abra el proyecto. De hecho, puede crear varios perfiles de usuario, tal como se ve en la figura 4.13. Aquí se muestra una configuración para proyectos rodados con varias cámaras y una configuración estándar para proyectos de una sola cámara.

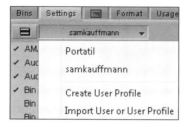

Figura 4.13. *Seleccione en el menú desplegable User.*

Para crear su perfil de usuario, seleccione **Create User Profile** (Crear perfil de usuario), escriba un nombre y haga clic en **OK**.

Los alumnos que trabajen en un laboratorio de edición Avid pueden estar editando en distintos ordenadores, llevando su unidad FireWire de una unidad a otra. Si está en esa situación, querrá guardar su configuración de usuario en la unidad FireWire. Después de crear su perfil de usuario, salga de Avid. Ahora vaya a la jerarquía de archivos de la carpeta de software Avid del ordenador y busque la carpeta `User Profile` en la carpeta `Avid user`. Arrástrela a su unidad FireWire y la próxima vez que lance el software seleccione **Import User** (Importar usuario) o **User Profile** (véase la figura 4.13) y se activará su configuración.

Tipos de configuraciones

A la izquierda de la ventana **Settings**, verá un menú rápido que enumera las opciones: **Active Settings** (Configuraciones activas), **All Settings** (Todas las configuraciones) y **Base Settings** (Configuración básica). Por ahora, seleccione **All Settings**. Bajo la ventana **Settings** verá la lista desplazable principal. Si quiere ver más de la lista, desplácese hacia abajo en la lista.

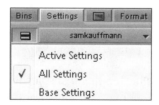

Figura 4.14. *Menú rápido de Settings.*

Casi todas las funciones de Avid pueden alterarse para ajustarse a sus preferencias. La lista muestra las funciones de Avid que puede cambiar. Para realizar cambios, haga doble clic en la opción cuyos parámetros desea cambiar y se abrirá un cuadro de diálogo con varias opciones. Simplemente escriba los cambios o seleccione una casilla y haga clic en **OK**.

No vamos a ver todos los elementos de esta ventana porque aún no los necesitamos. Veremos otras opciones más adelante. Según vaya familiarizándose con Avid, le recomendaré que revise todos los elementos. Entonces podrá hacer elecciones informadas.

Por ahora, abriremos algunos de los elementos más útiles en esta etapa del proceso de aprendizaje (véase la figura 4.15).

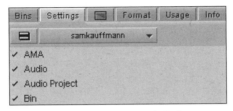

Figura 4.15. Haga doble clic en el nombre de la lata para ver las opciones.

Bin Settings

Cuando hace doble clic sobre Bin Settings (Configuración de lata), aparece el cuadro de diálogo de la figura 4.16. Hicimos cambios en la configuración de lata cuando la abrimos en el capítulo 1 para activar SuperBins. Las otras opciones permiten hacer copias de seguridad y guardar el trabajo.

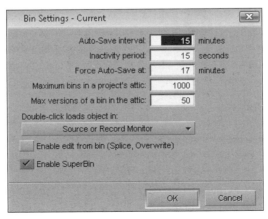

Figura 4.16. Bin Settings.

El trabajo es importante y algunos fallos del sistema que cuelgan el sistema de repente y hacen desaparecer el trabajo de la mañana pueden ser molestos. Para evitarlo, Avid tiene una función de autoguardado, Auto-Save. Determine el intervalo de tiempo para que salte el autoguardado. La opción predeterminada es de 15 minutos. Yo prefiero 10 minutos, así que escribo **10**.

También hay una función llamada Inactivity period (Periodo de inactividad); Avid esperará antes de guardar si está editando. El genio no debe interrumpirse. Establézcala en 15 segundos y esperará a que haya pausado 15 segundos en el trabajo antes de comenzar el autoguardado.

Pero ¿qué ocurre si nunca hace una pausa tan larga? Ahí es cuando entra en juego Force Auto-Save (Autoguardado forzado); le interrumpirá para guardar sin importar lo que esté haciendo.

Siempre puede guardar manualmente. Recuerde: **Control-S** (**Comando-S**).

El ático, attic, es un lugar en el disco interno del ordenador donde se almacenan las versiones antiguas de las latas. Avid envía el trabajo al ático siempre que se ejecuta un guardado. El ático almacena cierto número de archivos y, cuando se alcanza dicho número, comienza a descartar los antiguos a favor de los nuevos. De eso tratan las dos últimas opciones. Entraremos en más detalle más adelante.

El elemento desplegable Double-clic loads object in (Doble clic abre el objeto en) le ofrece la opción de cargar clips y secuencias directamente en el monitor de origen (Source) o de grabación (Record) o abrirlas como Pop-Up Monitors (Monitores emergentes). Asegúrese de seleccionar Source o Record Monitor.

Aquí es en donde podemos encontrar la opción Enable SuperBin (Activar SuperBin). Si está trabajando en un ordenador con un solo monitor, probablemente quiera activarlo. Si tiene dos monitores, probablemente quiera deseleccionarlo. Recuerde que siempre puede volver y cambiar la configuración.

Composer Settings

Busque la opción Composer y haga doble clic. La primera pestaña, Window (Ventana), permite cambiar el aspecto de los monitores de origen y grabación (véase la figura 4.17).

Por ejemplo, puede cambiar de un tamaño de pantalla estándar 4:3 a pantalla panorámica 16:9 seleccionando el botón **16:9 Monitors** (Monitores de 16:9). Si se ve abrumado por las filas de números sobre los monitores, pruebe a deseleccionar el botón **Second Row of Buttons** (Segunda fila de botones). (Vaya al apéndice para saber qué significan esos números.) Me gusta seleccionar los botones de primera y segunda fila de botones, que son los comandos que hay bajo los monitores de origen y grabación.

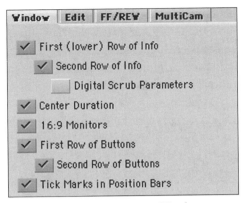

Figura 4.17. Pestaña Window.

Interface

Busque la opción **Interface** (Interfaz) con la casilla marcada y haga doble clic en ella. Aparecerá un cuadro de diálogo como el de la figura 4.18. Me gusta seleccionar la opción **Automatically Launch Last Project at Startup** (Abrir automáticamente el último proyecto al iniciar). Esto ahorra tiempo si sólo está trabajando en un proyecto y no quiere molestarse en seleccionar cuando abre el software de Avid. Haga clic en el botón para que esto ocurra.

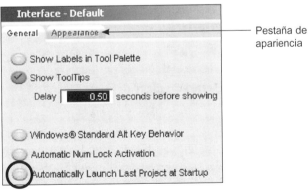

Figura 4.18. Seleccione este botón para abrir el proyecto al iniciar el programa.

Si no le gusta el aspecto de la pantalla, haga clic en la pestaña **Appearance** (Apariencia) y verá que puede cambiar todos los aspectos de la interfaz, desde la forma de los botones hasta el color de las latas.

Puede volverse loco con todas estas opciones. Personalmente, no quiero colores demasiado brillantes deslumbrándome a altas horas de la noche o a primera hora de la mañana, pero ajústelo como desee. Siempre puede volver atrás y cambiarlos de nuevo. Haga clic en **OK** para guardar los cambios. Pruebe a hacer clic en la parte izquierda de otros ajustes de la interfaz: Dark (Oscuro), Medium (Medio), Light (Claro), para activarlos. Algunos son bastante salvajes. Haga clic en el último para volver a la interfaz predeterminada.

Opciones de teclado

Todas las combinaciones de teclado de Avid son mapeables, puede cambiar cada tecla. No sólo puede colocar cualquiera de los comandos en cualquier tecla, sino que también puede colocar elementos de cualquier menú desplegable en combinaciones del teclado.

Hagamos algunos cambios. Primero, no obstante, haremos un duplicado de la configuración predeterminada y después haremos los cambios en el duplicado.

1. Haga clic en Keyboard Settings para que esté resaltado.

2. Pulse **Control-D** (**Comando-D**).

3. Haga clic en el espacio justo a la derecha del nombre y escriba **Default** (Predeterminado) en una y **Mine** (Mío) en la otra (véase la figura 4.19).

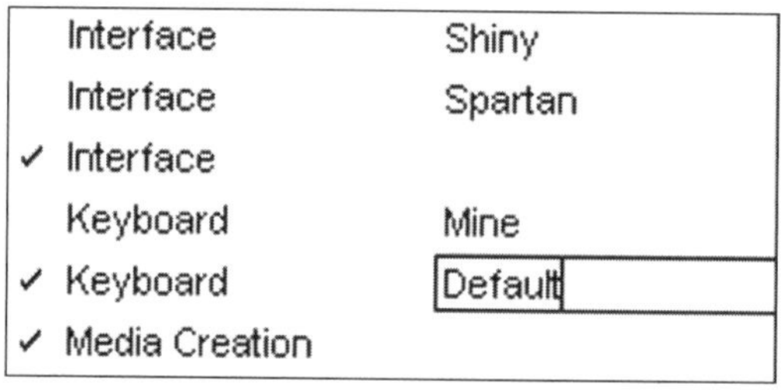

Interface	Shiny
Interface	Spartan
✓ Interface	
Keyboard	Mine
✓ Keyboard	Default
✓ Media Creation	

Figura 4.19. *Escriba Default y Mine a la derecha de Keyboard.*

4. Ahora haga doble clic en Keyboard (Mine) para abrirlo. Aparecerá una imagen del teclado. Ahora vaya al menú Tools (Herramientas) y seleccione Command Palette (Paleta de comandos) (véase la figura 4.20).

Verá que todos los botones de comando se han organizado según su función y que están accesibles haciendo clic en las pestañas. En la figura 4.21, he abierto Edit Command Palette (Paleta de comandos de edición) simplemente haciendo clic en la pestaña Edit. Explore las distintas pestañas.

Al final del capítulo, como referencia práctica, he incluido una serie de capturas de pantalla para cada una de las diez paletas del Media Composer.

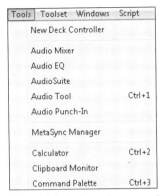

Figura 4.20. Paleta de comandos.

Reasignación "Botón a Botón"

Figura 4.21. Paleta de comandos Edit.

Lo que voy a proponer a continuación puede parecer herético, pero en lugar de añadir comandos al teclado, lo primero que voy a pedirle es que elimine un comando del teclado. Soy un firme creyente de la reproducción J-K-L. Quiero que coloque tres dedos de su mano izquierda en el teclado y utilice esas teclas para reproducir, así como para marcar entradas y salidas con las teclas **I** y **O**.

Bien, en ocasiones ocurre que los dedos pulsan la tecla errónea. La tecla a la izquierda de J-K-L es la tecla de comando **Focus** (Enfoque) y puede ser especialmente problemática (véase la figura 4.22). Si accidentalmente pulsa esta tecla cambiará el aspecto de Timeline en el peor momento. Así pues, pare evitar un accidente, vamos a eliminarla. Vaya a la pestaña Other (Otros) en Command Palette y busque el botón en blanco (véase la figura 4.23).

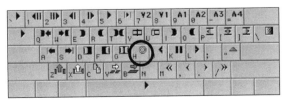

Figura 4.22. Tecla de Enfoque.

Figura 4.23. *Botón vacío.*

Para sustituir una tecla, asegúrese de que el botón de opción que hay junto a Button to Button Reassignment (Reasignación Botón a Botón) está en rojo (véase la figura 4.21). Ahora, simplemente arrastre el botón **Blank** (vacío) sobre la letra **H**, desaparecerá (véase la figura 4.24).

Figura 4.24. *Desaparece la tecla de Enfoque.*

Estos cambios no se harán efectivos hasta que cierre la ventana Keyboard. Probemos con otro. Vaya a la pestaña More (Más), mostrada en la figura 4.25. Arrastre el botón **Add Locator** (Añadir ubicador) (es rojo) a la tecla **F5**. No lo necesitará aún, pero lo utilizaremos en el capítulo 15.

Resista la tentación de hacer más cambios por ahora. Esperemos a que esté más familiarizado con todos los comandos y pueda decidir cuáles utiliza más frecuentemente.

Figura 4.25. *Pestaña More.*

Por cierto, Command Palette funciona como un menú rápido gigante. Puede abrirlo desde el menú Tools, hacer clic sobre una pestaña y después en el botón de opción Active Palette (Paleta activa). Ahora pulse cualquier comando y se ejecutará.

Volvamos a la ventana Project. Observe que la opción Keyboard Mine tiene una marca de activación. Si en cualquier momento desea volver al teclado predeterminado, haga clic con el ratón en el área a la izquierda del nombre. Por ahora, hemos terminado con Settings así que hagamos clic en la pestaña Bin para ver nuestras latas (véase la figura 4.26).

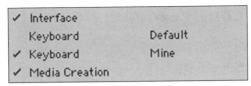

Figura 4.26. Haga clic junto al nombre para activar una configuración.

Cambiar botones de comando

Avid permite cambiar cualquiera de los botones de comando del monitor. El proceso es básicamente el mismo que cambiar las combinaciones de teclado. Vaya a **Command Palette** en el menú **Tools** y después arrastre comandos a los botones que quiera cambiar o sustituir. Observe los botones de la barra de herramientas bajo el monitor de grabación.

Propongo que haga un cambio más (y todos los que quiera más adelante). Primero, abra **Command Palette** y vaya a la pestaña **FX** (efectos especiales). Busque el icono **Motion Effect** (Efecto movimiento) y arrástrelo a la barra de herramientas de **Source Monitor** como muestra la figura 4.27. Está sustituyendo el comando de marcha atrás de un fotograma, que no necesitamos, por un comando que utilizaremos frecuentemente en el capítulo 13.

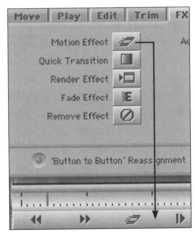

Figura 4.27. Arrastre desde Command Palette a la barra de herramientas de Source Monitor.

Espere hasta haberse adentrado más en el libro antes de mapear más botones de comando. Entonces tendrá una mejor idea de qué comandos quiere en el teclado, cuáles en la barra de herramientas y en cuáles prefiere hacer clic con el ratón.

Guardar la configuración de pantalla

Puede preferir tener Frame View como vista predeterminada siempre que coloque una lata en SuperBin. O puede querer que Timeline ocupe más espacio y los monitores menos. Quizá quiere que se abra Audio Tool (Herramienta de audio) cuando inicie el software. O quizá quiera más pequeña la ventana Project. Adelante, haga sus cambios. Ahora vaya al menú Toolset y seleccione Save Current (Guardar actual) (véase la figura 4.28). Desde ahora, el proyecto tomará la forma exacta que querer.

Figura 4.28. *Guardar configuración actual.*

Color de pista

Hablando de cambiar la interfaz, también puede cambiar el color de las pistas de Timeline. En el capítulo 2, vimos que Timeline tiene un menú rápido con muchas opciones. Una de ellas permite elegir el color de las pistas. Para cambiar el color predeterminado, seleccione las pistas que quiere cambiar y deseleccione las otras. Es importante seleccionar la pista correcta. Ahora seleccione Track Color (Color de pista) en el menú rápido de Timeline y mantenga pulsado el ratón y arrastre hasta el color que quiere ver (véase la figura 4.29). Suelte el ratón y las pistas mostrarán la selección. Normalmente dejo las pistas de estéreo que van juntas en el mismo color. Tengo un color para V2 y otro para V1, un tercero para las pistas de sincronización y un cuarto para las de música, etc.

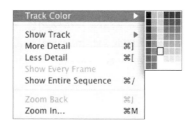

Figura 4.29. *Menú rápido de Timeline.*

Tareas recomendadas

1. Cree una nueva lata y nómbrela.

2. Duplique la secuencia. Cambie el nombre de la versión duplicada a la fecha de hoy.

3. Coloque esta versión de la secuencia en la nueva lata.

4. Examine los clips en Frame View, Brief View, Text View y Script View.

5. Elimine la versión duplicada de la secuencia que acaba de crear.

6. Abra la lista Headings y cambie los encabezados.

7. En Text View, mueva las columnas de sitio.

8. Ordene las columnas según distintos encabezados.

9. Invierta las selecciones.

10. Cree un perfil de usuario.

11. Abra la ventana Settings. Desplácese por la lista y luego examine varias opciones.

12. Duplique la opción Keyboard y nómbrela.

13. Utilice el botón vacío para eliminar la tecla **Focus**.

14. Añada Motion Effect a la barra de herramientas de Source Monitor.

15. Cambie el color de las pistas.

Pestañas de la Paleta de comandos

En las siguientes figuras, de la 4.30 a la 4.39, puede ver las distintas pestañas de la Paleta de comandos:

Figura 4.30. *Pestaña Move.*

Figura 4.31. *Pestaña Play.*

Figura 4.32. *Pestaña Edit.*

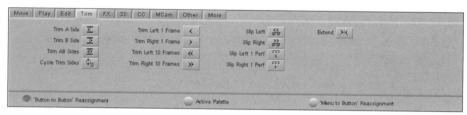

Figura 4.33. *Pestaña Trim.*

Figura 4.34. *Pestaña FX.*

Figura 4.35. *Pestaña 3D.*

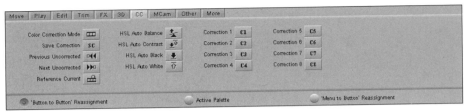

Figura 4.36. *Pestaña CC.*

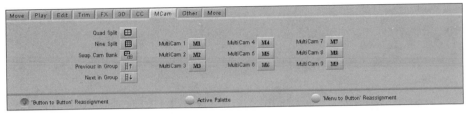

Figura 4.37. *Pestaña MCam.*

Figura 4.38. *Pestaña Other.*

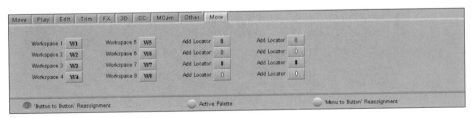

Figura 4.39. *Pestaña More.*

5. Unos cuantos consejos de edición

Hemos trabajado en *Wanna Trade* durante un tiempo y ahora es momento de obtener algo de *feedback*. Eso significa compartirlo con amigos, compañeros o familiares, quien piense que puede ayudarle a mejorar la escena diciéndole lo que piensa honestamente de su trabajo. Si editó una escena distinta para su primer proyecto, no importa, porque exploraremos el proceso completo de la proyección de la obra. Pero, antes de someterse a toda esa honestidad, veamos algunos indicadores de edición. Pueden parecer obvios, pero han ayudado a muchos de mis alumnos a superar baches, por lo que puede que también le sirvan de ayuda.

Cuándo cortar

Todo el mundo está de acuerdo en que un corte aporta energía a cualquier película o vídeo. Cambiando el ángulo de visión o pasando a una nueva localización, participamos en la esencia de la cinematografía. Sin la edición, las películas no son más que obras grabadas. Si va a un teatro a ver una obra, compra su entrada, toma asiento y todo ocurre desde ese punto de ventaja: su butaca. No importa cuál sea la acción (una pelea a espada, un beso, una discusión), usted la ve desde la misma distancia y ángulo.

Pero, ¿qué ocurre si cambia de asiento? ¿Y si pudiera moverse a cualquier butaca del teatro para ver mejor lo que ocurre? Podría ir a la primera fila para ver el beso, subir al palco para ver el duelo, pero si el actor principal cae herido podría correr de nuevo a la primera fila para escuchar sus últimas palabras y ver la expresión de su rostro.

Como editor, su trabajo es ofrecerle al público la mejor butaca. Sea cual sea la acción, escoja la toma que dé al público el mejor punto de ventaja para ver y oír lo que está ocurriendo.

Plano de conexión, plano largo, plano medio, primer plano, plano por encima del hombro, plano de reacción, plano maestro: todo ello describe lo que la cámara está viendo. No se preocupe por los nombres o por seguir alguna regla sobre cortar de uno a otro. En lugar de eso, observe las opciones y decida desde dónde querría el público ver dicha acción. Una vez haya escogido el mejor sitio, corte a la siguiente toma en cuanto sienta que el público quiere cambiarse a un asiento mejor.

Continuidad y recorrido de la mirada

La mayoría de los films narrativos se ruedan utilizando una cámara. Con todas las luces, técnicos y equipo de sonido en un *set* o localización, una segunda cámara es inútil porque grabaría al equipo. Por tanto, en lugar de rodar con múltiples cámaras, la cámara se mueve, el personal y el equipo se colocan fuera de plano y se repite la acción. El problema de este método es que a menudo hay problemas de continuidad. El actor sostiene la taza en su mano izquierda en el plano largo pero la taza aparece en la mano derecha en el plano medio. Quiere cortar de un plano a otro pero la taza se lo hace difícil. Quizá el problema no es una evidente taza en la mano incorrecta. Más a menudo se trata de la posición de un brazo o de la cabeza de alguien que cambia en la toma. No importa cuál es el problema, sino cómo hace ese corte el editor cuando hay algo tan evidentemente extraño.

Hay un par de trucos. El más fácil es hacer una toma recortada; la audiencia olvida el problema de continuidad y usted es libre. Por desgracia, esto casi nunca funciona porque no es lo que el público quiere ver. Esta toma recortada no es la mejor butaca. Una opción mejor es buscar movimiento y centrarse en él. Haga el corte cuando el actor se sienta o hace gestos con el brazo. Entonces cortaremos en la acción, en vez de antes o después. Esto ocultará, o al menos oscurecerá el problema de continuidad.

El recorrido de la mirada es otro concepto importante. Cuanto más grande sea la pantalla, más atraídos se sienten los ojos a distintas partes de la pantalla. ¿A dónde miramos cuando vemos una película?

- A los ojos y la boca de la persona que habla.

- A la parte en la que hay movimiento, no donde las cosas están quietas.

- A las partes claras más que a las oscuras.

Preste atención a dónde van sus ojos y vea una toma. Pregúntese: "¿Qué estoy mirando justo antes de cortar a la siguiente toma?". Examine el recorrido de su mirada. Sus ojos pueden comenzar a la derecha pero cuando corta no hay mucho que ver ahí por lo que los ojos buscan hasta encontrar algo de interés. Los ojos se mueven por la pantalla para encontrar un rostro, o movimiento, o brillo. Ese movimiento se denomina recorrido de los ojos.

Si intenta hacer una toma de correspondencia, observe a dónde van los ojos cuando hace el corto. Si los ojos no se mueven demasiado, habrá hecho una buena toma de correspondencia. Esto es especialmente importante si hay un problema de continuidad. Haga que el público mueva muy poco los ojos cuando corte. El corte se verá limpio y eso ocultará el problema de continuidad.

En ocasiones queremos que los ojos se desplacen en el corte. Si Kate está a la izquierda del fotograma y corta a Tim, la persona con la que está hablando, él debería estar en la parte derecha del fotograma (véase la figura 5.1). Nuestros ojos esperan saltar de ella a él, de izquierda a derecha, como en un partido de tenis.

Figura 5.1. *(a) L-R; (b) R-L.*

Dirección de pantalla

A menudo los buenos directores y sus editores utilizan la dirección de pantalla para ayudar a narrar la historia. La oscarizada *Platoon*, de Oliver Stone, editada por Clair Simpson, tiene una escena culmen en la que el personaje de

Willem Defoe es asesinado por el personaje de Tom Berenger. Este asesinato a sangre fría está maravillosamente telegrafiado por la dirección de pantalla de los dos personajes.

Defoe corre desde la izquierda de la pantalla hacia la derecha para luchar contra los soldados del Viet Cong y, durante un rato, Berenger se mueve en la pantalla de izquierda a derecha, como si él también fuese a combatir al enemigo. Pero, de repente, gira y comienza a moverse desde la derecha de la pantalla hacia la izquierda, hacia Defoe, estableciendo la confrontación final. Por desgracia, la mayoría de editores se pierden sin remedio cuando tratan con la dirección de pantalla y el resultado es la confusión del público.

Observe la figura 5.1 para comprender mejor la dirección de pantalla. En la figura 5.1, Kate está al lado izquierdo de la pantalla mirando hacia la derecha. Otra forma de decir esto es que mira desde la izquierda de la pantalla hacia la derecha de la pantalla, (izquierda a derecha, o L-R). En la figura 5.1, Tim mira de derecha a izquierda, o R-L.

Asegúrese de que comprende lo que quiero decir cuando digo que alguien mira L-R (Kate) y R-L (Tim).

Ahora, la forma en la que Kate y Tim miran tiene sentido. Están hablando entre ellos y mirándose de frente. La dirección de pantalla es correcta. Pero, a menudo, cuando los nuevos editores montan tomas tomadas desde varios ángulos, terminan haciendo que parezca que uno de los personajes se ha girado y está mirando en la misma dirección que la persona a la que está hablando. Observe la figura 5.2. Kate mira L-R y también Tim. Esto es incorrecto y confunde al público.

Figura 5.2. (a) L-R; (b) L-R.

Sé que ésa es fácil. Todo el mundo puede ver que está mal, así que examinemos una escena diferente que tiene más opciones y veamos qué ocurre (véase la figura 5.3).

Figura 5.3. *(a) Michele, L-R; (b) Peter, R-L.*

En la figura 5.3 tenemos a Michele mirando L-R y hablando con Peter que mira R-L. Esto es correcto. Se miran cuando hablan.

Pero ahora veamos qué ocurre cuando Michele abandona la habitación. Se gira para salir hacia la derecha de la pantalla, como vemos en la figura 5.4. Ahora, cuando cortamos a Peter viéndola marchar, tenemos un problema de dirección de pantalla. Cortamos desde Michele, a la izquierda del fotograma, para mostrar un plano con Peter a la izquierda.

Es más sutil que la figura 5.2 pero es igual de confuso. Créame, en pantalla se ve aún peor.

Figura 5.4. *(a) Michele y (b) Peter ambos están mirando L-R.*

Este tipo de toma se conoce como cruzar la línea o romper la regla de los 180 grados, pero ése es el lenguaje de los operadores de cámara y directores. Para los editores se llama problema, y nuestro trabajo es arreglarlo.

No corte aquí a Michele. Utilizando las habilidades que aprendimos en capítulo 3, entre en Trim Mode (Modo recorte), pase los rodillos a la cara-A (haga clic en Michele) y extienda la toma hasta que camine más hacia la derecha, cortando justo antes de que pase frente a Peter y quede bloqueada por su cabeza (estamos añadiendo fotogramas a la cara-A).

Ahora coloque los rodillos en la cara-B (haga clic en Peter) y recorte fotogramas, hasta que ella esté a punto de pasar frente a él. Después de recortar, iniciamos esta toma justo cuando ella cruza frente a él. Ahora el problema de dirección de pantalla es menos perceptible.

Examine las figuras 5.1 a 5.4. Comprenda que casi cada toma que implica a personas tiene dirección de pantalla. La persona o bien está caminando de izquierda a derecha o mirando de izquierda a derecha (o al contrario, de derecha a izquierda). Evidentemente, dos personas que caminan una hacia otra deben tener direcciones de pantalla opuestas. Cuando monte desde diferentes ángulos y tomas, asegúrese de que los actores no comparten de repente la misma dirección, como ocurrió en la figura 5.4.

Pauta

La pauta es crucial para una edición eficaz y, aun así, es quizá lo más difícil sobre lo que escribir o enseñar. Pero vamos allá. Pensemos en montar una conversación entre dos personas. El contenido de su conversación, junto con la interpretación del actor, determina la pauta. Una charla entre amigos o un intercambio amigable entre personas, en el que cada persona escucha al otro, tendrá una pauta más lenta e implicará menos pausas.

En lugar de cortar en cuanto una persona para, debe dejar que el diálogo respire colocando pausas antes de que hable cada persona; podemos verlos pensar o reaccionar, en lugar de decir sus frases. Una discusión en la que dos personas no están escuchándose realmente tendría un ritmo más rápido. Deberá introducir más cortes con pocas o ninguna pausa entre líneas. En ocasiones, una persona puede entrar antes de que la otra termine.

Las tomas de reacción y los cortes en L son componentes importantes de cualquier conversación. No queremos quedarnos siempre en Kate hasta que termine sus frases y después pasar a Tim, mientras dice todas sus frases, siempre ante la cámara. A menudo es mejor comenzar de dicha forma para que el público sepa quién está hablando y reconozca sus voces, pero una vez que el público lo sabe, puede apartarse del enfoque de cabezas parlantes y animar las cosas con tomas de reacción y cortes en L.

Comencemos con las tomas de reacción. Si Tim dice algo hiriente o irónico o gracioso, queremos ver cómo responde Kate. Ciertamente, la longitud de la toma de recorte depende en parte de la reacción, pero tenderemos a que la reacción sea algo más larga durante una conversación normal que durante una discusión o una pelea. Utilizamos la longitud y la frecuencia de las tomas de reacción para acelerar o ralentizar el ritmo.

Los cortes en L también son útiles. En lugar de quedarnos en la persona que está hablando, utilizamos el **Dual-Roller Trim Mode** (Modo recorte de doble rodillo) para cambiar el punto de corte del vídeo.

Por ejemplo, tenemos un primer plano de Tim hablando, pero en lugar de esperar a cortar cuando termine, arrastramos los rodillos en V1 hacia la izquierda (véase la figura 5.5), para que se vea la cara de Kate mientras escuchamos a Tim terminar su frase y después hablar a Kate.

Un corte en L es como una toma de reacción en la que vemos a Kate digerir lo que Tim dice y después responder.

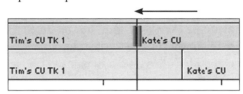

Figura 5.5. *Arrastre los rodillos hacia la izquierda para crear un corte en L.*

Tenga cuidado de no hacer demasiado cortes en L porque hacen que la escena pase demasiado rápido. Las pausas breves que creamos con los cortes rectos de una persona a la siguiente, el momento en el que un actor espera para hablar o piensa antes de hablar, a menudo se pierden si hay demasiados cortes en L. Mis alumnos se quejan de que sus escenas a veces parecen trenes desbocados, van más rápidas de lo que pensaban. El culpable es siempre el mismo: han utilizado demasiados cortes en L.

Estructura de la historia: Planteamiento, nudo y desenlace

Los alumnos a menudo se confunden cuando oyen hablar a los guionistas sobre los tres actos. ¿Cuál es el primer acto? ¿Qué duración debe tener? ¿Por qué no seis actos? No es ciencia aeroespacial. Toda historia tiene tres actos, incluso nuestras vidas. Todo tiene un principio, una mitad y un final. Y toda película también debería, ya sea narrativa o documental. Los editores a menudo pierden la visión de esto cuando están liados con horas de metraje y miles de opciones, pero tanto si está trabajando en un documental de una hora con doce secciones o una película con 80 escenas, todo debe ajustarse al planteamiento, nudo y desenlace. Si no, probablemente puede cortarlo. Adelante, láncenme *Memento* o *Pulp Fiction* como refutación, pero ambas comienzan con un principio, un nudo y un final: los escritores simplemente los mezclaron una vez estaba escrita la historia.

Cuestiones en documentales

Editar un documental a menudo significa trabajar con entrevistas de cabezas parlantes o voz en *off*. En las entrevistas, normalmente se corta desde la cabeza del sujeto hacia material más interesante visualmente. En jerga televisiva, ese material visual se llama "rollo-B". Por ejemplo, un piloto habla sobre el estrés de pilotar un helicóptero y, mientras habla, cortamos a un helicóptero realizando una maniobra peligrosa.

Si tiene muchas entrevistas, le sugiero que haga que el productor transcriba el audio para tener una copia escrita de todo lo que dicen los sujetos. Es mucho más rápido leer horas de entrevista que verlas una y otra vez. Media Composer tiene una forma de conectar los clips de entrevista a la transcripción, un tema que trataremos en el capítulo 18.

A menudo fotocopio la transcripción de la entrevista y hago una edición en papel para poder copiar y pegar el mejor material. Después veo el metraje y observo si el material es tan interesante en Avid como era en el papel. Si es así, monto la entrevista en Timeline (Línea de tiempo) sobre V1 y A1. Normalmente, comienzo con la persona que habla a cámara, colocando un título identificativo de la persona y después cambio a los visuales que amplían lo que está diciendo (véase la figura 5.6).

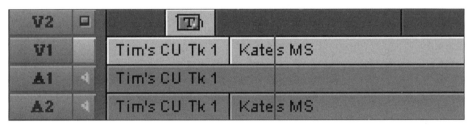

Figura 5.6. *Timeline de una entrevista.*

Sobrescribo el visual en V1, sustituyendo a la cabeza parlante y, si el visual tiene sonido, como un helicóptero, coloco el sonido en A2. Aprenderemos en el capítulo 8 cómo bajar el volumen del helicóptero para que no distraiga de la voz del sujeto en A1.

Puesto que estoy montando un visual, el helicóptero, puedo editar el audio del sujeto en A1 (mientras ya no está en cámara). Puedo cortar pausas, toses, dubitaciones e incluso otras partes.

Si el sujeto está diciendo algo interesante o tiene contenido emocional, me gusta ver a la persona decirlo a cámara. Si tiene fuerza, no lo sustituyo con el rollo-B. Si está trabajando con narración superpuesta, no tendrá una persona hablando, por lo que todo será rollo-B.

El problema que muchos editores tienen es la elección del material del rollo-B. Demasiado a menudo el visual que seleccionan es idéntico a la narración. El narrador dice: "Hace un día nublado" (vemos nubes en el cielo). "El viento soplaba entre las hojas" (vemos el viento entre las hojas). A esto se le llama *Mickey Mousing* (es una larga historia). Se repite la información dos veces. Intente encontrar metraje que amplíe la narración de forma que el público obtenga más información en lugar de mostrar exactamente lo que describe la narración. Pero tenga cuidado de no socavar la narración.

Si el narrador dice: "Le debemos a nuestros hijos dejarles un mundo más limpio y menos contaminado", no muestre chimeneas contaminando. Eso socava la narración. Una toma de unos niños nadando en un lago junto a la montaña funcionará mejor.

Lo bueno, si breve...

A menudo los cineastas crean sus proyectos pensando que cuanto más largo mejor; sin embargo, jueces de festivales, conservadores de películas y agentes prefieren lo breve y conciso. Adivine cuál es la duración máxima para un corto presentado al prestigioso Festival de Cannes. 15 minutos. Cualquier cosa que lo sobrepase es descalificada.

Póngase en el lugar de un juez en un festival de cine intentando organizar un programa de cortos. Si puede escoger entre cuatro películas de 30 minutos y seis de 20 minutos, escogerá siempre seis. Visto de otra forma, todo el mundo puede encontrar 10 minutos para ver su película de 10 minutos, pero pídale a alguien que vea su película de 45 minutos y lo tendrá más difícil.

No me malinterprete. Si la película es un potente documental de una hora, es estupendo. No hay una duración "correcta", viene dictada por el material. Simplemente le conmino a que luche para que sus proyectos sean lo más cortos posibles. No tenga piedad al cortar material innecesario. Esté dispuesto a cortar cada toma que no tenga peso.

Proyección de una obra en progreso

Estamos listos para mostrar nuestra obra. Tenemos un buen montaje pero necesitamos información honesta. La mayoría de los editores dan mucho valor a la proyección de su obra mientras aún se está editando. Sea un montaje provisional o uno definitivo, es una proyección de la obra en progreso. Ha dedicado mucho tiempo y energía a montar el material, se ha esforzado, pero normalmente ha estado trabajando en un vacío. Lo que buscamos ahora son ojos y oídos frescos. Queremos un público (pueden ser una o dos personas o un aula llena de compañeros) que nos diga qué funciona y qué no. Nada nos enseña más sobre nuestra obra que proyectarla frente a un público. En ocasiones las proyecciones son dolorosas, otras divertidas y siempre útiles.

Ser su propio proyeccionista

Antes de que llegue el público, prepare la sala de proyección. Aunque sea una pantalla de ordenador y dos altavoces, asegúrese de que todo es correcto. ¿Están conectados los altavoces? ¿Están en el volumen correcto? ¿La línea de visión es buena o alguien tendrá obstáculos en la visión? ¿Qué hay de la luz de ambiente? ¿Puede hacer que sea más oscura? Si cierra la ventana ¿disminuirá el ruido del tráfico?

A lo largo de su carrera tendrá muchas proyecciones y deberá ponerse un sombrero nuevo: el de un proyeccionista profesional. He proyectado mis películas por el mundo y he aprendido muchas lecciones dolorosas, la más importante de todas que, si quiere que vaya bien, debe estar profundamente implicado. Llegue antes al cine y haga una prueba de sonido para que el volumen sea correcto. Asegúrese de que la cinta está en el momento adecuado. ¡En un festival mi película comenzó después de la toma de apertura! En ocasiones incluso debe corregir el enfoque. Créame, merece la pena. Si no lo hace, puede funcionar ocho de diez veces, pero hay posibilidades de que haya una proyección en la que el sonido sea demasiado bajo o el enfoque demasiado suave y se arrepentirá de no haberlo comprobado con anterioridad.

Interrogue a su público

Siempre que es posible, me gusta empezar con un público de sólo unas personas. Me gusta dividir mi atención entre el público y la pantalla. Normalmente, si algo no funciona, lo sé por la atención (o falta de atención) que el público presta a una sección concreta. Una vez proyectado el metraje, comience sus preguntas desde lo más general hacia lo más específico. Tome notas. Si los miembros del público no son tan comunicativos, haga preguntas. ¿Cómo funcionó? ¿Hay confusión en lo que está ocurriendo? ¿Qué emociones evocaba? Si es una pieza narrativa, puede preguntar sobre la interpretación de los actores. ¿Qué actor les gustó más? Como trabajamos con una máquina digital, puede ir rápidamente a una sección para volver a verla. Si el proyecto tiene más de 10 minutos, probablemente hay mucho de qué hablar en términos de estructura, ritmo, desarrollo de personajes y tensión dramática. Con una escena tan corta como *Wanna Trade*, probablemente pueda pasar a un análisis de problemas de edición concretos. En esta etapa, estamos intentando encontrar lugares en los que el público se encontró con cosas que no funcionaban. Si tiene suerte, el público le dará información que vale su peso en oro:

- Miembro del público: "Cuando Tim busca en la mesa, fingiendo buscar las cartas, no me gustó el corte del plano general al primer plano de Tim".

- Usted: "¿Por qué?".

- Miembro del público: "No podía ver lo que estaba haciendo".

Eso es específico. O alguien puede decir que piensa que un corte es raro o que un actor permanecía demasiado tiempo en pantalla antes de cortar a la siguiente toma. Con frecuencia, especialmente si el público no sabe nada sobre vídeo o cine, no le dirán lo que les confundió porque honestamente no lo saben. En esos casos, tiene que jugar a los detectives para averiguar qué es lo que fue mal. No es fácil, pero puede ser gratificante. A menudo he observado que, cuando la gente que no sabe mucho sobre edición dice que algo no funciona, el problema no siempre está donde ellos piensan; normalmente está antes de eso. Si no pueden decirle qué les molesta pero se sienten algo confusos, le sugiero que ralentice el inicio. Asegúrese de que el público tiene las bases desde el principio. Una vez sabe quién hace qué, puede acelerar las cosas.

Haga lo que haga, no discuta con su público. Puede que usted sea el experto del proyecto que está montando, pero ellos son los expertos en lo que sienten sobre ello. Si critican su obra y destacan defectos, es humano ponerse a la defensiva. Nunca he conocido a nadie a quien le guste que le critiquen. Pero, si discute con ellos, no está entendiendo la base de la proyección, que es aprender lo que funciona y lo que no. No tiene que aceptar sus sugerencias. Si piensan que están equivocados, que sea así. Tire sus notas y busque otro público. Pero, si obtiene la misma respuesta que antes, es momento de pararse a escuchar.

En ocasiones abandonará la sala de proyección avergonzado. Las sugerencias fueron tan buenas que se avergüenza de no haberlo visto usted mismo. En otras ocasiones se sentirá agradecido porque identificó un problema, sabe cómo arreglarlo y está deseando volver al trabajo. También hay veces en las que uno se da cuenta de que hay muchos problemas y es deprimente pensar lo lejos que tiene que llegar. Ésos son los días en que, si es posible, se tomará la tarde libre y dará un largo paseo. De vez en cuando, la gente le dará palmaditas en la espalda, le dará la mano y le dirá que es brillante, pero a menos que obtenga laureles de todo el mundo, volverá al trabajo, arreglará los problemas e intentará programar otra proyección con otro grupo de ojos y oídos frescos.

Desarrollar la insensibilidad

El proceso de proyección puede repetirse al menos tres veces para un corto y el doble para un largometraje. Sí, puede ser penoso, pero es mucho mejor sufrirlo ahora, cuando aún puede solucionar los problemas, que más tarde cuando esté ahí fuera y sea rechazada por festivales o dilapidada por la prensa. Estas sesiones son muy valiosas, si se toma bien las críticas. Pueden ser una pérdida de tiempo si ignora lo que sus profesores, amigos y seres queridos tienen que decir. Desarrolle la insensibilidad ahora; aprenda a aprender de estas proyecciones. Pronto, obtendrá el aplauso que se ha ganado y una oportunidad de ascender en su parte de trofeos dorados.

Tareas recomendadas

1. Realice una proyección de su escena editada, tomando notas de las distintas sugerencias.

2. Duplique la secuencia.

3. Haga los cambios en la nueva versión de la secuencia.

4. Compare la versión anterior con la versión basada en el *feedback* que recibió.

6. Iniciar un nuevo proyecto y capturar desde cinta

Recuerdo asistir a una conferencia hace unos quince años; un reputado ingeniero de edición declaró que el fin de la película como medio de grabación se cernía sobre nosotros. "Pronto no habrá más películas. Todo se rodará en cintas de vídeo", dijo. Es curioso cómo funcionan las predicciones.

La gente sigue rodando en película mientras que el final de la cinta de vídeo como medio de grabación parece a la vuelta de la esquina. No pertenezco al negocio de las predicciones así que no haré ninguna, pero con las tarjetas P2 y las cámaras que graban directamente a unidades o discos ópticos uno se maravilla. El caso es que este capítulo trata sobre capturar lo que ha rodado en cinta de vídeo en Avid (véase la figura 6.1). En el capítulo 7, explicaré cómo obtener la imagen y el sonido desde cámaras que graban a tarjetas de memoria y tarjetas P2. Así que la cuestión es: ¿Durante cuánto tiempo será relevante este capítulo? Ya veremos.

Iniciar un nuevo proyecto

Al hacer clic en el icono Media Composer o Xpress, se inicia el software de Avid. Enseguida Avid muestra un cuadro de diálogo que le pregunta qué proyecto va a editar (véase la figura 6.2). La columna de la izquierda enumera todos los proyectos actualmente en postproducción en la máquina.

Figura 6.1. *Capturar desde una cinta DV.*

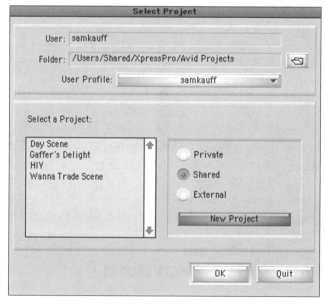

Figura 6.2. *Cuadro de diálogo Select Project.*

Si va a comenzar un nuevo proyecto, uno con el que Avid no haya tratado nunca, primero debe decidir si quiere restringir el acceso a su proyecto (Private), o si quiere que otras personas puedan trabajar en él. Las opciones Shared (Compartido) y External (Externo) permiten que cualquiera que tenga acceso al ordenador pueda abrirlo. Seleccione External si la información del proyecto estará almacenada en una unidad externa o almacenaje compartido.

Una vez tomada esa decisión, pulse el botón **New Project** (Nuevo proyecto). Aparece un cuadro de diálogo. Primero, nombre su proyecto escribiendo el nombre en el cuadro Proyect Name (Nombre de proyecto). El nombre suele ser el título del vídeo o película. Junto al menú desplegable Format (Formato) (véase la figura 6.3), elija de la lista de formatos el que le convenga. Primero veremos las opciones para proyectos de definición estándar.

El capítulo 17 examina los formatos de alta definición (HD) con más detalle, por lo que si su proyecto es en alta definición y es un recién llegado al mundo de la HD, puede entonces querer leer el capítulo 17 inmediatamente después de digerir este capítulo.

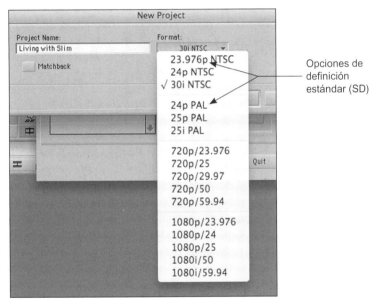

Figura 6.3. *Opciones de formato de proyecto.*

Definición estándar

Hasta la llegada del HD y HDV, todos los equipos de televisión y vídeo tenían definición estándar. El estándar utilizado dependerá del lugar del mundo en que viva.

NTSC

NTSC significa *Nacional Television System Committee* (Comité nacional de sistema de televisión), que es la organización de estándares para la emisión de televisión en los Estados Unidos. Originalmente era un sistema analógico desarrollado antes de la Segunda Guerra Mundial. La imagen contiene 525 líneas de información a 30 fotogramas por segundo. Fue modificado ligeramente en 1953 para ralentizar el ratio fotogramas a 29,97 fotogramas por segundo para permitir la transmisión de televisión en color.

Este sistema analógico NTSC era el estándar de transmisión durante más de 50 años. América del Norte y América Central adoptó este sistema, al igual que Japón, Taiwán, Corea del Sur, el Caribe y partes de América del Sur. Desde entonces ha sido sustituido por un estándar digital.

Probablemente utilice una cámara digital NTSC por lo que no hay necesidad de preocuparse por que el equipo NTSC quede obsoleto.

Exploración entrelazada

NTSC utiliza un fotograma entrelazado. Esto significa que un fotograma de vídeo está formado por dos campos. Un campo contiene las líneas impares y el otro las líneas pares.

Esto surgió cuando los ingenieros que inventaron la televisión NTSC allá por los años 30 observaron que, al ver una imagen en una pantalla de televisión, la parte superior era más oscura que la inferior. Se dieron cuenta de que en el momento en el que el rayo de electrón iluminaba la última línea de las 525 filas de puntos fosforescentes, las filas de arriba se habían desvanecido. Diseñaron un rayo de electrones para explorar las líneas impares y después las pares. Cuando se combinan estos dos campos entrelazados, se obtiene un fotograma de vídeo y una imagen más clara de arriba a abajo.

Exploración progresiva

Con la llegada del estándar digital NTSC, se hizo posible un nuevo método de exploración. En lugar de la entrelazada, donde la información de imagen para cada fotograma se grababa en dos campos, la exploración progresiva significó que el fotograma se explorara por completo de una sola vez. La exploración progresiva ofrece muchas ventajas sobre la entrelazada, incluyendo una mejor resolución. La exploración entrelazada se identifica por la letra "i" y la progresiva por la letra "p".

Opciones de proyecto Avid NTSC

Así pues, si está capturando una cinta NTSC, aquí están sus tres posibles opciones:

- **23,976p NTSC**: Seleccione 23,976p NTSC si rodó con una Canon XL2, Panasonic DVX100 o Panasonic DVX900 para un público norteamericano y seleccionó 24p Advanced como ratio de fotogramas.

- **24p NTSC**: Seleccione esta opción si está editando un proyecto de película de alto presupuesto y finalizará en película. Exploraremos esta opción en el capítulo 20.

- **30i NTSC**: Esta opción es correcta si utilizó una cámara mini-DV o bien DVCAM, BETA SP o DigiBeta en su configuración normal de 30i. Ésta también es la opción si rodó con una Canon XL2, Panasonic DVX100 o Panasonic DCX900 para un público norteamericano y seleccionó 24p (pero no Advanced) en el menú de la cámara.

El estándar PAL

PAL (línea alternada de fase) se inventó en Alemania y se adoptó primero en Gran Bretaña.

Intentaba resolver los problemas que los europeos tenían con NTSC. La red eléctrica europea funciona a 50 Hz y NTSC fue diseñado para la potencia norteamericana de 60 Hz.

PAL utiliza exploración entrelazada pero con la llegada de la televisión digital tiene ahora la opción progresiva.

Por tanto, si está rodando con una cámara diseñada para Europa, la mayor parte de África, India y China, probablemente utilice el estándar PAL. Si está capturando una cinta PAL, éstas son sus tres opciones:

- **24p PAL**: Seleccione esta opción si va a editar un proyecto de alto presupuesto en un país PAL.

- **25p PAL**: Seleccione esta opción si rodó el proyecto utilizando una cámara como la versión PAL de Canon XL2, Panasonic DVX100 o DVX900, y seleccionó la opción 25p.

- **25i PAL**: Si utilizó una versión PAL de una cámara DV o DVCAM, Beta SP o bien DigiBeta, entonces es más probable que la opción correcta sea 25i PAL.

El estándar SECAM: Olvídese de él

Francia creó y utiliza un estándar distinto y en ciertas partes de Europa del Este y las antiguas colonias francesas usan este estándar. Lo gracioso es que SECAM significa *System Essentially Contrary to the American Method* (Sistema esencialmente contrario al método americano). No importa cuáles sean los méritos de SECAM, todo el mundo reconoce el orgullo francés en la decisión de no utilizar NTSC o PAL. Siempre ha sido difícil editar en SECAM, por lo que normalmente la señal SECAM se convertía a PAL para su edición. Por tanto, para propósitos de edición, las opciones de definición estándar son NTSC o PAL.

Si quiere saber más sobre estos estándares y los países que los utilizan, escriba NTSC, PAL o SECAM (todo en mayúsculas) en el motor de búsqueda. Wikipedia tiene un buen mapa del mundo que muestra qué países utilizan cada estándar.

Alta definición

Si piensa que la definición de estándar es un lío, prepárese para el mundo de la alta definición. Hay muchas versiones de HD y cada una de ellas tiene sus fortalezas y debilidades. Lo único que tienen en común es el formato de pantalla de 16:9. Veremos las opciones en más detalle en el capítulo 17. Por ahora veremos cómo Avid las divide, como muestra la figura 6.4. La captura de pantalla de la izquierda corresponde a las versiones de Media Composer anteriores a la versión 3.0, y la de la derecha muestra Media Composer 3.0.

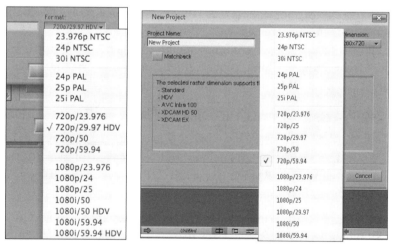

Figura 6.4. Formatos de HD.

Raster Dimension

Cuando selecciona un formato HD en el menú, Media Composer 4.0 le ofrece el menú **Raster Dimension** (Dimensión de rasterización) donde puede seleccionar la opción más adecuada (véase la figura 6.5). Es importante seleccionar el tipo correcto de rasterización en el menú desplegable. De esa forma mejorará el rendimiento de la reproducción cuando edite.

Discutiremos los tipos de rasterización en más detalle en el capítulo 17. Por ahora, seleccione el que corresponda al formato de cámara o cinta.

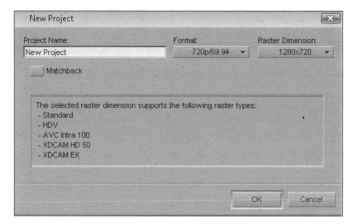

Figura 6.5. *Menú Raster Dimension.*

La tabla de abajo muestra los distintos tamaños de rasterización. Veremos más sobre estos números según vayamos avanzando, pero por ahora puede ver que hay razón para las opciones. Si puede capturar y editar en 1.440 x 1.080 y después dar salida a 1.920 x 1.080, el software sufrirá menos y obtendrá un rendimiento mejorado.

Tipo proyecto	Estándar	DVCPro HD	HDV
720p	1280 x 720	960 x 720	1280 x 720
1080i	1920 x 1080	1280 x 1080	1440 x 1080
1080p	1920 x 1080	ND	ND

Si está trabajando con software anterior a la versión 3.0, no tiene un menú **Raster Dimension**, así que seleccione el formato correcto, como se muestra en la parte izquierda de la figura 6.4.

HDV

HDV se denomina en ocasiones HD ligero, ya que utiliza un sistema de compresión llamado MPEG-2 Long Gop. No cada fotograma tiene la imagen completa: algunos sólo contienen la información de imagen que ha cambiado del fotograma anterior. Son muy sencillos de capturar porque usan el mismo sistema FireWire y las mismas cintas DV que las cámaras DV de definición estándar.

Avid puede convertir señal HDV a definición estándar, un proceso llamado *downconverting* (convertir hacia abajo), Avid también puede convertir la señal HDV en HD. Aprenderemos a hacerlo en el capítulo 17.

Si grabó con una Canon o Sony HDV y tiene el Media Composer 3.0, lo mejor es que seleccione 1080i/59,94 en el menú de formato y después HDV en tipo de rasterización. Con versiones anteriores de Avid, seleccione 1080i/59.94 HDV.

Si grabó con la cámara JVC, las opciones son las siguientes:

Formato de cámara JVC	Formato de proyecto Avid
720p30	720p/29,97
720p24	720p/23,976
720p60	720p/59,94

Recomiendo utilizar la opción de cámara 720p30 porque ofrece más flexibilidad en el acabado.

DVC Pro HD

DVC Pro HD es tecnología Panasonic y, a diferencia de HDV, cada fotograma es único. No hay GOPs (grupos de imágenes). No obstante, su tamaño de rasterización es menor que el estándar 720p o 1080i/p HD.

Puesto que tiene un tamaño de rasterización menor, puede capturar su señal mediante FireWire, como DV y HDV. La mayoría de las cintas de vídeo DVC Pro HD se pasan a Avid a 720p/23,976 o 720p/59,94 (lo que recomiendo). Dedicaremos la mayor parte del capítulo 7 a la tecnología DVC Pro HD P2.

HD Estándar

Puesto que la rasterización completa 1.920 x 1.080 HD ocupa más espacio de disco, necesitamos una unidad Avid para poder capturarlo. Aprenderemos a capturar 1080i/p HD en el capítulo 17m cuando veamos los dispositivos de entrada y salida de HD de Avid: Mojo DX, Nitris DX y Adrenalina HD. Con estos dispositivos, puede capturar cintas digitales HD con la mayor calidad. Puesto que la mayoría de alumnos y principiantes no comienzan sus carreras capturando proyectos 1080i o 1080p en pletinas HD de 50.000 euros, esperaremos a que se sienta más cómodo capturando proyectos DV, HDV o DVC Pro HD.

Conectar el equipo

Para capturar la imagen y el sonido, necesita tirar cables desde el reproductor de cinta de vídeo (pletina) hasta los tableros de captura de vídeo y audio de Avid. En un aula, los cables probablemente ya estén conectados y lo único que tiene que hacer es encender la pletina, abrir el software de Avid e insertar la cinta.

En caso de que se encuentre solo, tomémonos un minuto para examinar los procedimientos para capturar directamente desde una pletina o cámara al ordenador. Si tiene el software de Avid funcionando, y está a punto de capturar, deberá salir del programa antes de conectar la cámara o unidad externa. Si el software ya está funcionando es posible que no reconozca que se conectó una pletina o cámara. Una vez conectados los cables y encendida la pletina o cámara, entonces puede iniciar el software.

Cables

Aquellos que graben en mini-DV, HDV o DVC Pro HD sólo deben preocuparse por su cable IEEE 1934/FireWire (la versión de Sony de IEEE 1394 es *iLink*). Este cable controlará la pletina o cámara y trasladará tanto la imagen como el sonido. El mismo cable se utiliza después para sacar la señal digital de Avid a la pletina o cámara para pasar el proyecto terminado a cinta. Se conecta un extremo del cable FireWire a la conexión del ordenador y el otro extremo a la pletina de vídeo o cámara. Los cables estándar FireWire 400 tienen 6 o 4 clavijas. La interfaz FireWire 800 duplica la salida del FireWire y tiene, 9, 6 o 4 clavijas conectoras. Los conectores de 9 y 6 clavijas se usan más a menudo para unidades FireWire externas, mientras que los conectores de 4 clavijas se utilizan normalmente para conectar a una cámara o pletina pequeña (véase la figura 6.6).

Para capturar a una unidad FireWire externa, necesita dos cables: un cable con 6 clavijas conectoras en ambos extremos (6 x 6) y un cable con 6 clavijas en un extremo y 4 clavijas en el otro (6 x 4). Conecte el cable 6 x 6 al puerto FireWire del ordenador y el otro extremo a la unidad externa. Ahora, conecte el cable 6 x 4, con el conector de 4clavias a la pletina o cámara, como muestra la figura 6.7.

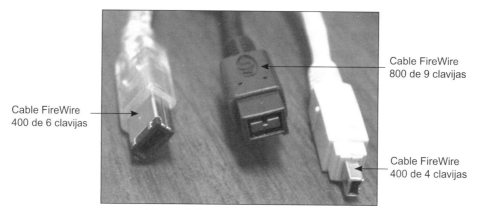

Figura 6.6. *Tipos de cable FireWire.*

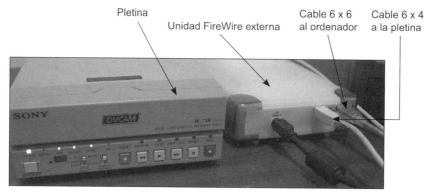

Figura 6.7. *Conexión a unidad FireWire externa.*

Conectar cámaras y pletinas HDV

Si está utilizando una cámara HDV como medio de captura, asegúrese de poner la cámara en modo HDV en lugar de modo DV. Conecte siempre a través del puerto IEEE 1394.

Configurar una cámara o pletina

Encienda siempre la pletina o cámara antes de iniciar el software de Avid. Si no, Avid no reconocerá la pletina o cámara conectada.

Si ha instalado recientemente Avid en el ordenador o ha descargado una nueva versión, es posible que Avid no esté configurado para reconocer la pletina o la cámara. Cuando seleccione Capture (Capturar) en el menú Toolset (Herramientas), puede obtener un mensaje que diga NO DECK (No hay pletina), aunque tenga la pletina o cámara conectada y recordase encenderla antes de iniciar el software. Con el software recién instalado o cuando se conecta una nueva pletina o cámara, debe indicar la forma en la que ésta está conectada a Avid y qué tipo de pletina o cámara (Sony, Panasonic) está utilizando. La conexión se indica seleccionando el tipo de canal y puerto correcto. Aquí, configuraremos una cámara Canon conectada a través de cable FireWire (el canal) a nuestro Avid mediante la conexión FireWire del ordenador (el puerto).

1. Haga clic en la pestaña Settings (Configuración) en la ventana de proyecto (véase la figura 6.8).

Figura 6.8. Menú Settings.

2. Haga clic una vez en Deck Configuration (Configuración de pletina) y duplíquelo (**Control-D** o **Comando-D**).

3. Ahora tiene dos configuraciones de pletina. Haga doble clic en la configuración de arriba.

4. Cuando se abra el cuadro de diálogo, haga clic en **Add Channel** (Añadir canal) (véase la figura 6.9).

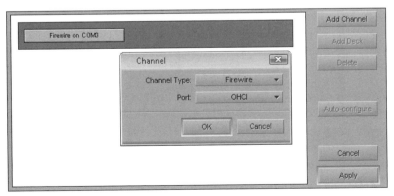

Figura 6.9. Añadir canal.

5. El software debería reconocer un dispositivo FireWire que está conectado y ofrecer el canal correcto. Si no, seleccione **Firewire** en el menú **Channel Type** (Tipo de canal); para **Port** (Puerto), seleccione **OHCI**. Haga clic en **OK**. Aparecerá un cuadro de diálogo preguntándole si desea una configuración automática. Haga clic en **No**.

6. Ahora haga clic en el botón **Add Deck** (Añadir pletina).

7. Seleccione la marca en la lista **Device** (Dispositivo) y después seleccione su pletina o cámara en la lista de dispositivos (véase la figura 6.10).

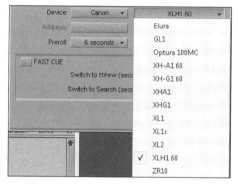

Figura 6.10. *Seleccione marca y modelo del dispositivo.*

8. Ahora haga clic en **OK** para que aparezca la pletina o cámara en la ventana **Deck Configuration** (Configuración de pletina), como muestra la figura 6.11. He seleccionado Canon XLH1.

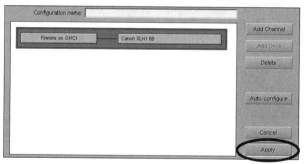

Figura 6.11. *Haga clic en Apply.*

9. Haga clic en **Apply** (Aplicar).

10. La ventana se cerrará. Ahora introduzca el nombre de la pletina en la ventana **Settings** (véase la figura 6.12).

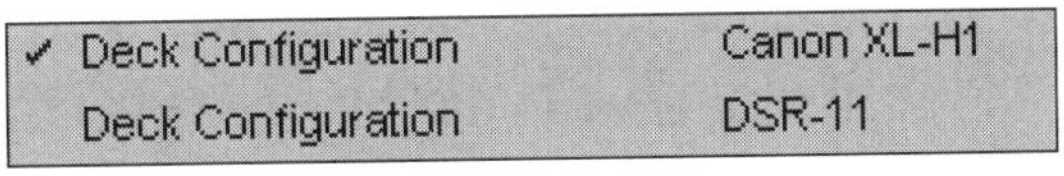

✓ Deck Configuration	Canon XL-H1
Deck Configuration	DSR-11

Figura 6.12. Escriba el nombre de la pletina.

Si no ve la pletina o cámara en el paso 7, seleccione un modelo similar del mismo fabricante. Ahora tiene un canal FireWire y una pletina o cámara debidamente configurada. Asegúrese de seleccionar la configuración de pletina correcta. Si no está seleccionada, simplemente haga clic con el ratón en el espacio de la izquierda. Para salir de Settings, haga clic en la pestaña Bins (Latas) de la ventana Project para ver sus latas.

Nombrar las cintas

Una vez ha reunido las cintas de origen, debería definir un sistema para nombrarlas. De alguna forma, debe considerar su sistema de nombrado incluso antes de comenzar a grabar, para que el nombre que le dé a la cinta en el campo sea el mismo que le dé cuando la capture. Uno de los peores errores que pueden cometerse al capturar es nombrar dos cintas de igual forma. No es necesario que el sistema de nombrado sea complicado. Siempre que comience un nuevo proyecto, simplemente llame a la primera cinta 001 y añada una identificación de proyecto. Usaré 001 Slim para la primera cinta del proyecto *Living with Slim*. La segunda será 002 Slim, etc. Así siempre tendré cintas con nombres distintos.

Organizar las latas

Antes de empezar el proceso real de captura, debe decidir en qué lata irá su material recién capturado. En proyectos cinematográficos, muchos montadores prefieren organizar las latas según lo que se rodó cada día. Todas las cintas del primer día de rodaje irá a una lata llamada Dailies-Day 1 (Diarias, día 1). En un proyecto de vídeo, tiene sentido tener una lata para cada cinta de cámara; así, Tape 001 (Cinta 001), irá a una lata llamada Tape 001.

La herramienta de captura

Con el software más avanzado, en cuanto inicie el nuevo proyecto hay una lata en la ventana de proyecto con el nombre del proyecto. Haga clic en él y escriba **Tape 001**. Recuerde, antes de abrir la herramienta de captura, abra la lata en la que quiere guardar el material y cierre cualquier otra lata que pueda haber abierta.

Abra la herramienta de captura yendo al menú **Toolset** y seleccionando **Capture**. Examine la interfaz de usuario de la herramienta de captura (véase la figura 6.13). Parte de ella tiene el mismo aspecto que una pletina de vídeo. Otras partes son representaciones lógicas de las acciones que realizan. Los botones del control de pletina son auto-explicativos. Tiene botones para rebobinado rápido, marcha adelante rápida, parada, pasa, reproducción, un fotograma atrás, y un fotograma adelante, y una barra de deslizamiento que funciona como un control rápido. Incluso hay un botón de extracción. Hay pequeños triángulos para abrir y cerrar secciones de la herramienta. Las teclas **J-K-L** funcionan con los controles de pletina de **Capture Tool** para reproducir, pausar y reproducir a cámara rápida.

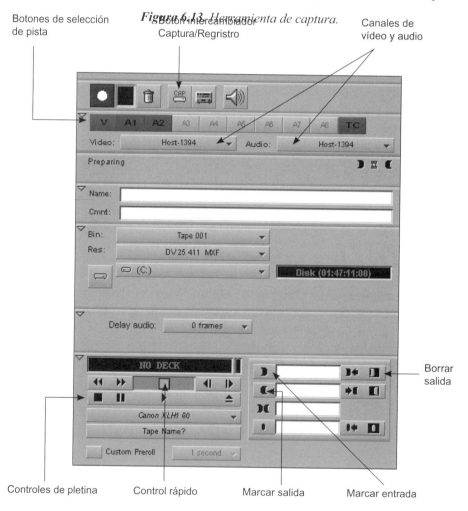

Botones de selección de pista

Botón intercambiador Captura/Regristro

Figura 6.13. *Herramienta de captura.*

Canales de vídeo y audio

Borrar salida

Controles de pletina   Control rápido   Marcar salida   Marcar entrada

Trabajar con la herramienta de captura

Veremos algunas de estas opciones con más detalle más adelante en el capítulo, pero si está capturando una cinta HD o bien HDV, éstos son los pasos para comenzar:

1. Seleccione las pistas. Como puede ver en la figura 6.14, la pista de vídeo (V) está seleccionada y las pistas de audio A1 y A2 también. Asegúrese de que la pista de código de tiempo (TC) está seleccionada también. Si está trabajando en un proyecto en el que la película se pasó a cinta, puede no haber sonido en la cinta (el sonido se grabó de forma separada), por lo que deseleccionaríamos A1 y A2.

Figura 6.14. *Canal de vídeo.*

2. Seleccione la lata de destino. Si hay varias latas abiertas, Avid puede seleccionar la lata incorrecta.

3. Seleccione una unidad de destino. El supervisor de postproducción o profesor puede haberle designado una unidad. Si no es así, querrá utilizar la que tenga más espacio. Vaya a la ventana de unidad (véase la figura 6.15) y despliegue para seleccionar la unidad asignada o la que tiene más espacio. Esa unidad siempre aparece en negrita.

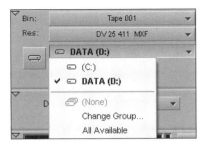

Figura 6.15. *Ventana de unidad.*

4. Seleccione el modo de captura (véanse las figuras 6.16 y 6.17). Pulse el botón selector **Log/Capture** (Registro/Captura) para cambiar de Capture

Mode (Modo captura) a Log Mode (Modo registro) y viceversa. El icono del lápiz muestra que está en modo registro. Debemos estar en Capture Mode para comenzar la práctica.

Figura 6.16. *Modo Captura.*

Figura 6.17. *Modo Registro.*

5. Seleccione el canal de vídeo. Si es desde una pletina o una cámara DV o HDV, seleccione Host-1394.

6. Seleccione el canal de audio. Si es desde una pletina o cámara DV o HDV seleccione Host-1394; si es desde un micrófono, seleccione Internal Microphone (Micrófono interno) o Line in (Línea de entrada).

7. Seleccione la resolución. Si está capturando directamente desde una pletina o cámara de vídeo digital, seleccione DV 25. Si es desde una pletina o cámara HDV, Avid seleccionará la resolución correcta.

8. Inserte la primera cinta en la pletina o cámara. Aparecerá un mensaje de aviso, pidiéndole que nombre la cinta. Haga clic en el botón **New** (Nuevo) y escriba **001** más el identificador del proyecto. Una vez escrito el nombre, pude pensar que puede hacer clic en **OK**, pero no es así. Después de escribir debe hacer clic en el icono de cinta antes de poder hacer clic en **OK** (véase la figura 6.18).

Ahora debe controlar la cinta mediante los controles de pletina en Capture Tool. Pulse el botón de reproducción y la cinta se reproducirá. Pulse el botón de rebobinado y se rebobinará. Observe cómo aparece el código de tiempo de la cinta en la ventana Timecode (Código de tiempo), justo encima de los controles de pletina. También puede utilizar las teclas **J-K-L**.

Si Avid dice "NO DECK"

Si por alguna razón Avid no reconoce que hay una pletina o cámara conectada, vaya al menú desplegable que hay justo debajo del botón de reproducción y seleccione Check Decks (Comprobar pletinas) (véase la figura 6.19). Eso debería forzar a Avid a reconocer la pletina o cámara que esté utilizando. Si eso no funciona y ha comprobado que todo está debidamente conectado y pasado por la lista de comprobación de elementos anterior, intente salir de Avid e iniciarlo de nuevo.

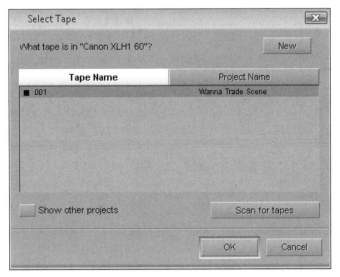

Figura 6.18. Seleccionar cinta.

Figura 6.19. Menú Check Decks.

Si aún sigue teniendo el problema, recuerde seleccionar las pistas V1 y/o A1 y A2 en Capture Tool. Si no están seleccionadas no verá ni oirá nada.

Captura

La forma más rápida de capturar material es simplemente reproducir la cinta utilizando los controles de pletina de Capture Tool (véase la figura 6.20). Mientras ve la imagen, pulse el botón grande **Capture** para iniciar la captura. El botón rojo parpadeará para indicar que está grabando material.

Botón intermitente rojo   Icono de captura

Botón de captura

Figura 6.20. *Botones de captura.*

1. Asegúrese de que está en Capture Mode y que ve el icono de captura.

2. Pulse el botón rojo **Capture**.

3. Cuando llegue al final del segmento de cinta que desea, pulse de nuevo el botón **Capture**. Pause o detenga la pletina.

4. Aparecerá un clip maestro en la lata.

5. Repita los pasos anteriores para capturar todo el material de la cinta que desee.

Cuando aparece el clip maestro en el paso 4, el clip tiene el nombre de la lata. Haga clic dentro del nombre y escriba el que quiera para el clip.

Este método se llama captura al vuelo, y es estupendo si sólo tiene unos cuantos clips que capturar rápidamente.

Un modo más preciso de seleccionar los clips es visionar el material reproduciéndolo y después marcando la parte deseada con puntos de ENTRADA y SALIDA. Probemos:

1. Reproduzca la cinta utilizando el control de pletina y marque una entrada en el lugar que desea que comience el clip. Observe el código de tiempo del punto exacto escogido que se muestra en la ventana junto al marcador de la entrada (véase la figura 6.21).

Pulse aquí para marcar su ENTRADA   Pulse aquí para marcar su SALIDA

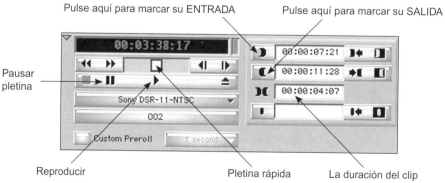

Pausar pletina

Reproducir   Pletina rápida   La duración del clip

Figura 6.21. *Controles de captura.*

2. Reproduzca la cinta utilizando el control de pletina y marque una salida. Se muestra el código de tiempo para dicho punto así como la duración del clip, en la ventana IN to OUT (Entrada y Salida).

3. Pulse el botón rojo **Capture**. La cinta se rebobinará hasta el código de tiempo de ENTRADA, irá hacia atrás unos segundos y después comenzará a capturarse. El cuadro junto al botón **Capture** parpadeará en rojo.

4. Cuando el clip se haya capturado, aparecerá en la lata. Nombre el clip.

5. Repita los pasos anteriores para capturar todas las tomas.

Puede abortar el proceso de captura haciendo clic en el icono **Trash** (Papelera) junto al cuadro rojo que parpadea.

Para ahorrar tiempo, puede escribir el nombre del clip sin esperar a que termine la captura. Empiece a escribir en cuanto empiece a parpadear el cuadro rojo. Cuando se haya grabado el clip, el nombre que escribió aparecerá en la lata.

Registro

Cuando se registra la cinta, se escogen las tomas que se desean capturar, marcando puntos de ENTRADA y SALIDA, pero sin capturarlos. Muchos montadores trabajan con registros de pletina primero y después capturan los clips seleccionados. ¿Por qué? Básicamente, es mejor dividir las tareas. Concentrarse primero en las tomas que se quieren capturar y luego realizar la tarea de captura. Separe el grano de la paja y, después, capture el grano. Éste es el trabajo que muchos de mis alumnos han conseguido nada más salir de la escuela; trabajando de noche, registrando cintas para programas como *The Bachelor* o *Survivor*.

En este método, se registran primero los clips deseados y después se capturan una vez se han registrado. Para entrar en Log Mode, haga clic en el botón **Log/Capture**. Aparece el icono del lápiz en lugar del icono de captura (véase la figura 6.22).

Figura 6.22. *Botón Log/Capture.*

1. Reproduzca la cinta utilizando los controles de pletina. Cuando llegue al primer clip que desea, vaya al comienzo y marque una ENTRADA. Ahora reproduzca la cinta hasta que llegue al final del clip que quiere y marque una SALIDA.

2. Introduzca un nombre para el clip. Utilice nombres que describan la toma. Si la toma es de un hombre en una escalera, nómbrelo `Hombre en escalera`. También puede añadir comentarios (véase la figura 6.23).

Figura 6.23. *Nombre el clip.*

3. Ahora pulse el botón del lápiz. La toma se registra en la lata.

4. Repita los pasos anteriores para registrar todas las tomas.

Captura de lotes de clips registrados

Una vez ha registrado todos los clips que desea capturar, está listo para la captura en lote (véase la figura 6.24). No registre otra cinta hasta que no haya capturado todos los clips de la actual.

Figura 6.24. *Haga clic en el icono para registrar el clip en la lata.*

1. Seleccione todos los clips de la lata. Pulse **Control-A** (**Comando-A**) para seleccionarlos o enlácelos, o pulse **Mayús** mientras selecciona, o vaya al menú Edit y seleccione Select All (Seleccionar todos).

2. Vaya al menú Clip (Media Composer) o menú Bin (Xpress) y seleccione Batch Capture (Captura de lote).

3. Aparecerá un cuadro de diálogo. Puesto que no hay medios, no importa si selecciona el botón **Offline media only** (Sólo medios fuera de línea), pero más adelante querrá seleccionarlo, por lo que es mejor que se acostumbrarse a seleccionarlo. Después, haga clic en **OK** (véase la figura 6.25).

Avid rebobinará la cinta hasta el primer clip, buscará el punto de ENTRADA, rebobinará unos segundos y después comenzará a capturar. Se detendrá cuando alcance el punto de SALIDA. Después de capturar el primer clip, irá a la ENTRADA del segundo clip de la cinta para capturarla. Puede observar la lata y ver el progreso de Avid mientras captura cada clip. O puede irse a comer.

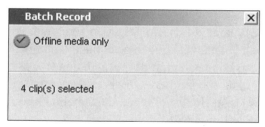

Figura 6.25. *Registro de lote.*

Si está registrando una cinta HDV asegúrese de que la pletina o cámara está en Batch Capture. No todas las cámaras y pletinas HDV tienen esta opción. Compruebe el manual antes de comenzar a registrar. Si la pletina o cámara no puede hacer captura en lote, entonces no registre las cintas; utilice el método de captura explicado anteriormente.

Mi consejo es capturar desde una cámara y registrar desde una pletina. Las pletinas están diseñadas para rebobinar cintas adelante y atrás, mientras que las cámaras no.

Subclips

Otra estrategia que utilizo mucho implica capturar un grupo de buenas tomas como un clip maestro y, después, una vez capturadas en la lata, dividirlas en subclips más pequeños. Por ejemplo, puedo tener un solo clip que incluye una toma de una mujer barriendo una calle, un primer plano de ella y una toma de una multitud observándola. Es más rápido capturar todo esto como un clip grande que en clips individuales, pero la edición será más fácil si cada toma se separa del resto y tiene su propio nombre. Es fácil.

1. Haga doble clic en el icono del clip para colocarlo en Source Monitor (Monitor de origen).

2. Reproduzca el clip y marque los puntos de ENTRADA y SALIDA para la primera toma.

3. Los usuarios de Windows, simplemente, hagan clic y arrastren la imagen desde Source Monitor a la lata en la que quiere almacenar el subclip. Suéltelo en la lata. Los usuarios de Mac deben mantener pulsada la tecla **Opción** y hacer clic y arrastrar y soltar la imagen desde Source Monitor a la lata en la que quiere almacenar el clip.

4. Repita para las otras dos tomas.

Observe un par de cosas. Cuando hace clic y comienza a arrastrar el clip desde Source Monitor a la lata, el puntero del ratón se convierte en una mano. Una vez el subclip está en la lata, verá que tiene el mismo nombre que el clip maestro del que proviene pero con la adición de Sub.n, donde *n* es el número de veces que el clip maestro se ha subdividido. Observe además que en Brief View (Vista breve) y Text View (Vista Texto) el icono del subclip es como un icono de clip más pequeño (véase la figura 6.26).

Ahora, simplemente renombro los clips. Durante el montaje, los subclips se comportan como clips maestros.

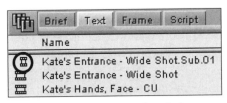

Figura 6.26. Icono de subclip.

Resoluciones de vídeo

Avid puede manejar diversas resoluciones de vídeo desde resoluciones sin comprimir a aquéllas con bastante compresión. Puede seleccionar la resolución que quiere en Capture Tool seleccionando entre las opciones del menú desplegable Res (Resolución).

Las resoluciones disponibles dependerán del formato del proyecto. La lista de la figura 6.27 corresponde a un proyecto 30i NTSC.

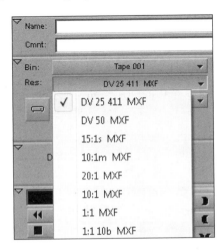

Figura 6.27. Opciones de resolución de vídeo.

Estándar NTSC DV se llama DV 25 411. La versión PAL se llama DV 420. Ambos tienen un ratio de datos de 25 megabits por segundo. Hace unos años, Panasonic sacó un formato que es como DV, pero mejor. Se llama DV50 y tiene un ratio de 50 megabits por segundo.

Si selecciona 10:1 m, 15:1 s, 10:1, o bien 10:1, Avid comprimirá la señal, ofreciendo una calidad de imagen inferior a la total. Hay muchas razones por las que puede querer capturar en una resolución menor. Tiene cientos de cintas y quiere pasarlo todo a Avid a una calidad inferior para ahorrar espacio de disco, sabiendo que más tarde, después de editar, recapturará la secuencia editada final con una calidad completa y sin comprimir. Este proceso se conoce como edición fuera de línea/en línea.

En el capítulo 19, aprenderemos a aumentar la resolución: recapturar la secuencia final en la mayor resolución.

Con proyectos HD, si está utilizando un cuadro HD de Avid como Nitris DX o Adrenalina HD, puede elegir capturar en una resolución fuera de línea (como DNxHD 36) y, después, una vez editado, aumentar la resolución de la secuencia final a una resolución en línea HD (como DHx HD 220).

Para proyectos HDV, Avid selecciona automáticamente la resolución HDV, por lo que no hay otras opciones de resolución de vídeo disponibles.

Espacio de disco

He creado este sencillo cuadro para mostrarle cuánto espacio de disco requieren los distintos formatos para 10 minutos de medios. Es una aproximación para poder comparar los formatos más fácilmente.

Formato	Espacio necesario para 10 minutos de medios
DV 25	2.0 GB.
DV50	4.0 GB.
DV 25 capturado a 20:1	700 MB (7/10 de un GB).
HDV	2.0 GB.
DVCPro HD	8.0 GB.
1080i/59.94 HD sin comprimir	86.0 GB.

Por tanto, si tiene diez horas de medios HDV para capturar, necesitará al menos 120 GB.

Audio

El sonido ocupa una fracción del espacio de almacenamiento requerido para el vídeo por lo que no debería preocuparse por quedarse sin espacio de disco cuando capture sonido. No obstante, hay un par de cuestiones que deberíamos tratar antes de seguir adelante.

Muestreo de audio

Cuando se captura audio, la señal se muestrea y después se convierte en información digital. El muestreado significa que no todo el sonido se convierte, sino una muestra representativa de él. Cuantas más muestras se toman, mayor la fidelidad a la señal analógica original. Los discos compactos utilizan 44,1 kHz como ratio de muestreo. La tendencia hoy en día es hacia una calidad mayor, como 48kHz. Ésta es la configuración predeterminada de Avid y la que recomiendo utilizar.

Con las cintas digitales, el ratio de muestreo viene determinado por la cámara. Muchas cámaras digitales permiten seleccionar el ratio de muestreo antes de rodar, así pues configúrelo en el ratio más alto disponible. No suponga que está configurado en el ratio que quiere. Si no ve 48kHz, busque audio de 16 bits y utilice esa configuración, no 12 bit.

Opciones útiles

Veamos algunas de las opciones útiles relacionadas con la captura. Recuerde que, como vimos en el capítulo 3, para cambiar la configuración, vaya a la ventana Project (Proyecto), haga clic en la pestaña Settings (configuración) y haga doble clic en el nombre de la opción que desea cambiar. Comencemos con el audio. Primero, haga doble clic en la opción Audio.

- Audio: Seleccione All Tracks Centered (Todas las pistas centradas). El diálogo y la narración deben estar centradas. La música debe estar a derecha e izquierda. Si va añadir narración, ésta es la opción. Si va a meter música, cámbielo a Alternating L/R (Alternar izquierda/derecha).

- Audio Project: Aquí puede cambiar el ratio de muestreo de audio para el proyecto así como escoger el tipo de archivo de audio.

Las últimas versiones de Avid manejan tres tipos de archivos de audio: WAVE, AIFF-C y PCM. El formato PCM debería utilizarse con proyectos *Material Exchange Format* (MXF). MXF es un nuevo formato de intercambio de archivos utilizado principalmente con señales de alta definición, así pues seleccione PCM para los proyectos HD o aquellos que mezclen material de definición estándar y alta definición.

Las opciones de Open Media Format, AIFF-C y WAVE son formatos más antiguos para proyectos de definición estándar. Si su software Avid no es compatible con MXF, tanto AIFF-C como WAVE funcionarán bien. Verá que cada vez utiliza menos estos formatos cuando vaya pasando a proyectos HD y HDV.

1. Vaya a Settings en la ventana de proyecto y haga clic en Audio Project (Proyecto de audio).

2. En el cuadro de diálogo que aparece, abra el menú Audio File Format (Formato de archivo de audio) y seleccione OMF (WAVE), OMF (AIFF-C) o MXF (PCM).

3. Por ahora, utilice las opciones que se muestran en la figura 6.28.

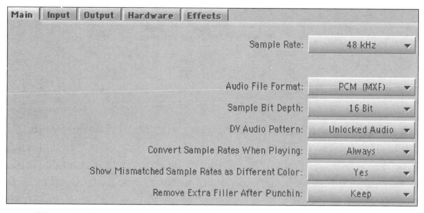

Figura 6.28. *Seleccione el ratio de muestreo y el formato de archivo.*

También puede establecer el ratio de muestreo elegido para su proyecto en la ventana Audio Project Settings. Una vez más, debería ser de 48kHz. Si no es así, puede cambiarlo haciendo clic en el menú desplegable.

- Importar: Avid tiene la capacidad de cambiar el ratio de muestreo del audio. Por ejemplo, si mete música o efectos sonoros desde un CD, esos archivos están a 44,1 kHz. Es mejor cambiar dichos archivos automáticamente a 48 kHz. Vaya a Import Settings (Opciones de importación), tal y como se muestra en la figura 6.29, seleccione la pestaña Audio y asegúrese de que está seleccionado el primer elemento (Convert source sample rate... (Convertir ratio de muestreo de origen...).

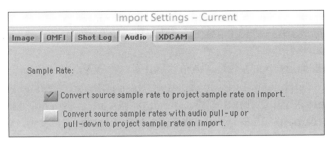

Figura 6.29. *Import Settings.*

- Creación de medios: Dependiendo del software, cuando hace doble clic en la opción **Media Creation** (Creación de medios) busque la pestaña **Media Type** (Tipo de medios) si la tiene, o la pestaña **Capture** (Captura) si no. Verá las opciones **OMF** o **MXF** (véase la figura 6.30).

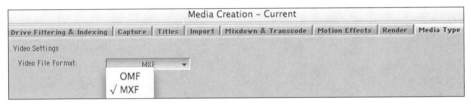

Figura 6.30. *Pestaña Media Type.*

Hoy en día, siempre selecciono **MXF** como tipo de archivo de medios. A diferencia de OMF, que es una invención de Avid, cientos de empresas han adoptado MXF como estándar de archivo por lo que es fácil pasar de un tipo de software a otro. OMF es sólo para definición estándar, mientras que MXF es estándar o alta definición. Tengo muchos proyectos OMF en mis unidades de medios y siguen funcionando bien, pero ahora, siempre que empiezo un nuevo proyecto, selecciono MXF. Los archivos de medios MXF se almacenan dentro de una carpeta llamada `Avid Media Files`, mientras que los archivos OMF se almacenan en una carpeta llamada `OMFI Media Files`.

Configuración de dispositivos hardware Avid de entrada y salida

La mayoría de principiantes empiezan comprando el software de Avid, pero según aumentan las necesidades puede considerar comprar alguno de los dispositivos Avid de entrada y salida (I/O). Estos dispositivos permiten conectar diversas pletinas de definición estándar y HD. Los dispositivos más nuevos de Avid son

Mojo DX y Nitris DX. También hay dispositivos de hardware aceleradores no lineales digitales (DNA), como Adrenalina, Mojo y Mojo SDI, que aún se usan mucho. La idea es que, en lugar de conectar la pletina o cámara al ordenador, conecte todo al dispositivo de entrada y salida, que después envía la señal al ordenador. Si se encuentra en una escuela o un puesto en una empresa que tiene un dispositivo Avid I/O, seleccionará la pletina deseada y seguirá los procedimientos de captura estándar. Probablemente tendrá todas las pletinas configuradas. No obstante, si Capture Tool dice NO DECK, puede deberse a que no va desde una pletina o cámara a Avid, sino a través del dispositivo I/O, por lo que deberá establecer una nueva configuración de pletina, como hicimos anteriormente en este capítulo. Para una revisión rápida, consulte la sección anterior. Trataremos los dispositivos Nitris DX y Mojo DX en el capítulo 17. Por ahora, conectemos un dispositivo DNA Avid.

1. Vaya a Settings.

2. En el menú rápido, seleccione All Settings.

3. Haga clic sobre Deck Configuration y después duplíquelo (**Control-D** o **Comando-D**).

4. Nombre a esta nueva configuración de pletina DNA.

5. Haga doble clic para abrir esta opción.

6. Haga clic en Add Channel (Añadir canal). Avid puede reconocer que está conectado a través de DNA y mostrará FireWire on Avid DNA (FireWire sobre Avid DNA) (véase la figura 6.31). Si no es así, utilice el menú desplegable. Haga clic en **OK**.

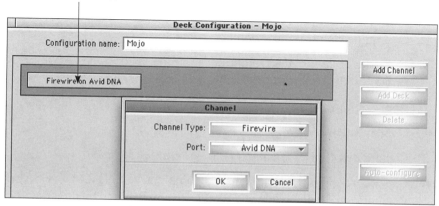

Figura 6.31. Configuración de pletina.

7. No seleccione la configuración automática. Seleccione Add Deck y escoja la que está utilizando.

8. Haga clic en **OK** y después en **Apply**.

9. Asegúrese de que aparece la marca de comprobación junto a esta nueva configuración de pletina y no en la que configuró anteriormente.

Ahora, utilice Capture Tool para reconocer la pletina.

Las pletinas que no están conectadas mediante FireWire, como las pletinas con conexiones Component o Serial Digital Interface, a menudo se controlan mediante una seria de cables directamente desde la pletina al ordenador Avid, saltándose el cuadro DNA. En Add Channel, seleccionaríamos Direct para el Channel Type y COM1 para el Port (véase la figura 6.32).

Figura 6.32. *Selección de tipo de canal y puerto de conexión.*

Puede cambiar el tipo de canal y puerto haciendo doble clic en el cuadro del canal.

Tareas recomendadas

1. Cree un nuevo proyecto y nombre la lata.

2. Haga clic en la pestaña Settings y examine las opciones Audio, Audio Project y Media Creation. Vuelva a la lata.

3. Abra Capture Tool.

4. Nombre su cinta de origen.

5. Capture tres clips al vuelo. Nombre los clips en la lata.

6. Capture tres clips de la cinta marcando puntos de ENTRADA y SALIDA y capturando después cada uno de ellos. Nombre cada clip mientras se está realizando la captura.

7. Registre cinco clips en la lata. Ahora, selecciónelos en la lata y realice una captura de lote (Batch Capture).

8. Capture un clip maestro formado por tres tomas. Haga subclips y nombre cada toma en la lata.

9. Salga de Avid y después abra su unidad de medios. Examine la carpeta Avid Media Files o la carpeta OMFI Media Files. No mueva ni renombre nada, simplemente obsérvela.

7. Importar desde P2 y tarjetas de memoria

En este capítulo, describiré cómo importar imagen y sonido desde P2 y tarjetas de memoria HDV. Nos concentraremos en dos cámaras muy populares, aunque muy distintas: Panasonic HVX200 y Sony XDCAM EX.

He decidido dedicar un nuevo capítulo a este tema porque es completamente distinto al proceso de captura, que explicamos en el capítulo 6. Aquí, importamos los medios, que es mucho más fácil y rápido que capturar desde cinta de vídeo. Puesto que es mucho más fácil y rápido, veremos cada vez más fabricantes de cámaras saltándose el proceso de la cinta de vídeo a favor de grabar directamente en discos, tarjetas de memoria y unidades. Utilice los pasos detallados aquí como guía para importar medios desde cualquier tipo de dispositivo de almacenaje o tarjeta de memoria que pueda encontrar.

Panasonic HVX200

La cámara Panasonic HVX200 es una de las cámaras más populares y buscadas del mercado. Las escuelas de cine y vídeo, directores independientes y emisoras de televisión, han comprado miles de estas cámaras pues ofrecen una calidad de imagen de alta definición sobresaliente a un precio asequible.

A diferencia de HDV, que utiliza un sistema de compresión GOP, la HVX200 captura cada fotograma en una resolución DVCPro HD completa. La cámara registra la señal HD no en cinta sino en tarjetas de memoria P2. Estas tarjetas se conectan al ordenador Avid como una unidad virtual, por lo que puede comenzar a editar en unos pocos minutos (véase la figura 7.1).

Figura 7.1. *La HVX200 graba en tarjetas P2.*

Trabajar con tarjetas P2 y dispositivos P2

La cámara Panasonic HVX200 almacena la imagen y el sonido utilizando el mismo formato de archivo nativo que Avid (MXF), por lo que es fácil y rápido pasar tarjetas P2 al Media Composer de Avid (versiones 2.7 y superiores).

Seleccionar el formato y ratio de fotogramas correcto

La Panasonic HVX200 puede grabar más de 20 combinaciones distintas de formato y ratio de fotogramas. Media Composer de Avid funciona con la mayoría, pero no todos. Consulte `www.avid.com/p2/p2_chart_lores.pdf` para ver una lista de las configuraciones de cámara que corresponden a la configuración de proyecto de Avid que debe seleccionar. Por ejemplo, si quiere que su proyecto terminado sea a 720p/23,976, vaya al menú de la cámara RECORDING SETUP>REC FORMAT (Configuración de grabación>Formato de grabación), y después seleccione 720p/24PN. También en el menú RECORDING SETUP> REC FORMAT, vaya al modo UB y luego seleccione FRM.RATE (Ratio de fotogramas). Ahora, vaya al menú SCENE FILE (Archivo de escena), seleccione OPERATION TYPE (Tipo de funcionamiento) y seleccione FILM CAM (Cámara de cine). Por último, vuelva a SCENE FILE, seleccione FRM.RATE y 24FRAME.

Puesto que está rodando sus proyectos utilizando la configuración de cámara 720p/23,976, cuando comience un nuevo proyecto Avid, en el menú desplegable Format (Formato), deberá seleccionar 720p/23.976. Si tiene el último software de Media Composer, seleccione 960x720 en el menú Raster Dimension (Dimensión de rasterización) (véase la figura 7.2).

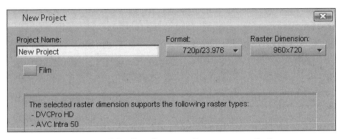

Figura 7.2. Configuración recomendada.

Mis recomendaciones de configuración

Hay dos configuraciones DVX200 especialmente útiles y recomiendo usarlas en vez de 720p/23,976. Yo prefiero la configuración de cámara 720p/30PN porque supone una configuración de proyecto de Avid de 720p/29,97. La mayoría de la gente necesita realizar un proyecto de definición estándar y uno de alta definición 1080i después de editar. Esta configuración puede ofrecer ambos fácilmente, como veremos en el capítulo 17. Aun así, tiene aspecto de película y un tamaño de archivo lo suficientemente grande para que el almacenaje sea manejable. Cuando configure su nuevo proyecto Avid, seleccione 720p/29,97 en el menú Format. En el menú Raster Dimesion encontrará una única opción, 1280x720, válida para Standard, HDV y XDCAM EX.

La segunda configuración de cámara es 1080i/50. Esto crea archivos más grandes que la opción 720p y parece más vídeo, que puede ser lo que quiere si está rodando un evento deportivo o un documental de televisión. Cuando configure el nuevo proyecto de Avid, seleccione 1080i/59,94 en el menú Format y 1280x1080 en el menú Raster Dimension.

P2 es para rodar, no para editar

La mayoría no edita directamente desde la tarjeta P2, aunque con el Media Composer de Avid se puede hacer. Se recomienda que descargue el material a una unidad y edite desde ahí, y no desde la tarjeta P2.

Hay distintos flujos de trabajo, dependiendo de cuántas tarjetas tenga y cuánto esté grabando. Pero puesto que las tarjetas P2 son reutilizables, muchos descargan el material a un dispositivo de almacenamiento u ordenador. Después reformatean la tarjeta y vuelven a rodar. Veremos las distintas formas de pasar la tarjeta P2 a Avid y describiremos cómo hacer copias de seguridad.

Instalar el software de controlador de P2

Antes de que el ordenador pueda reconocer la tarjeta P2, deberá instalar el software del controlador. Es igual que cuando compra una nueva impresora y tiene que instalar el controlador de la impresora. Cuando compra cualquier equipo Panasonic, incluyendo la cámara, obtendrá un CD que contiene el software de controlador necesario, que instalará en el ordenador del Media Composer. No obstante, si está alquilando o le han prestado la cámara o el dispositivo de almacenamiento P2 y no tiene el CD o está obsoleto y necesita una nueva versión del controlador, vaya a Google y escriba Panasonic tarjeta P2 y haga clic en el enlace `P2 driver for PC and Mac` (Controlador de P2 para PC y Mac).

En el momento de escribir esto, hay una página Web llamada `Panasonic. sixbullets.net` que hace un mejor trabajo explicando lo que necesita en lugar de la confusa página de Panasonic.

El controlador descargado debe funcionar para la cámara Panasonic así como diversos dispositivos de almacenamiento Panasonic P2, como P2 Store, P2 Drive y P2 Gear.

Importar directamente desde la cámara

Asegúrese de que el interruptor de medios de la cámara está en P2 y no en la función cinta. Si la tarjeta P2 no está todavía en la cámara, insértela en la ranura, conecte la cámara a su ordenador Avid mediante USB 2.0 para Windows o FireWire para Mac, y después encienda la cámara. Entre en el menú de la cámara y seleccione OTHER FUNCTIONS>PC MODE (Otras funciones>Modo PC) y seleccione USB (Windows) o 1394 (Mac). Ahora pulse el botón de modo de la cámara para que la pantalla del visor desplegable cambie de modo de cámara a imágenes en miniatura. Ahora pulse y mantenga pulsado el botón hasta que aparezca una pantalla azul diciendo USB/1394 Device Connect (Conexión USB/1394).

En Windows, verá un aviso indicándole que se ha conectado un nuevo disco o dispositivo. Haga clic en **OK** y después vaya a Mi ordenador hasta que encuentre Disco extraíble (F:) (u otra letra). Ésta es la tarjeta P2 de la cámara.

En un Mac, la tarjeta P2 se identifica como un disco sin nombre en el escritorio. Ahora que ha confirmado que el ordenador reconoce la cámara como dispositivo conectado, siga estos pasos:

1. Inicie el software Media Composer.

2. En la ventana New Project (Nuevo proyecto), cree un nuevo proyecto, déle un nombre y, lo más importante, vaya al menú desplegable Format y seleccione el tipo de proyecto adecuado. Los usuarios de Media Composer 3.0, seleccionarán la opción Raster Dimension para DVCPro HD.

3. Abra un nuevo Bin y nómbrelo P2 Media Card 1 (2, 3, etc.) (Tarjeta de medios P2).

4. Haga clic en esta lata para que se active.

5. Vaya al menú File (Archivo), seleccione Import P2 (Importar P2) y seleccione Clips to Bin (Clips a la lata) (véase la figura 7.3).

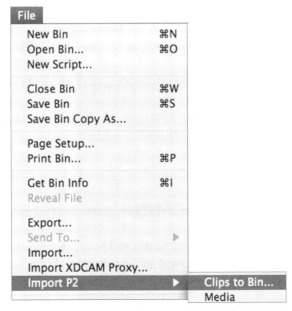

Figura 7.3. *Seleccione Import P2.*

6. Cuando aparezca la ventana de navegación, vaya a la unidad de la tarjeta P2. En Windows, estará viendo un disco extraíble; en Mac, una unidad sin nombre. Seleccione el disco extraíble (véase la figura 7.4). No seleccione la carpeta CONTENTS de la carpeta Video. No funcionarán. Queremos la carpeta superior, nivel raíz, en este caso el disco extraíble.

7. Haga clic en **OK** en el navegador.

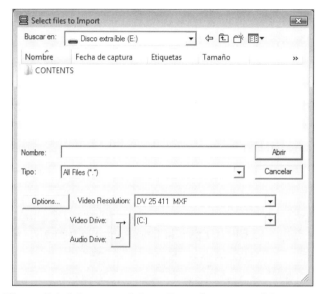

Figura 7.4. *Seleccione el disco F:, no la carpeta CONTENTS.*

Ahora todos los clips de la tarjeta P2 aparecerán rápidamente en la lata como clips maestros.

Está listo para empezar a editar. Pero no lo haga. Y, lo que es más importante, no salga de Avid o del proyecto porque entonces los medios se saldrán de línea y tendrá que importarlos de nuevo. En lugar de eso, vaya a la sección sobre la copia de seguridad de este capítulo.

Utilizar la ranura PCMCIA del ordenador

Muchos PC de Windows tienen una ranura PCMCIA en la que insertar la tarjeta P2. Los usuarios de Mac necesitan un adaptador de PC Express a PCMCIA. La ventaja de la ranura PCMCIA es que ya no necesita la cámara, por lo que el operador de cámara puede seguir rodando o puede devolverla a la empresa de alquiler.

Si no ha instalado el software de controlador como se explicó anteriormente, deberá hacerlo primero. Ahora, inserte la tarjeta P2 en la ranura PCMCIA y verá la tarjeta como un disco extraíble en Windows o una unidad individual en Mac. Una vez ha visto que el ordenador reconoce la tarjeta, siga los pasos 1 al 7 de la sección anterior.

Está listo para editar, pero antes vaya a la sección sobre copia de seguridad de este capítulo.

Utilizar P2 Gear de Panasonic (AG-HPG10)

P2 Gear (AG-HPG10) de Panasonic (véase la figura 7.5) es estupendo en el campo porque puede ver clips rápidamente en su pequeña pantalla y escuchar el sonido a través de sus altavoces.

También puede darle salida a un monitor más grande para revisar lo que se ha rodado. Puede utilizar las últimas tarjetas de 64GB, e incluye una batería de 7,2 voltios, la misma utilizada por la cámara HVX200. Tiene dos ranuras P2 y puede transferir su selección de una tarjeta a otra.

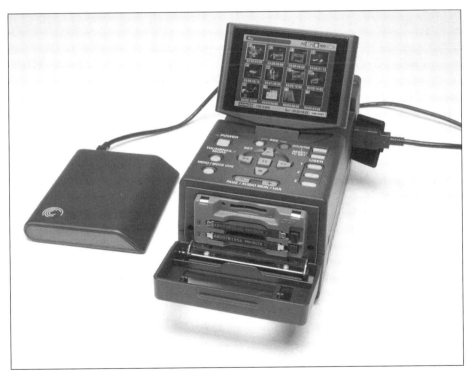

Figura 7.5. *P2 Gear AG-HPG10 de Panasonic.*

Para transferir directamente desde P2 Gear a Avid, tendrá que descargar el controlador del CD o la página Web de Panasonic, como se explicó anteriormente. Ahora, conecte el P2 Gear mediante USB o FireWire. Verá las tarjetas descargadas como discos extraíbles independientes. En Mac, estarán indicadas como discos sin nombre 1 y 2. Ahora que el sistema operativo reconoce el P2 Gear, siga los pasos 1 al 7 indicados anteriormente.

Cuando haya terminado, no salga ni cierre Avid ni abandone el proyecto o todo el material se saldrá de línea. Pase a la sección sobre la copia de seguridad de este capítulo.

Disco duro grabador portátil FireStore

Este pequeño dispositivo se conecta a la cámara DVX200 mediante un cable FireWire (véase la figura 7.6). Según el modelo, grabará entre 100 y 160 GB de archivos MXF.

Los directores de documentales que necesitan rodar mucho material y no tienen un asistente que descargue las tarjetas P2 han convertido en un dispositivo de captura muy común.

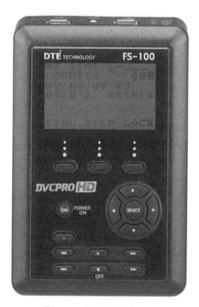

Figura 7.6. *FireStore.*

En el pasado, la gente tenía problemas para importar desde FireStore después de utilizar el comando Organize P2 para organizar el material después del rodaje.

Una vez instalado el controlador, conecte el FireStore mediante FireWire. Cuando el ordenador lo reconozca, no abra el Media Composer. Vaya a la unidad FireStore mediante el sistema operativo. Verá una carpeta llamada `Contents`. Avid no puede reconocer esta carpeta como carpeta raíz. Así pues, cree una nueva carpeta llamada `FireStore media` y arrastre la carpeta `Contents` dentro de ella.

Siga los pasos indicados anteriormente. Cuando llegue al paso 6, vaya a la carpeta `FireStore Media` y haga clic en **OK**.

Ahora pase a la sección sobre la copia de seguridad.

Acceder a tarjetas P2 en un DVD o unidad externa

Cada vez es más común en el flujo de trabajo de postproducción descargar tarjetas P2 en unidades externas. Es una de las principales funciones de P2 Gear. Digamos que el productor con el que trabaja a menudo es contratado para una película o evento importante que durará unos 90 minutos. Sugiere que contrate a tres de sus amigos operadores de cámara, cada uno de ellos con una HVX200.

Cada operador de cámara graba dos tarjetas P2 con 32 GB de capacidad. Al final del evento puede insertar rápidamente cada tarjeta en el P2 Gear y descargarlas vía USB a una unidad de 320 GB. Reformatea cada tarjeta y las devuelve a los cámaras. Entonces lleva el disco externo a Avid para editarlo. O un operador de cámara, director o productor puede darle un DVD en el que ha descargado dos tarjetas P2.

Una vez instalado el controlador, inserte el DVD o conecte la unidad externa. Cuando vea que el sistema operativo reconoce la unidad o el DVD, siga los pasos 1 al 7 citados anteriormente.

Ya está listo para editar. Pero aún no lo haga. Primero haremos la copia de seguridad.

Copias de seguridad de material P2

Hasta el momento, hemos importado medios de P2 al Media Composer desde tarjetas P2, un dispositivo Panasonic o una unidad externa o DVD; pero ninguno de esos medios está realmente en la unidad Avid. Todo sigue estando en la tarjeta P2 o el dispositivo que conectó a Avid. Puede ver los clips maestros y visualizar el metraje, pero si sale o cierra Avid, los medios importados quedarán fuera de línea.

Lo que queremos hacer ahora es colocar estos archivos de medios en nuestra unidad Avid para poder sacar la tarjeta P2 o desconectar el dispositivo. Avid tiene una forma rápida y sencilla para hacerlo y se recomienda que lo haga antes de comenzar a editar clips desde tarjetas P2.

Para hacer este proceso increíblemente fácil, configuraremos Avid para que siempre guarde los archivos en la unidad correcta.

Recordará la opción Media Creation (Creación de medios) del capítulo anterior. La utilizaremos ahora.

1. En la ventana de proyecto, haga clic en la pestaña Settings (Configuración), como se muestra en la figura 7.7, y desplácese hasta Media Creation. Haga doble clic.

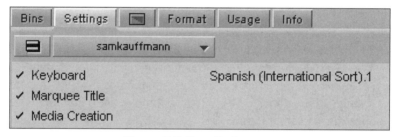

Figura 7.7. *Pestaña Settings.*

2. En la ventana que aparece, haga clic en la pestaña Import (Importar) (véase la figura 7.8).

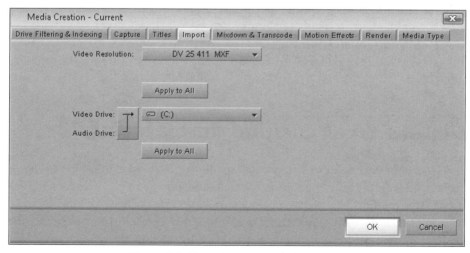

Figura 7.8. *Seleccione la unidad correcta.*

3. Establezca la unidad de vídeo y audio a su dispositivo FireWire o almacenaje que se le haya asignado, como muestra la figura 7.8. Avid pasará las tarjetas P2 en resolución DVCPro HD no importa la resolución de vídeo que se haya configurado, pero le recomiendo que seleccione DVCPro HD en caso de que quiera importar otros medios al proyecto.

4. Ahora haga clic en Apply to All (Aplicar a todos) y después en **OK**. Eso guardará la configuración y cerrará la ventana Media Creation.

Puede salir de Settings haciendo clic en Bins.

Ahora vaya a la lata llamada `P2 Media Card 1`, la cual contiene los clips maestros.

1. Seleccione todos los clips de la lata que quiere guardar.

2. Vaya al menú File y seleccione Import P2. Seleccione Media (véase la figura 7.9).

Figura 7.9. Seleccione Import P2 y después Media.

Los medios se almacenarán automáticamente en la unidad seleccionada. Ahora podemos sacar la tarjeta P2 o bien desconectar el dispositivo que contenía los medios.

De hecho, es extremadamente importante que hagamos esto antes de editar, para que Avid sepa dónde encontrar los medios y no se confunda con medios disponibles en dos ubicaciones.

Vaya al menú File y seleccione Unmount. En el cuadro de diálogo Unmount Disk or Drives (Desconectar discos o unidades), seleccione la unidad correspondiente a la tarjeta P2 virtual. Una vez seleccionada, haga clic en **Unmount** (véase la figura 7.10).

Ahora está listo para editar. Ya no está trabajando con una tarjeta P2 sino con archivos MXF almacenados dentro de la carpeta `Avid Media Files` de la unidad, igual que la imagen y el sonido capturados desde una cinta de vídeo.

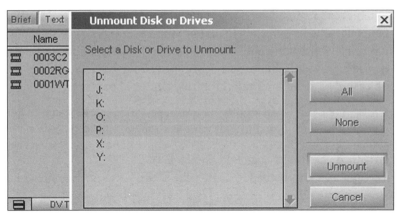

Figura 7.10. *Cuadro de diálogo Unmount Disk or Drives.*

Copia maestra de protección

Cuando capturamos desde una cinta de vídeo, si nuestra unidad de medios Avid muere, o se cae accidentalmente o la roban o (inserte aquí su desastre), siempre podemos sacar la cinta de vídeo y recapturar los medios.

Pero, con las tarjetas de memoria como la tarjeta P2, no hay cinta que recapturar y la tarjeta P2 hace tiempo que se borró y se utilizó de nuevo. Por tanto, necesitamos una copia maestra de protección en caso de que nuestra unidad Avid tenga un mal final.

Recomiendo dos métodos:

* Compre una unidad FireWire económica y luego arrastre la carpeta `Avid Media Files` a la unidad de copia de seguridad.

* Use el software gratuito de Panasonic diseñado para facilitar este proceso de archivo: P2 Contents Management Software para Windows y Mac. Vaya al sitio Web de Panasonic para descargar una copia y utilícelo para hacer una copia maestra que almacenar en un disco. Si la unidad muere, puede utilizar estos discos archivados para recuperar sus medios así como restaurar sus secuencias editadas.

Convertir a SD

Veremos cómo cambiar la secuencia final DVCPro HD a un proyecto de definición estándar en el capítulo 17, para que pueda presentarlo a los muchos festivales de cine que requieren cintas SD y no HD.

Sony XDCAM EX

La Sony XDCAM EX (véase la figura 7.11) es una cámara HDV de alta calidad que almacena los medios en una tarjeta de memoria llamada SxS. El flujo de trabajo más sencillo consiste en conectar directamente a la cámara y requiere la descarga del software de Sony Clip Browser Software. Vaya a Google y busque "Sony XDCAM EX descargas" y seleccione `Clip Browser Software`. Si va a pasar los medios a través de un lector de tarjeta Sony SxS USB, y no desde la cámara, entonces descargue también el controlador de la tarjeta SxS.

Figura 7.11. *XDCAM EX de Sony.*

Siga estos pasos:

1. Conecte la cámara al ordenador Avid utilizando un cable USB 2.0.

2. Encienda la cámara y ponga el interruptor en la posición "Media".

3. La pantalla desplegable le preguntará `Connect USB now?` (¿Conectar USB ahora?).

4. Seleccione **Execute**. Aparecerá el símbolo de conexión USB y podrá ver la cámara como una unidad en su escritorio.

Ahora que el ordenador reconoce la cámara como una unidad, cree una nueva carpeta en la unidad de medios y llámela `XDCAM EX Media`. Inicie el Clip Browser Software de Sony y seleccione la unidad o lector de tarjeta conectado.

Puede revisar los clips en este navegador y escoger los que desea pasar a Avid. Selecciónelos para que estén resaltados. Ahora, vaya al menú **File** del software navegador y seleccione Export>MXF (Exportar>MXF). Cuando aparezca el mensaje, seleccione la carpeta XDCAM EX Media que creó. Esto cambia los archivos al formato de archivo MXF de Avid y los almacena en la carpeta.

Ahora abra el software de Avid. En la ventana New Project, nombre el proyecto y el formato; probablemente 1080i/59.94 con una configuración de rasterización para HDV p 1080i/59.94 HDV con software anterior al Media Composer 3.0.

1. Abra una lata y asegúrese de que está seleccionada.

2. Vaya al menú File y seleccione Import.

3. Navegue a la carpeta XDCAM EX Media que creó, abra la carpeta y seleccione todos los archivos. Haga clic en **OK**.

Los archivos se copiarán a la carpeta Avid MediaFiles y podrá comenzar a editar.

Importar otros medios HDV

Cada vez más cámaras HDV almacenan los medios en tarjetas de memoria o unidades. Éstos son los pasos a seguir cuando traslade archivos de medios HDV. Los archivos HDV tienen la extensión .m2t, así que busque esta extensión cuando navegue por el dispositivo de almacenamiento.

1. Abra una lata, nómbrela HDV Clips y selecciónela.

2. Vaya al menú File y seleccione Import.

3. En el cuadro de diálogo Import, ponga el menú Files of Type (Archivos de tipo) (Windows) o Enable (Habilitar) (Mac) en HDV.

4. Seleccione la unidad donde quiere almacenar los archivos.

5. Navegue a los archivos que desea importar, selecciónelos y haga clic en **Open** (Abrir).

Trabajar con medios HD importados

Editar estos archivos importados ahora es directo y no hay diferencia entre editar medios capturados desde cinta. Siga los consejos y técnicas Avid ofrecidas en este libro. Exploraremos flujos de trabajo HD más avanzados en el capítulo 17. En el capítulo 19, veremos formas de dar salida a estos proyectos en cinta, DVD y otros medios.

8. Sonido

La importancia del sonido

Muchos creadores de vídeo y cine no se dan cuenta de lo importante que es el sonido para el éxito de un proyecto. "Es un medio visual", es lo que se suele decir como una letanía. Bien, una mitad correcta es mejor que un todo incorrecto. He organizado varios festivales de cine y he sido juez en otro y, aunque a menudo me he visto sorprendido por la impresionante cinematografía de proyectos de alumnos, igualmente a menudo me he visto decepcionado por la mala calidad del sonido. Pienso que lo que diferencia un proyecto de un alumno de uno profesional es la falta de cuidado que los alumnos ponen en sus pistas de sonido.

En la mayoría de vídeos y películas, el único sonido que puede cuidarse durante el rodaje es el sonido de sincronización: el diálogo o frases habladas por los sujetos. Un buen grabador de sonido trabaja duro para no grabar los sonidos ambiente: el tráfico, la gente del fondo, pasos, etc. Sí, los sonidos ambiente son de vital importancia, pero se añaden durante la edición.

Si, por ejemplo, graba el zumbido de un aire acondicionado en la pista de diálogo, es muy difícil de eliminar. Pero, si desconecta el aire acondicionado justo antes de rodar tendrá un diálogo mucho más claro. Si el zumbido del aire acondicionado es importante en la historia, siempre puede grabar por separado el sonido y añadirlo a la escena durante la edición. De esa forma puede ajustar los niveles relativos del diálogo y el aire acondicionado.

La mayoría de sonidos se añaden a las películas y los vídeos después de editar la imagen y el diálogo. Esta etapa suele llamarse cierre de imagen. Una vez se ha llegado al cierre de imagen, los editores de sonido comienzan a buscar y crear los efectos de sonido que se dejaron fuera durante el rodaje. A menudo, los editores de sonido deben inventar sonidos. ¿Cómo suena un dinosaurio? ¿Qué ruido hace el sable láser de Darte Vader?

Los diseñadores de sonido como Gary Rydstrom (*La guerra de las galaxias: El ataque de los clones*; *Minority report*, *Salvar al soldado Ryan*, *Buscando a Nemo*) y Ethan Van der Ryn (las tres películas de *El señor de los anillos*) merecen mucho tanto crédito por el éxito de las películas en las que han trabajado como los directores que rodaron las películas, porque gran parte del impacto emocional proviene de la banda sonora. La película se rueda. El sonido se construye capa a capa durante la edición.

Aunque Avid es conocido por su capacidad para montar películas, pronto se dará cuenta de que eso es sólo la mitad de la historia. Avid le ofrece un control tremendo sobre las bandas sonoras. Aprovéchese de esta capacidad. Marcará una enorme diferencia en el éxito de su trabajo.

Importar un archivo MP3 o audio desde un CD

Para practicar algunas de las técnicas de este capítulo, nos ayudará si tenemos algunos elementos de sonido adicionales, como efectos de sonido de una biblioteca de sonidos, música para editar, o pistas de música de su compositor. Importar archivos de audio es increíblemente fácil. (El capítulo 16 trata de la importación de gráficos y vídeo en movimiento.)

1. Si está importando un archivo MP3, colóquelo en el escritorio para que sea más fácil. Si está importando desde un CD, coloque el CD en la unidad de CD del ordenador. Si se abre iTunes, ciérrelo.

2. En Avid, abra una lata y haga clic en ella para hacerla activa. Ahora seleccione Import (Importar) en el menú File (Archivo).

3. Cuando se abra el cuadro de diálogo Select Files (Seleccionar archivos), vaya al CD o al escritorio y busque el CD o archivo MP3.

4. Seleccione la pista del CD o bien el archivo MP3 que desea importar. Si el archivo no está, seleccione Todos los archivos en el menú Tipo de archivo (Windows) o Cualquier documento en el menú Habilitar (Mac).

5. Haga clic en **Abrir**.

La importación tarda menos de un minuto y cuando el archivo llega a la lata parecerá un clip maestro de audio.

Haga doble clic en el icono de clip para colocarlo en Source Monitor (Monitor de origen). Enseguida aprenderemos a cortarlo en nuestra Timeline (Línea de tiempo).

Añadir pistas de audio

Cuando se añaden efectos de sonido y música a la secuencia, esos sonidos requieren sus propias pistas de sonido. La música suele tener pistas estéreo, por lo que debe añadir dos pistas.

* Vaya al menú Clip y después seleccione New Audio Track (Nueva pista de audio).

* O pulse **Control-U** (Windows) o **Comando-U** (Mac).

Unir pistas de audio

Cuando quiere unir o sobrescribir una toma de vídeo, normalmente lo hace en la pista V1. El sonido de sincronización, el sonido que va con ese vídeo, normalmente va a la pista A1, o si es estéreo, A1 y A2. Si va a meter música o efectos de sonido, no querrá que vayan en A1 o A2, porque sustituirán al sonido de sincronización. La música, efectos de sonido y narración son elementos de sonido adicionales y necesitan ir en pistas de audio adicionales.

Digamos que tiene una música estéreo que quiere añadir a la escena. Quiere que suene debajo del diálogo. Deberá crear dos pistas adicionales, A3 y A4, y pegar el audio en A3 y A4. Cuando coloca un clip de música en Source Monitor, verá que las pistas de origen A1 y A2 aparecen en Timeline paralelas a las pistas grabadas A1 y A2 (véase la figura 8.1).

Si une la música en A1 y A2, el diálogo se saldrá de sincronización. Si sobrescribe la música, borrará el diálogo. En lugar de eso, debe crear dos pistas adicionales, A3 y A4, y pegar las pistas para que la música se una a ellas.

Figura 8.1. *Pistas de origen y pistas de grabación.*

Para pegar, haga clic y mantenga pulsado el ratón en la primera pista de origen que quiere pegar. En el ejemplo de aquí, es la pista de origen A2. Arrastre el ratón desde A2 en el lado de origen a A4 en el lado de grabación. Observará que, mientras pulsa y arrastra, aparece un puntero blanco que apunta a A4, y cuando suelta el ratón, la pista de origen (A2) se desplaza hacia abajo para alinearse con su pista de grabación A4 (véanse las figuras 8.2 a 8.4). Pruébelo.

Figura 8.2. *Desplace la pista de origen a la pista de grabación.*

Figura 8.3. *La pista de origen se alinea con la pista A4 de grabación.*

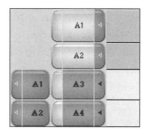

Figura 8.4. *Pistas de origen alineadas con pistas de grabación.*

Haga lo mismo con A1. Muévalo para alinearlo con A3. Ahora, cuando una o sobrescriba, ahí es donde irá la música, en A3 y A4, en lugar de A1 y A2.

Monitores de pista

Los iconos con forma de altavoz que hay junto a los cuadros de selección de pista muestran que una pista está en el monitor. Se llaman monitores de pista. Si hace clic sobre uno de ellos, el icono del interior desaparecerá, indicando que no se oirá ningún sonido de esa pista. Para recuperar el icono, simplemente haga clic sobre el monitor de pista y el icono reaparecerá (véase la figura 8.5).

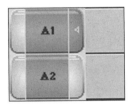

Figura 8.5. El icono de monitor de pista para A1 está presente mientras que el de A2 está desactivado.

Monitorizar una sola pista

Digamos que está monitorizando ocho pistas, y escucha un ruido pero no está seguro de en qué pista está. Piensa que el problema está en la pista de narración A1, pero no está seguro.

Una forma de monitorizar sólo A1 es deseleccionar el resto de monitores de pista de grabación; no obstante, si hay ocho, es un incordio. Hay una forma más rápida de monitorizar una pista:

- Mantenga pulsada la tecla **Control (Comando)** y haga clic en el monitor de la pista. El cuadro indicador se vuelve verde para mostrar que es la única pista activada (véase la figura 8.6). El resto de pistas están desactivadas.

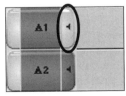

Figura 8.6. El indicador se pondrá verde para indicar la pista monitorizada.

Para volver a monitorizar todas las pistas, simplemente haga clic en el Monitor de pista y ya no estará en solitario. Puede poner en solitario más de una pista mediante el comando **Control (Comando)-clic** sobre varios monitores de pistas. Si tiene cuatro pistas de música, haga clic mientras pulsa **Control (Comando)** para escuchar sólo la música.

El icono de altavoz hueco

Si observa la figura 8.7, los iconos de altavoz de las pistas A1 y A2 están huecos. También son dorados, pero eso es más difícil verlo en una captura en blanco y negro. El icono de altavoz para la pista A3 no está ni hueco ni es dorado. Las pistas con el icono de altavoz hueco son especiales. Esas pistas son las que se están escuchando cuando reproduce la secuencia a velocidades más altas de lo normal (30fps) o cuando se hace *scrub* con el audio.

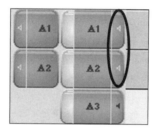

Figura 8.7. *Iconos de altavoz huecos y dorados.*

Scrub de audio

El *scrub* es una técnica utilizada para concentrarse en un audio concreto. Hay dos tipos de *scrub*: *smooth* (suave) y digital. El *smooth scrub* es bastante sencillo:

- Mantenga pulsada la tecla **K** (pausa) mientras pulsa la tecla **L** (adelante). Escuchará lo que hay en las pistas con el icono hueco en velocidad lenta. También funciona hacia atrás, si utiliza la tecla **J**.

El *scrub* digital implica muestrear un fotograma de audio. Puesto que está muestreado, el tono y la velocidad no cambian.

1. Seleccione las pistas que desea.

2. Pulse la tecla **Bloq Mayús** o mantenga pulsada la tecla **Mayús**.

3. Vaya adelante y atrás haciendo clic sobre los botones fotograma adelante o fotograma atrás, o arrastre el indicador de posición hacia delante o atrás (véase la figura 8.8).

Esto es estupendo para localizar un sonido específico que será el punto de corte. Digamos que está buscando en Timeline el primer fotograma de un martillo clavando un clavo. Pulse el botón **Bloq Mayús** y pulse el botón de fotograma adelante (supongamos que está a cinco fotogramas). Paso, paso, paso, paso, CRUNCH. ¡Ahí está!

Figura 8.8. *Botones de fotograma adelante y atrás.*

Seleccionar las pistas para el Scrub

Ahora, digamos que los iconos huecos están en las pistas A1 y A2 y el sonido que queremos cribar está en las pistas A3 y A4, Para mover el altavoz hueco a la pista A3, simplemente mantenga pulsada la tecla **Alt** (**Opción**) y después haga clic en el icono de altavoz de A3. A3 ahora es la pista con el icono hueco. Luego, haga **Alt-clic** (**Opción-clic**) en A4. Recuerde, **Alt-clic** sobre el icono de altavoz de la pista en la que quiere hacer *scrub*.

Desplazarse por las pistas

Siempre que tenga más pistas de las que pueden verse en Timeline, aparecerá una barra de desplazamiento a la derecha de Timeline para que pueda desplazarse arriba y abajo para ver las distintas pistas. A menudo cambio el tamaño de las pistas con las que no estoy trabajando, haciéndolas más pequeñas para poder ver más pistas sin tener que desplazarme.

Eliminar pistas

En ocasiones hay que deshacerse de una o más pistas. Quizá creó más de las necesarias, y las pistas extra ocupan espacio de pantalla. Para eliminar una pista, deseleccione el resto de pistas y seleccione sólo la que quiere eliminar. Pulse la tecla **Supr** del teclado. Aparecerá un cuadro de diálogo preguntándole si está seguro; haga clic en **OK**. Si borra sin querer una pista de audio importante, no se preocupe. Simplemente pulse **Control-Z (Comando-Z)** para deshacer la acción. Eliminar pistas funciona igual con pistas de vídeo y de audio.

Cambiar los niveles de audio

Cuando se captura audio, los niveles de sonido no son siempre perfectos. A menudo deberá subir o bajar los niveles cuando comience a editar. Cambiar los niveles es especialmente importante cuando se comienza a añadir pistas de audio y se mezclan varios sonidos.

Por ejemplo, no querrá que la música ahogue las voces de los actores o tener una narración ininteligible porque el sonido de la pista de efectos de sonido está demasiado alto. Avid ofrece varias herramientas para ayudarle a controlar los niveles de sonido de las pistas para que funcionen bien juntas.

Fijar los niveles de volumen de salida

Antes de cambiar los niveles, comencemos asegurándonos de que nuestra configuración de salida es la correcta. El audio que obtenga de los altavoces puede estar bajo. Esto puede ocurrir en ocasiones en un Mac, donde los controles de volumen en el teclado pueden sustituir a la configuración de Avid, normalmente bajándolo más de lo deseado.

Para establecer y comprobar los niveles de salida:

1. Vaya a la ventana de proyecto y haga clic en Settings (Configuración).

2. Haga doble clic en Audio Projects (Proyectos de audio).

3. Cuando aparezca el cuadro de diálogo, haga clic en la ventana Output (Salida), que se muestra en la figura 8.9.

4. Eleve el deslizador de Master Volume (Volumen maestro) hasta un punto en que esté en línea con la barra de deslizamiento de Output Gain (0) (Ganancia de salida).

5. Ahora cierre el cuadro de diálogo.

Compruebe siempre la configuración de Output antes de hacer ajustes al audio y después asegúrese de que el volumen de sus altavoces o auriculares siempre esté al mismo nivel. De esa forma siempre comenzará desde el mismo punto.

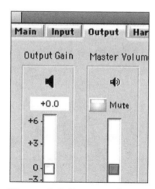

Figura 8.9. Pestaña Output.

Herramienta Mezclador de audio

La primera herramienta usada para ajustar el volumen es **Audio Mixer Tool** (Herramienta de Mezclador de audio) (véase la figura 8.10). Ábrala yendo al menú Tools (Herramientas), Cuando se abra, deslícela a la parte superior de SuperBin para que no se oculte cuando haga clic en los monitores de origen o grabación.

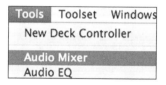

Figura 8.10. Herramienta Audio Mixer.

Audio Mixer Tool tiene tres modos de funcionamiento. El modo predeterminado es Clip, que se utiliza para subir o bajar el volumen de los clips de Timeline o para cambiar la disposición de los clips en Timeline. El segundo modo, Auto, le permite grabar volumen y cambios de desplazamiento. El tercer modo, Live (Directo), es el más utilizado cuando se tiene un panel de control mezclador externo conectado, como el Digidesign Command 8. Se cambia de modo haciendo clic en el botón **Audio Mixer Mode** (Modo de Mezclador de Audio) (véase la figura 8.11).

El modo Clip es el que vamos a utilizar más a menudo. Parece un tablero de mezclas estándar, con deslizadores de volumen para cada pista de audio. En la figura 8.11, puede ver sólo cuatro pistas. Si está monitorizando ocho pistas, tiene la opción de ver las ocho haciendo clic en el botón **Mix Panes** que muestra cuatro u ocho pistas. Para ahorrar espacio de pantalla, puede dejarlo en cuatro y cambiar las cuatro que está viendo.

Botón de bucle de audio

Botón Menú rápido

El botón Mezclar paneles muestra 4 u 8 pistas

Seleccione el grupo de pistas a mostrar

Botón Modo Mezclador de audio

Nivel de volumen en decibelios

Barra de deslizamiento de Volumen

Botón Grupos

Configuración de desplazamiento

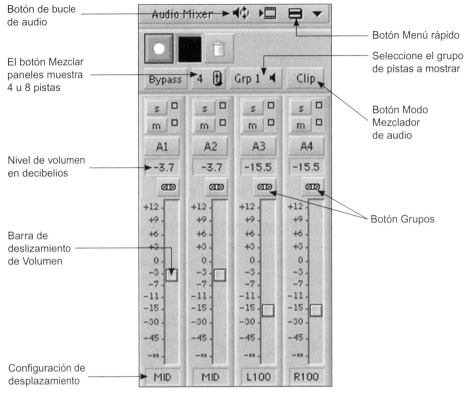

Figura 8.11. *Herramienta Audio Mixer en modo Clip Gain.*

La herramienta **Audio Mixer** puede utilizarse para cambiar el volumen de los clips del Source Monitor o clips que se han editado en Timeline.

* Para cambiar el volumen de un clip, colóquelo en Source Monitor, asegúrese de que está seleccionado y después suba o baje el deslizador.

* Para cambiar el volumen de un clip en Timeline, haga clic en Timeline y coloque el indicador de posición sobre el segmento que desea cambiar.

Ahora, simplemente suba o baje las barras de deslizamiento para cambiar los niveles.

Normalmente no cambio los niveles hasta que no he editado los clips en una secuencia. La mayoría de las veces los niveles de sonido son buenos en la entrada, y la única razón por la que quiero cambiarlos es cambiar la forma en la que funcionan con otras pistas y dentro de la secuencia en conjunto. Antes de cambiar el volumen de un clip, quiero ver cómo funciona con otros clips. La única ocasión en que realizo cambios en los niveles de un clip en Source Monitor es cuando he metido el sonido desde un CD. En ocasiones esos niveles pueden ser bastante altos y deben ajustarse antes de montarlos en Timeline.

Cuando ajuste los clips en Timeline, observará que sólo afectan al nivel del clip en el que se encuentra el indicador de posición. La pista entera no se ve afectada por los cambios. Esto tiene sentido cuando uno se para a pensarlo, puesto que a menudo querrá elevar el nivel de un actor mientras mantiene el del otro sin cambiar.

Trucos de velocidad

Hay un par de trucos que aceleran el proceso de ajuste. Digamos que A1 y A2 son pistas estéreo de narración, y quiere bajar ambas a la vez. Haga clic en los botones de grupo para A1 y A2 (se pondrán verdes). Cuando haga clic sobre una barra de deslizamiento, la otra se moverá entonces arriba o abajo con ella (véase la figura 8.12). Digamos que quiere bajarlo a 0dB. Sin duda, puede arrastrar el deslizador a 0, pero eso lleva tiempo. Mantenga pulsada la tecla **Alt** (**Opción**) y haga clic en la barra de deslizamiento. El nivel saltará a 0dB.

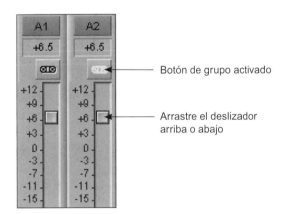

Figura 8.12. Ajuste de volumen.

Panning

La ventana de la parte inferior de cada pista es para hacer *panning* (desplazamiento) con el audio. El *panning* es una técnica que se utiliza cuando se tiene más de un canal de sonido que llega desde más de un altavoz.

Cuando se establece el desplazamiento, se determina cuánto sonido vendrá desde el altavoz izquierdo, cuánto desde el medio (ambos altavoces), y cuánto desde el altavoz derecho. Para establecer este desplazamiento, haga clic en la ventana y aparecerá una barra de deslizamiento horizontal. Arrástrela a izquierda o derecha (véase la figura 8.13).

Si pulsa **Alt** (**Opción**) mientras hace clic sobre el botón **Pan** (Desplazamiento), saltará a MID, la posición central del desplazamiento.

Las voces y los efectos de sonido siempre deben ajustarse en MID. La música puede desplazarse a izquierda y derecha.

Figura 8.13. *Haga clic y arrastre.*

Cambiar el volumen y el panning en múltiples clips

Puede cambiar el volumen o desplazamiento a lo largo de la secuencia, o gran parte de una secuencia, en lugar de realizar cambios a los clips individualmente. Abra **Audio Mixer Tool**. Para afectar al desplazamiento o niveles de volumen de un segmento de una pista en la secuencia:

1. Coloque una marca de ENTRADA dentro del primer clip; coloque una marca de SALIDA en el último clip.

2. Si está cambiando más de una pista, haga clic en el botón de pista y botón de grupo para cada pista para unirlas todas.

3. Suba o baje el deslizador de volumen (o de desplazamiento).

4. Vaya al menú rápido de **Audio Mixer Tool** y arrastre hacia abajo a Set Level On Track-In/Out (Establecer volumen en pista entrada/salida) o Set Pan on Track-In/Out (Establecer desplazamiento en pista entrada/salida), como se muestra en la figura 8.14.

Si quiere afectar a toda la pista en lugar de al área contenida entre las marcas, no coloque ninguna marca. En lugar de eso, haga lo siguiente:

1. Elimine cualquier marca de ENTRADA y SALIDA.

2. Si está cambiando más de una pista, haga clic en el botón de pista y el botón de grupo para cada pista para trabajar sobre todas ellas.

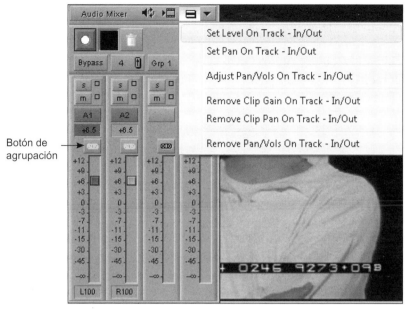

Botón de agrupación

Figura 8.14. Establecer niveles en pistas.

3. Suba o baje el deslizador de volumen o desplazamiento.

4. Vaya al menú rápido de **Audio Mixer Tool** y a continuación seleccione Set Level (or Pan) On Track - Global (Establecer el nivel o desplazamiento en pista – Global), como se muestra en la figura 8.15.

Figura 8.15. Establecer nivel o desplazamiento global.

Audio Mixer Tool es excelente para realizar cambios en clips enteros o grandes segmentos de audio; no obstante, Avid tiene otras herramientas para ayudarle a manipular y analizar su audio.

Audio Data

Haga clic en el menú rápido de Timeline y verá varias herramientas de audio (Xpress) o un elemento de menú llamado Audio Data (Datos de audio) con un submenú enumerando herramientas de audio. Audio Clip Gain le ofrece una forma de ver gráficamente el nivel de decibelios en el que está cada clip. También muestra si el volumen de un clip se ha cambiado.

Seleccione en Timeline las pistas que quiere ver y después vaya al menú rápido de Timeline, seleccione Audio Data y luego Clip Gain (Ganancia de clip) (véase la figura 8.16). Aparecen líneas horizontales en Timeline mostrando los clips que se han cambiado.

Figura 8.16. *Menú Audio Data.*

Si amplía las pistas de audio, seleccionando la pista y pulsando **Control-L** (**Comando-L**) o estirando la pista con el ratón, aparecerán líneas de referencia de decibelios (véase la figura 8.17). Normalmente, se amplían las pistas a este tamaño tan sólo cuando se realizan ajustes críticos de nivel de sonido y se quiere ver la relación entre el ajuste y la línea de 0 dB. Para ser honesto, no utilizo Clip Gain muy a menudo. Pero sí utilizo Auto Gain continuamente.

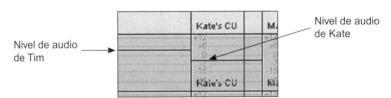

Figura 8.17. *Ganancia de clip.*

Auto Gain

En lugar de utilizar una barra de deslizamiento para cambiar el nivel de un clip entero, el modo Auto Gain (Ganancia automática) utiliza fotogramas clave para establecer y ajustar niveles dentro de un clip. Lo utilizo más a menudo cuando trabajo con música porque necesito bajar la música cuando alguien está a punto de hablar.

Puede establecer manualmente los fotogramas clave o reproducir la secuencia y dejar que Avid coloque los fotogramas clave mientras mueve los deslizadores.

Utilice primero el método manual. Desde el menú rápido de Timeline, seleccione Audio Data y después Auto Gain (véase la figura 8.18). Ahora seleccione las pistas con las que quiere trabajar. En este caso, he seleccionado A3 y A4, las pistas que contienen la música estéreo.

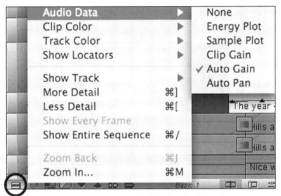

Figura 8.18. *Menú rápido de Timeline.*

Coloque el indicador de posición azul en Timeline donde quiere realizar cambios de audio. Pulse la tecla ´ (acento) en Media Composer o bien **N** en Xpress.

Aparecerá un fotograma clave en Timeline (véase la figura 8.19). Puesto que las pistas A3 y A4 están ambas seleccionadas, los fotogramas clave aparecen en ambas a la vez. Mueva el indicador de posición azul en Timeline más allá y pulse de nuevo la tecla de fotograma clave. Aparecerá otro fotograma clave.

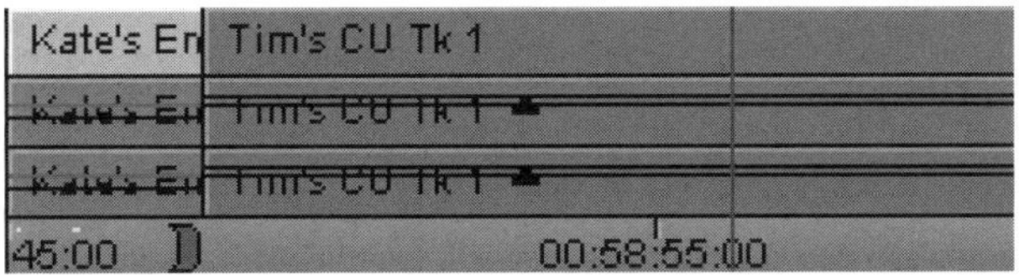

Figura 8.19. *Fotograma clave.*

A menudo, cuando trabajamos con pistas estéreo, querrá crear rampas de sonido en ambas pistas a la vez. Simplemente seleccione ambas pistas, como muestra la figura 8.20, y los fotogramas clave que coloque aparecerán en ambas pistas.

Si ve que ha colocado un fotograma clave en el lugar incorrecto puede moverlo fácilmente para que afecte al sonido en el lugar preciso:

Para mover un fotograma clave:

1. Mantenga pulsada la tecla **Alt** (**Opción**).

2. Haga clic con el ratón sobre el fotograma clave que quiere mover, y arrástrelo al nuevo punto.

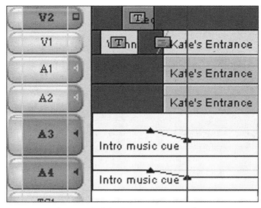

Figura 8.20. *Fotogramas clave.*

Añada dos fotograma clave más adelante en el clip en Timeline y arrastre el cuarto hacia arriba. Acaba de crear una profundidad de audio.

Para eliminar un fotograma clave:

- Lleve el puntero sobre el fotograma clave que desea eliminar y cuando el cursor se convierta en una mano pulse la tecla **Supr** del teclado.

Si, tras haber colocado fotogramas clave en Timeline, deselecciona Auto Gain en el menú rápido de Timeline, los fotogramas clave desaparecerán, pero quedará un pequeño fotograma clave rojo en el clip para mostrar que los fotogramas clave están colocados.

Colocar fotogramas clave de forma automática

Como hemos mencionado, podemos colocar fotogramas clave automáticamente. Este método imita la forma en la que funciona un mezclador de estudio; se realizan cambios y se graban esos cambios en tiempo real. No lo utilizo mucho porque no soy un mezclador profesional y me resulta demasiado rápido para mí, pero puede que a usted le guste.

En el menú Tools, vaya a **Audio Mixer Tool**. Haga clic en el botón **Clip** hasta que se ponga en **Auto**. Los deslizadores se volverán azules, el botón **Record** está rojo y el icono **Trash** (Papelera) está visible (véase la figura 8.21). Al seleccionar el botón **Auto**, cambia el modo de **Audio Mixer Tool** de Clip a Auto.

Esto parece complicado pero es fácil de usar, y difícil usarlo bien. Puede mezclar mucho o poco, como quiera. Si no está satisfecho con lo que está haciendo, pulse el botón **Trash** para detener la grabación. Si, una vez terminado, no le gusta lo que ha hecho, pulse **Undo** (Deshacer) y se borrará todo. Probemos.

Figura 8.21. *Audio Mixer en modo Auto.*

1. Coloque el indicador de posición al comienzo de las pistas o al comienzo de la sección que desea cambiar. Seleccione las pistas en Timeline. Deseleccione las que no quiere cambiar.

2. Coloque **Audio Mixer Tool** en modo Auto.

3. Si quiere trabajar en dos pistas a la vez, como las estéreo, enlácelas.

4. Pulse el botón **Record** (Grabar).

5. Según el indicador de posición pasa por Timeline, suba o baje el deslizador de la pista con el ratón.

6. Pulse el botón **Record** para detener la grabación.

Los cuadros s y m le permiten dejar solas o silenciar las pistas.
El modo Live se utiliza cuando se tiene un mezclador conectado.

Gráfico de ondas

Las ondas de audio son una representación visual de la fuerza de la señal de audio, o amplitud. Timeline de Avid tiene la capacidad de mostrarle las formas de las ondas de su audio. Esta función ofrece una forma práctica de buscar sonidos específicos y ver dónde recortar el sonido.

Vaya al menú rápido de Timeline, seleccione None (ninguno) en Audio Data y después vuelva y seleccione Sample Plot (véase la figura 8.22), que me resulta más útil que Energy Plot.

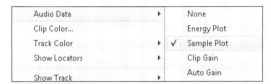

Figura 8.22. *Menú de Audio Data.*

Avid dibujará la forma de la onda. La velocidad con la que se dibuja el plano depende de la vista de Timeline y del número de pistas seleccionadas. Una vez dibujada la onda, puede ver dónde comienza y termina el sonido. Esto puede ser útil cuando está haciendo ajustes detallados en el audio.

Como puede ver en la figura 8.23, Timeline se ha expandido para poder ver las pulsaciones de la música.

Un par de comandos nos ayudarán a ver mejor las ondas:

- Para ampliar las pistas, utilice **Control-L (Comando-L)**.

- Para que la onda se amplíe, use **Control-Alt-L (Comando-Opción-L)**.

Las ondas son bastante útiles cuando se intenta editar sonidos complejos, como la música. Por ejemplo, digamos que quiere alargar la cola de música porque termina demasiado pronto. Puede hacerlo fácilmente copiando una sección de la música al portapapeles, abrir Clipboard Monitor (Monitor de portapapeles), marcar la sección y después montarla en Timeline al final de la música. Ahora la música se ha extendido. La onda muestra dónde están los ritmos en la música. Utilícelos para marcar sus puntos y editar. Inténtelo.

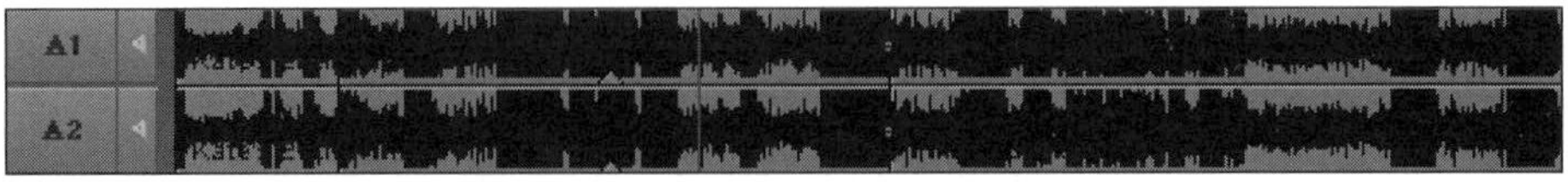

Figura 8.23. *Ondas en Timeline.*

Utilizar Trim Mode con ondas para limpiar el audio

A menudo realizo el trabajo de audio utilizando Trim Mode (Modo Recorte). Digamos que tiene mucha narración que ha montada en la secuencia y que la pista de narración tiene algo de ruido. Cuando el narrador habla, no se oye, pero en cuanto deja de hablar puede oírse un zumbido en la pista.

Queremos limpiar la pista. La mejor forma de hacerlo es entrar en Dual-Roller Trim Mode (Modo Recorte de rodillo doble) y cortar la narración de forma que sólo queden en Timeline los segmentos que contienen la voz, y no los silencios en los que se escucha el ruido.

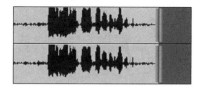

Figura 8.24. Utilice el Dual-Roller Trim Mode para eliminar el ruido.

Ecualización

La mayoría de las mesas de mezclas de sonido tienen diales que pueden girarse para aumentar o disminuir distintas frecuencias (baja, media, alta) para alterar o mejorar el sonido. Esta alteración de frecuencias se conoce como ecualización. Por ejemplo, si una voz tiene demasiados bajos, puede recortar las frecuencias bajas y aumentar las medias.

Avid tiene una herramienta que permite hacer lo mismo. **EQ Tool** (Herramienta Ecualizador) se encuentra en el menú Tools (véase la figura 8.25). **EQ Tool** afecta a los clips de Timeline. Desde el menú Tools, seleccione Audio EQ. Aparecerá una ventana.

Ajustar el EQ

Las barras de deslizamiento permiten enfatizar (aumentar) o atenuar (recortar) las frecuencias bajas, medias y altas. La barra de deslizamiento horizontal permite cambiar la forma y lugar de la curva paramétrica. Este ajuste permite ubicar la frecuencia que quiere aumentar o recortar. Observe el gráfico EQ para ver los cambios.

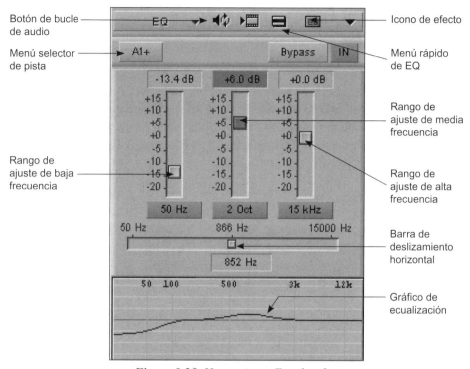

Figura 8.25. *Herramienta Ecualizador.*

El botón **Audio Loop** (Bucle de audio) reproducirá el sonido en un bucle continuo y permite oír los cambios realizados mientras se ajustan los deslizadores. También hay un botón **IN**, que le da la oportunidad de desactivar el efecto de la ecualización para comparar el original con los cambios realizados. ¿Está mejorando o empeorando el sonido? Haga clic una vez y se pondrá gris, indicando que no se está realizando ecualización. Haga clic de nuevo y se pondrá amarillo, indicando que el efecto está activo.

Siga estos pasos para aplicar la ecualización:

1. Seleccione Audio EQ en el menú Tools.

2. Seleccione ahora las pistas que quiere cambiar en Timeline (por ejemplo, A1 y A2).

3. Coloque el indicador de posición sobre el clip en Timeline.

4. Arrastre las barras de deslizamiento para aumentar o atenuar los valores bajos, medios o altos.

5. Haga clic en el botón **Audio Loop** para escuchar los cambios.

Si es un solo clip, habrá terminado y verá el icono **EQ** en la pista (véase la figura 8.26).

Figura 8.26. *Icono de ecualización.*

Si es más de un clip:

1. Identifique una parte de la pista con marcas de ENTRADA y SALIDA.

2. Cuando esté satisfecho, deténgalo y seleccione Set EQ - In/Out (Establecer EQ – Entrada-Salida) del menú rápido de EQ.

Para poder eliminar la ecualización, simplemente haga clic sobre el efecto EQ de Timeline y después pulse el botón **Remove Effect** (Eliminar efecto) (véase la figura 8.27).

Figura 8.27. *Botón de eliminación de efecto.*

Plantillas EQ

Avid tiene varias plantillas EQ que solucionan problemas comunes de audio. Una buena forma de aprender a ecualizar su sonido es examinar los gráficos que producen estas plantillas.

Observe las frecuencias que se aumentan y las que se atenúan. Examine el punto donde se encuentra el centro de la curva paramétrica. Estas plantillas EQ cubren casi todos los problemas que encontrará. Utilícelas como punto de partida para arreglar el sonido.

No puede cambiar ninguna de ellas, pero puede recrearlas y luego hacer ajustes para que se adapten a sus propios problemas.

1. Coloque el indicador de posición sobre el clip de audio en Timeline que quiere cambiar.

2. Seleccione la plantilla en el menú rápido de EQ (véase la figura 8.28). El efecto EQ se colocará sobre el clip.

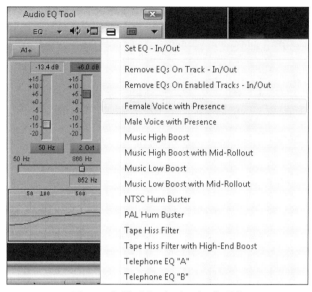

Figura 8.28. *Menú rápido de EQ.*

Si es cercano pero no perfecto, examine las barras de deslizamiento de la plantilla, después elimine el efecto de la plantilla. Ahora, usando la plantilla como guía, intente hacer ajustes similares pero que funcionen aún mejor que la plantilla.

Guardar el efecto EQ

También puede guardar un efecto EQ para poder utilizarlo más adelante en el proyecto. Puede pasar diez minutos estableciendo diferentes niveles de EQ para arreglar un problema en la pista de diálogo de Tim. Una vez haya configurado el efecto que quiere, simplemente haga clic y arrastre el icono **EQ** (véase la figura 8.29) a la lata donde quiere guardarlo. Inténtelo. Es bastante fácil. Una vez se encuentra en la lata, puede nombrarlo.

Ahora, simplemente haga clic y arrastre desde la lata a otros clips de Tim en Timeline y se les aplicará el mismo EQ.

Figura 8.29. *Arrastre el icono EQ a la lata.*

Cuándo utilizar las distintas herramientas de audio

Así es cómo trabajo con mis herramientas de audio. Utilizo **Audio Mixer Tool** para establecer los niveles generales de mis clips. Voy a Timeline, coloco el indicador de posición en el primer planto de Kate, y después lo subo o bajo con el deslizador. Después hago lo mismo con el siguiente clip que necesite el ajuste. Puedo encontrarme con que una sección entera está demasiado baja. En tal caso, marco una ENTRADA y una SALIDA en Timeline y utilizando **Audio Mixer Tool** selecciono Set Levels On Traces –In/Out.

Ahora, digamos que no me gusta cómo suena algo (la voz de Kate parece silenciada o hay sibilancias o un zumbido que no me gusta) entonces utilizo la herramienta **EQ**. La última herramienta que utilizo, después de haber establecido los niveles y EQ, es **Auto Gain**. Digamos que quiero una rampa de audio porque tengo música o efectos de sonido que quiero subir o bajar. Voy al menú rápido de Timeline y selecciono Audio Gain. Coloco fotogramas clave utilizando la tecla de comillas (") con Media Composer o la tecla **N** con Xpress, y después subo o bajo los fotogramas clave para establecer una rampa de subida o bajada.

Si tengo una sección de música que necesita muchos ajustes, utilizaré el Audio Mixer en modo Auto. Mientras escucho y observo las imágenes, puedo mover las barras de deslizamiento y dejar que Avid establezca automáticamente todos los fotogramas clave.

Es importante remarcar que los niveles establecidos con **Audio Mixer Tool** se memorizan y conservan. Si después añade fotogramas clave, manual o automáticamente, esos cambios se añaden a los ajustes ya realizados.

Recuerde, primero haga los ajustes más generales, usando **Audio Mixer Tool**, después trabaje la calidad del sonido con la herramienta **EQ** y después afine los niveles con **Audio Gain**.

¿Cuál es el nivel correcto?

Audio Tool es el árbitro definitivo cuando se trata de establecer niveles. Normalmente tengo Audio Tool abierto cuando hago cualquier ajuste de volumen. La referencia de nivel siempre era -14dB en Audio Tool (véase la figura 8.30, izquierda). Eso significa que -14 en la escala digital de la izquierda era igual a 0 VU en la escala analógica.

Pero, con el paso al audio digital, la mayoría de profesionales de empresas de postproducción y cadenas de televisión usan ahora -20dB como referencia (véase la figura 8.30, derecha). Esto da más margen, lo que significa que puede aumentar el audio sin preocuparse por sobremodular o distorsionar el audio.

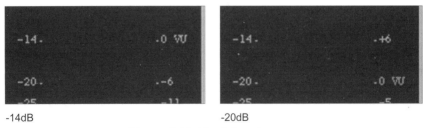

-14dB   -20dB

Figura 8.30. *Nivel de referencia.*

Cuando edito una secuencia completa, si estoy utilizando la referencia -14, intentaré que una conversación normal esté entre -25dB y -12dB en la escala digital. Los sonidos altos tendrán espacio, con picos en -4 dB para los gritos más altos, pero no dejaré que ninguno de los niveles suba más de ahí. Coloque sus sonidos medios en el nivel de referencia y deje que los sonidos altos utilicen el espacio superior, pero nunca por encima de los -4dB. Si estoy utilizando el nivel de referencia de -20dB, como muestra la figura 8.31, los sonidos callados están entre -40db y 30 dB, los normales entre -30dB y -18 dB, y los altos hasta -4dB.

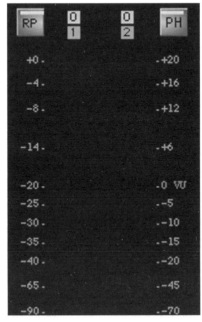

Figura 8.31. *Auto Tool a -20dB.*

Para cambiar el nivel de referencia, haga clic y mantenga pulsado el botón **PH** en **Audio Tool** y seleccione Set Referente Level (Establecer nivel de referencia). Escriba **-20** en el cuadro (véase la figura 8.32).

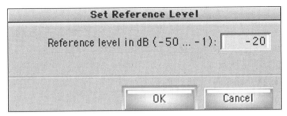

Figura 8.32. Establecer nivel de referencia.

Otras técnicas de audio para solucionar problemas

Cuando trabaje en un montaje en Trim Mode, en ocasiones oirá un chasquido en el audio, pero está tan cerca del punto de transición que no está seguro en qué lado de la transición está. Cuando reproduce la transición, el sonido hace bucle. Pruebe lo siguiente. Pulse **Go to Mark IN** (**Q** en el teclado), como muestra la figura 8.33. El bucle se reproducirá en el clip saliente, pero no en el entrante.

Figura 8.33. Ir a marca IN.

El bucle de transición se reproduce en la cara A (saliente) de la transición (véase la figura 8.34). Para escuchar tan sólo la entrante (véase la figura 8.35), o cara B de la transición, pulse **Go To Mark OUT** (**W** en el teclado). Esta técnica permite localizar chasquidos de sonido. Una vez localizado, puede eliminarlo utilizando Dual-Roller Trim Mode para crear un solape de sonido. Aquí, el chasquido está en la cara A. Si creamos un solape desaparecerá.

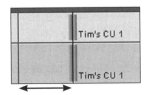

Figura 8.34. Bucle en cara A saliente.

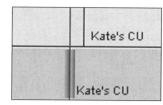

Figura 8.35. *Bucle en cara B entrante.*

Sustituir sonido malo

Si continuamos con el ejemplo del chasquido en el clip saliente, ¿qué hacemos si el sonido del clip entrante no encaja bien y Dual-Roller Trim Mode empeora aún más el sonido? Podemos marcar fácilmente el área donde se encuentra el chasquido y utilizar Lift para eliminarlo, pero no podemos tener nada en la banda sonora. Necesitamos sustituir lo que se cortó y llenar el hueco con algo de sonido de ambiente. Vaya a Source Monitor y coloque ahí el clip. Ahora, reprodúzcalo hasta que encuentre "silencio". No estamos buscando silencio realmente, sino un ambiente que encaje. Marque una ENTRADA en Source Monitor y sobrescriba ese ambiente en Timeline, sustituyendo lo que elevó.

Vistas de Timeline

Puede configurar sus pistas en Timeline, el tamaño de las pistas y si ve o no los gráficos de ondas, y guardar esa configuración. Lo único que tiene que hacer es colocar las pistas de la forma que desea, llevar el ratón abajo del todo de Timeline (junto a las teclas de **Segment Mode**), y después haga clic y mantenga pulsado sobre **Untitled** (Sin título) (véase la figura 8.36). Aparecerá un menú emergente, donde puede seleccionar Save As (Guardar como). Escriba un nombre en el cuadro de diálogo, como Edit Mode, y haga clic en **OK**.

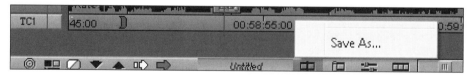

Figura 8.36. *Guardar como.*

Ahora, crearemos más vistas. Vaya al menú rápido de Timeline y luego seleccione Audio Data>Sample Plot. Observe que el nombre Edit Mode cambia para verse en cursiva. Haga clic en el nombre Edit Mode y seleccione Save As, y cuando aparezca el cuadro de diálogo, llámelo Sample Plot (Mapa de muestreo) o Waveform (Ondas).

También puede hacer cambios y, después, en lugar de crear una nueva vista, sustituir una vista por otra nueva. Seleccione la que desea cambiar, realice los ajustes y después actualícela manteniendo pulsada la tecla **Alt** (**Opción**) mientras hace clic en el nombre de Timeline. Verá Replace "Edit Mode" (Sustituir Edit Mode). Seleccione la vista por la que quiere sustituirlo en la lista y ésta mantendrá los cambios (véase la figura 8.37).

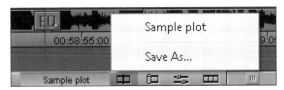

Figura 8.37. *Sustituir vista.*

Me gusta tener una vista de modo de edición básica, una vista Sample Plot y una vista Auto Gain.

Configurar las pistas

Con Avid, es fácil añadir pistas, pero debe pensar bien antes cómo colocarlas. En Timeline, las pistas van una encima de otra, de izquierda a derecha. Si tiene narración, debería ser la pista de audio superior, A1. Reserve las dos pistas siguientes para el diálogo. A continuación van los efectos de sonido. Por último, las pistas de música van en la parte inferior de Timeline. Si no tiene narración, las dos pistas primeras contendrán el diálogo.

1. Narración.

2. Diálogo.

3. Efectos de sonido.

4. Música.

Pro Tools

El proceso para trasladar el audio a Pro Tools se explicará más adelante en el capítulo 16.

Primero cuente la historia

Hemos examinado muchas de las técnicas y herramientas importantes a su disposición, que nos ayudarán a crear un sonido limpio y claro. Quizá, el consejo más importante que puedo darle sea éste: espere todo lo posible para añadir los efectos de sonido y la música en el proceso de edición. Los editores que empiezan con Avid a menudo crean complejas bandas sonoras demasiado pronto en el proceso de edición, haciendo que incluso los cambios más simples sean una tarea onerosa. Primero cuente la historia montando la imagen y el sonido de sincronización. Después, construya el resto de pistas, colocando efectos de sonido y música que den tono y contenido emocional al proyecto.

Tareas recomendadas

1. Mueva el icono de altavoz hueco a varias pistas.

2. Amplíe todas las pistas de sonido.

3. Reduzca pistas individuales.

4. Añada dos pistas de audio adicionales.

5. Añada sonido a estas nuevas pistas.

6. Ajuste el volumen de las pistas utilizando **Audio Mixer Tool**.

7. Cambie el desplazamiento de tres de sus clips.

8. Seleccione **Auto Gain** en el menú rápido de Timeline y coloque varios fotogramas clave en un clip. Cree rampas de volumen.

9. Mueva los fotogramas clave a lo largo de Timeline.

10. Desde el menú rápido de Timeline, salga de **Auto Gain** y después vaya a Waveforms. Pruebe a montar el audio, utilizando las ondas como guías.

11. Coloque una plantilla EQ sobre un clip de Timeline.

12. Guarde un ajuste EQ colocándolo en una lata.

13. Cree una vista de Timeline.

9. Edición en Modo Segmento

Muchas de las técnicas que presentaré en los siguientes capítulos funcionan bien con material visual y entrevistas a cámara: la base de muchas películas documentales o proyectos basados en la realidad. Una escena basada en un guión con diálogo sincronizado como *Wanna Trade*, es estupenda para presentarle los conceptos básicos de Avid, pero según pasamos a herramientas más complejas, el material documental o visual suele ser mejor para mostrar estas funciones.

En el caso de que no tenga un documental para editar, he incluido un pequeño proyecto llamado `Kizza's Portrait` en el DVD que va incluido en el libro. Trata de un chico de seis años de Uganda que es VIH positivo. Los clips pertenecen a mi película *Living with Slim: Kids Talk about HIV/AIDS* que rodé en Uganda. (*Slim* es el término que utilizaban muchos africanos para referirse al sida antes de que éste tuviera nombre.) Hay material visual de Kizza en casa así como clips de entrevistas.

Si tiene su propio material visual o documental corto con el que trabajar, utilice su material para practicar las técnicas descritas en este capítulo. Si no, siga las instrucciones del final del libro y conozca a Pizza.

He esperado a introducir la edición en **Segment Mode** (Modo Segmento) porque es más útil para un editor que trabaja en un montaje visual o con metraje documental. Cuando estábamos editando *Wanna Trade*, no necesitaba cambiar el orden de las tomas, pero ahora que estamos trabajando en un documental u otro material basado en la realidad, puede encontrarse con que quiere cambiar el orden de las tomas en Timeline (Línea de tiempo) y cambiar el orden de los segmentos.

La edición en Segment Mode entra de lleno en la edición no lineal. La velocidad con la que pueden cambiarse segmentos enteros le asombrará. Digamos que se da cuenta de que la primera toma de su secuencia debería ser en realidad la tercera. Entre en Segment Mode, haga clic en la toma en Timeline y arrástrela a la nueva posición. ¡Ya está!

Los dos botones de **Segment Mode** se encuentran en la parte inferior de Timeline en todos los sistemas de Avid (véase la figura 9.1). La flecha amarilla que aparece sin una sección central es el botón **Extract/Splice** (Extraer/Unir), y la flecha roja gruesa es el botón **Lift/Overwrite** (Quitar/Sustituir).

Figura 9.1. Botones del Modo segmento.

Observe las similitudes y diferencias entre los comandos **Splice** y **Overwrite** y los dos comandos de Segment Mode. Cuando estaba aprendiendo Avid, a menudo hacía clic en el incorrecto y me llevaba tiempo saber qué había hecho (véase la figura 9.2).

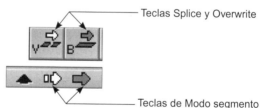

Figura 9.2. Distinga entre los comandos y los botones del modo segmento.

Configuración de Timeline

Antes de empezar, nos desharemos de Four-Frames Display (Vista en cuatro fotogramas), que cuanto menos es confusa y ralentiza el proceso. Vaya a la ventana Project (Proyecto) y haga clic en Settings (Configuración). Desplácese hasta que encuentre Timeline. Haga doble clic en él y haga clic en la pestaña Display. Deseleccione Four-Frames Display. Mientras estamos aquí, haga clic en la pestaña Edit (Edición). En el cuadro de diálogo, seleccione la casilla Default Snap-To Edit (Saltar a edición por defecto) (véase la figura 9.3). Esto hará que el proceso sea más fácil de manejar.

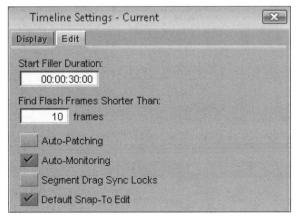

Figura 9.3. Pestaña Edit.

Botón Extract/Splice de Modo Segmento

Cuando hace clic en el botón **Extract/Splice** (véase la figura 9.4), entra en Segment Mode.

Figura 9.4. Extract/Splice.

Para hacerle saber que está en Segment Mode, el color de fondo del botón de segmento de la parte inferior de Timeline se oscurece. Si entonces hace clic en un clip (segmento) de Timeline, el clip se resalta. Si el clip tiene imagen y sonido de sincronización, normalmente querrá mover ambos. Para seleccionar el clip de sonido, mantenga pulsada la tecla **Mayús** y haga clic en el sonido. Ahora están ambos seleccionados, como muestra la figura 9.5.

Digamos que queremos que la toma llamada Ext-Pool, que es la tercera toma de esta secuencia, se convierta en la segunda toma (véase la figura 9.6). Queremos moverla de forma que vaya después de Burning Hills. Para mover el clip, haga clic en él y después arrástrelo al punto en el que quiere que aparezca. Mientras arrastra, aparecerá un perfil blanco alrededor del clip para mostrarle que se está moviendo. Cuando arrastre el segmento, saltará a los puntos de corte o al indicador de posición azul.

Cuando suelte el botón, el clip pasa entonces a su nueva ubicación (véase la figura 9.7).

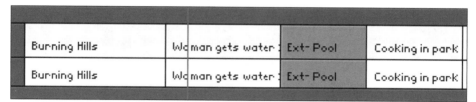

Figura 9.5. *Clips de imagen y sonido seleccionados.*

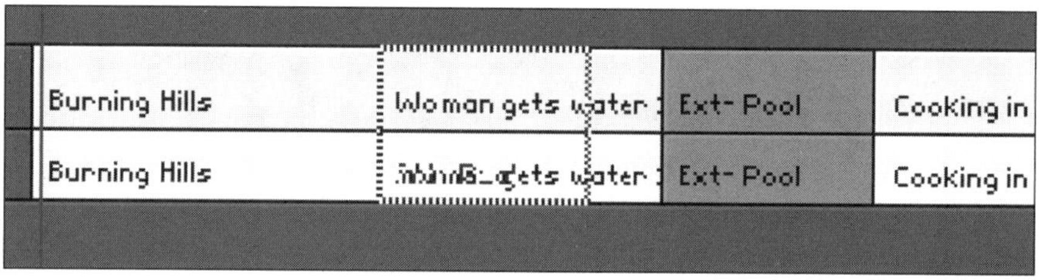

Burning Hills	Woman gets water	Ext-Pool	Cooking in
Burning Hills	Woman gets water	Ext-Pool	Cooking in

Figura 9.6. *Mover un clip.*

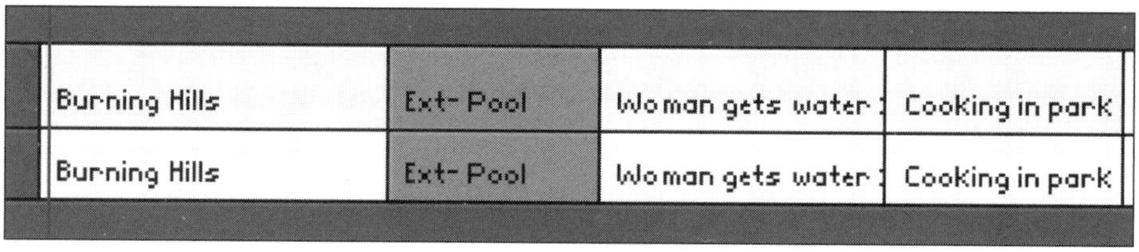

Burning Hills	Ext-Pool	Woman gets water	Cooking in park
Burning Hills	Ext-Pool	Woman gets water	Cooking in park

Figura 9.7. *El clip pasa a su nueva ubicación.*

Como puede ver aquí, `Ext-Pool` ahora es la segunda toma de la secuencia. Lo que era la segunda toma pasa a ser la tercera. Como estamos moviendo segmentos, la duración de la secuencia sigue siendo la misma y todo sigue estando sincronizado. Puede arrastrar tomas en ambas direcciones.

Para salir de Segment Mode:

• Haga clic en el botón de segmento resaltado.

Para aquellos que utilizan Media Composer, hay un modo más fácil:

• Haga clic sobre cualquier punto de la pista TC1, tal y como muestra la figura 9.8.

V1	☐	Kate	Tim's CU Tk 1	Kate's CU	
A1	◀	Kate	Tim's CU Tk 1	Kate's CU	
A2	◀	Kate	Tim's CU Tk 1	Kate's CU	
A3	◀				
A4	◀				
TC1		45:00	00:59:00:00	00:59:15:00	

Figura 9.8. Haga clic en la pista TC1 para salir de Segment Mode.

Botón Lift/Overwrite del modo segmento

Este botón es mucho menos útil cuando se mueven clips. Cuando hace clic en el botón **Lift/Overwrite** (el botón rojo) y arrastra el segmento, mueve el segmento elegido (bien) y sustituye al segmento sobre el que aterriza (no tan bien). No suele ser lo que queremos hacer.

Observe la figura 9.9 para ver qué ocurre cuando utilizamos **Lift/Overwrite** para arrastrar Ext-Pool al mismo punto que hicimos anteriormente utilizando el botón **Extract/Splice** del Segment Mode. La toma se quita de su antigua posición, dejando un espacio en blanco en su lugar, y se mueve a su nueva posición. Pero, en lugar de empujar Womans Gets Water al tercer lugar, elimina la mayor parte del clip.

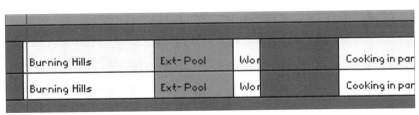

Figura 9.9. Lift/Overwrite.

Evidentemente esto no es para lo que se utiliza **Lift/Overwrite** en Segment Mode. Su función principal es mover bloques de sonido de forma rápida, como música o narración. Digamos que estamos trabajando en una secuencia que contiene varias tomas explicadas por una voz en *off*. Cuando monta por primera vez la narración, no fluye como le gustaría. Las frases del narrador están demasiado juntas, por lo que decide extender la narración. Aquí es donde mejor funciona **Lift/Overwrite** de Segment Mode.

En el ejemplo de la figura 9.10, quiero mover la narración de A1 hacia el inicio del visual V1. Coloco entonces el indicador de posición donde quiero que vaya la narración.

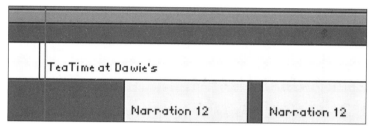

Figura 9.10. *Mover la narración.*

A continuación, hago clic sobre el botón rojo **Lift/Overwrite**, hago clic sobre el segmento de la narración y entonces lo arrastro al indicador de posición (véase la figura 9.11).

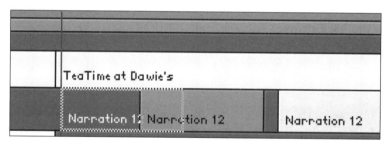

Figura 9.11. *Arrastrar al indicador de posición.*

Cuando suelto el ratón, el bloque de narración está donde quiero y nada ha perdido la sincronización (véase la figura 9.12).

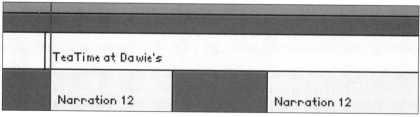

Figura 9.12. *Narración en su nueva ubicación.*

En el capítulo anterior vimos cómo importar música y efectos de sonido. Monte varios clips de sonido en Timeline y entonces practique moverlos utilizando **Lift/Overwrite**.

Otro truco práctico implica el uso del botón **Lift/Overwrite** de Segment Mode con las teclas de Trim Frame (Recortar fotograma) del teclado.

Pulse el botón rojo de segmento, seleccione el bloque de audio que quiere mover y pulse las teclas << o < para desplazar el segmento de sonido hacia la cabeza de la secuencia o las teclas >> o > para desplazarlo hacia la cola (véase la figura 9.13).

Pruébelo. Es bastante preciso.

Figura 9.13. *Teclas Recortar fotograma.*

Lift/Overwrite es también estupendo para mover títulos, como veremos en el capítulo 12.

Mover sonido a pistas distintas

También puede utilizar el botón **Lift/Overwrite** siempre que quiera mover un clip de sonido (o imagen) que está en una pista a otra pista. En la figura 9.14, el sonido de Tea Time está en A3 y quiero llevarlo a A2, justo bajo la pista de narración.

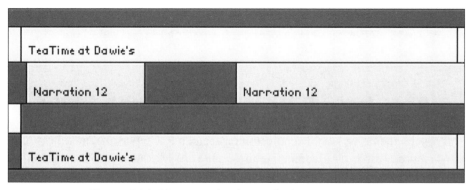

Figura 9.14. *Mover un clip de sonido de una pista a otra.*

1. Haga clic en el botón **Lift/Overwrite Segment Mode**. Si quiere evitar que la pista se deslice horizontalmente, mantenga pulsadas **Control-Mayús** en Windows o **Control** en Mac.

2. Haga clic en el segmento de sonido que quiera mover.

3. Arrástrelo a la pista en la que quiere que vaya (véase la figura 9.15).

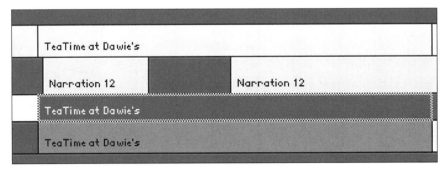

Figura 9.15. *Arrastre el segmento a la pista deseada.*

Una vez más, aparecerá un perfil blanco alrededor del cuadro para mostrar qué se está moviendo y a dónde. El resultado, como muestra la figura 9.16, es el esperado.

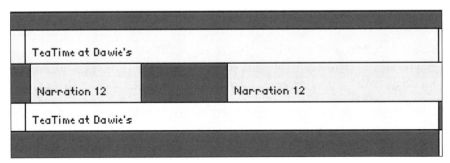

Figura 9.16. *Pista de sonido en su nueva ubicación.*

Enlazar para entrar en Segment Mode

Probablemente ya haya hecho esto por accidente. Como sabe, al enlazar una transición de izquierda a derecha, entrará en Trim Mode. Si, en lugar de enlazar una transición, enlaza un segmento (véase la figura 9.17), entrará entonces en Segment Mode.

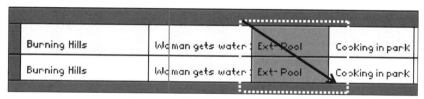

Figura 9.17. *Enlazar segmentos.*

¿En qué **Segment Mode** entra si enlaza un segmento? El **Segment Mode** seleccionado será el último que utilizó. Si quiere el otro, haga clic en él. Enlazar es una forma estupenda de seleccionar varios clips de una vez. Enlace todos los clips que quiera. Puede mover más de un segmento a la vez. Por ejemplo, puede querer llevar las tomas cuarta y quinta y moverlas al inicio de la secuencia. Podría pulsar el botón **Extract/Splice**, hacer clic en un segmento y después hacer clic mientras pulsa **Mayús** para seleccionar los cuatro segmentos (dos de imagen y dos de sonido), o puede enlazar todos ellos en un solo movimiento. Aunque en la figura 9.18 sólo muevo dos tomas, puede mover 30 o 50 tomas a la vez. Si hay un relleno negro entre los segmentos que quiere mover, también puede seleccionarlo y moverlo.

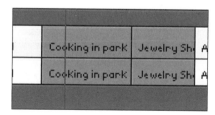

Figura 9.18. *Mover varios segmentos a la vez.*

Para resumir los botones de **Segment Mode**:

* Utilice **Extract/Splice** para cambiar el orden de los clips en **Timeline** (véase la figura 9.19).

* Utilice **Lift/Overwrite** para mover bloques de sonido o títulos en **Timeline** (véase la figura 9.20).

Figura 9.19. *Extract/Splice.*

Figura 9.20. *Lift/Overwrite.*

Tareas recomendadas

Monte una secuencia utilizando los visuales y entrevistas de *Kizza's Portrait*. Ahora practique las siguientes habilidades de Segment Mode:

1. Vaya a Segment Mode haciendo clic en el botón **Extract/Splice Segment Mode**. Ahora mueva un clip, visual o de entrevista, hacia el inicio de la secuencia. Asegúrese de hacer clic mientras pulsa **Mayús** para seleccionar la imagen y el sonido.

2. Salga de Segement Mode.

3. Enlace un clip, asegurándose de seleccionar la imagen y el sonido, y muévalo al inicio de la secuencia.

4. Entre en Segment Mode haciendo clic sobre el botón **Lift/Overwrite Segment Mode**. Mueva un clip de imagen y un clip de sonido al inicio. (Ups, no es lo que quería.)

5. Deshaga. Salga de Segment Mode.

6. Añada música a las pistas A3 y A4.

7. Entre en Segment Mode haciendo clic sobre el botón **Lift/Overwrite Segment Mode**. Seleccione la música y muévala a lo largo de Timeline. Pruebe a mover la música utilizando las teclas de Trim Frame.

8. Enlace tres clips para entrar en Segment Mode. Compruebe en qué modo se encuentra.

9. Salga de Segment Mode haciendo clic en cualquier parte de la pista TC1 (Media Composer).

10. Edición avanzada

Como hemos observado en varias ocasiones, Avid es un complejo sistema de edición, cargado de funciones que otorgan al montador una enorme flexibilidad. En su mayor parte, nos hemos ceñido a los conceptos básicos para limitar la cantidad de material que debe asimilar para hacer el trabajo. Ahora examinaremos funciones más avanzadas.

Al final de este capítulo, será un montador más rápido con un enorme control de **Timeline** (Línea de tiempo).

Recortar en dos direcciones

Una vez comience a añadir pistas adicionales a su secuencia, usar **Trim Mode** (Modo Recorte) puede ser algo difícil. Por ejemplo, digamos que tenemos un clip en V1 con gente votando en la primeras elecciones libres de Sudáfrica (véase la figura 10.1). La narración describe la acción en A1, y la pista de sincronización es A2. Le gusta la forma en la que funciona la narración con la imagen y la pista de sincronización. Pero supongamos que necesita cortar la cabeza del clip porque la secuencia es demasiado larga.

He colocado marcadores, llamados localizadores, en las tres pistas para mostrar lo que ocurre si recorta el clip de la votación sin ajustar la pista de narración.

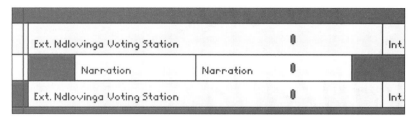

Figura 10.1. Antes de recortar.

En la figura 10.2, he recortado 30 fotogramas de la cabeza de la imagen Voting Station y la pista de sincronización. Las pistas V1 y A2 se han acortado en 30 fotogramas, mientras que A1, que contiene la narración, sigue teniendo la misma duración. Todo se desbarata. Dirá: "Cortamos 30 fotogramas de la narración y todo volverá a estar sincronizado", pero no podemos hacerlo. Si recortamos la cabeza de la narración, cortaremos las palabras del narrador. La solución es recortar en dos direcciones. Avid sabe que ésta es una situación común y permite recortar en el área negra, o de relleno, para mantener las pistas alineadas. Observe.

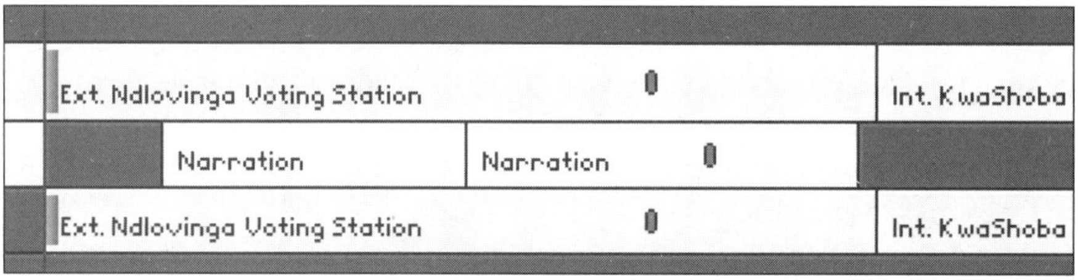

Figura 10.2. Después de recortar.

Colocando un rodillo simple en el otro lado de la pista de narración, como muestra la figura 10.3, donde hay relleno y no hay voz y luego recortando, Avid quita 30 fotogramas de relleno de la narración mientras que quita 30 fotogramas del clip Voting Station.

Todas las pistas siguen alineadas. Como puede ver, las flechas van en dos direcciones distintas. Estamos recortando en dos direcciones. Podemos utilizar Single Soller Trim Mode (Modo recorte de rodillo sencillo) para añadir a la cabeza del clip Voting Station. Esta vez, arrastramos los rodillos a la izquierda para ampliar el clip en 30 fotogramas. Una vez más, colocamos un rodillo sencillo en el lado de relleno de la narración (véase la figura 10.4).

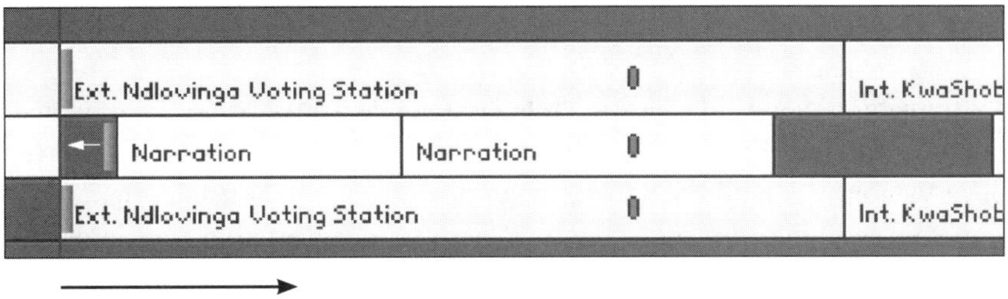

Ext. Ndlovinga Voting Station		0		Int. KwaShob
← Narration	Narration	0		
Ext. Ndlovinga Voting Station		0		Int. KwaShob

→

Figura 10.3. *Arrastre el rodillo hacia la derecha para recortar el clip Voting Station en 30 fotogramas. El relleno de la narración se acorta en 30 fotogramas.*

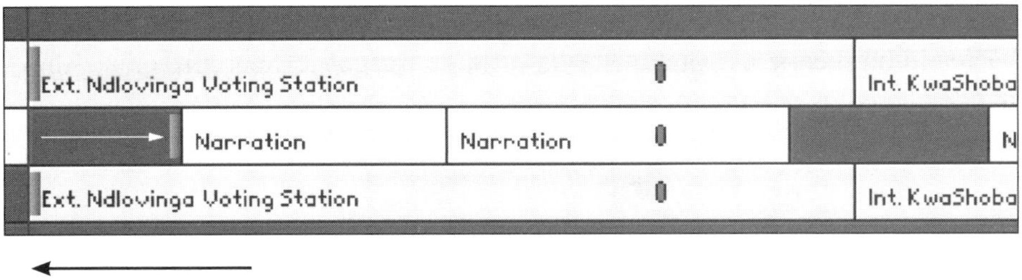

Ext. Ndlovinga Voting Station		0		Int. KwaShoba
———→ Narration	Narration	0		N
Ext. Ndlovinga Voting Station		0		Int. KwaShoba

←

Figura 10.4. *Arrastre el rodillo a la izquierda para ampliar el clip Voting Station en 30 fotogramas. El relleno de la narración se amplía en 30 fotogramas.*

Me llevó cierto tiempo cogerle el truco a esto de recortar en dos direcciones. Recuerde que una vez que tiene el clip que quiere recortar, para que el resto de pistas sigan alineadas a ese recorte, debe añadir o sustraer de cada pista, o todo se saldrá de sincronización.

La figura 10.5 muestra muchas pistas con el relleno ajustado para que el clip de imagen pueda recortarse.

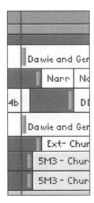

Figura 10.5. *La pista de imagen y sincronización se recortan mientras que en el resto de pistas se ajusta su relleno.*

Watch Point

La transición que Avid muestra en la ventana de Trim Mode cuando hace clic en el botón **Review Transition** (Revisar transición) se llama *watch point* (punto de observación). Es fácil cuando sólo hay dos pistas y todo está cortado en recto porque sólo hay una transición que ver, pero en cuanto tenga transiciones en L Avid sólo puede seleccionar una de las transiciones para mostrarla en la ventana de Trim Mode. La última pista seleccionada para el recorte es la que se convierte en el punto de observación. Esto no es necesariamente lo que puede querer ver. Observe la ubicación del indicador de posición en el ejemplo de la figura 10.6. Se encuentra en el rodillo de un efecto de sonido, pero la razón por la que está haciendo un recorte es para ajustar la pista de imagen y sincronización. Ahí es donde queremos que esté el *watch point*.

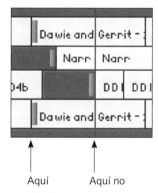

Aquí   Aquí no

Figura 10.6. *Punto de observación.*

Para arreglar esta situación, simplemente haga clic con el ratón en el rodillo de la transición que desea. El indicador de posición saltará a esa transición y el punto de observación pasará al punto correcto. Recuerde: el punto de observación caerá en la última transición que seleccione.

Practique esta técnica. Vea lo que ocurre cuando el punto de observación es incorrecto. Mueva el punto de observación de forma que la transición que quiere recortar se vea en la pantalla de Trim Mode.

Slip y Slide

Slip (Saltar) y Slide (Deslizar) son potentes funciones de edición que afectan a los clips de Timeline. Son versiones únicas de Trim Mode.

Slip

Slip es especialmente práctico. Digamos que tiene una sección unida de un clip maestro en Timeline y que después de reproducir la secuencia ve que la sección del clip que utilizó no es la correcta. Quizá colocó las marcas de ENTRADA y SALIDA en Source Monitor (Monitor de origen) un poco pronto. Sin Slip, la única forma de arreglar esto sería marcar el clip en Timeline y seleccionar una nueva ENTRADA en Source Monitor. Pulse **Overwrite** y habrá sustituido el clip con una sección diferente del mismo. Si aún no es correcto, pruebe de nuevo.

Con Slip no se necesita volver a Source Monitor. Puede cambiar el clip en Timeline. Lo que hacemos es cambiar la ENTRADA y la SALIDA al mismo tiempo. Piense en Slip como en una correa convectora (véase la figura 10.7). La correa completa es el clip maestro, y la parte de la correa que vemos en Timeline es la sección que hemos montado.

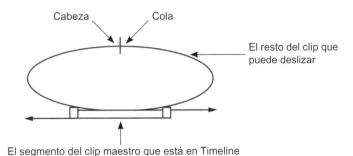

Figura 10.7. Esquema del funcionamiento de Slip.

Puede cambiar la sección de Timeline con Slip. Cuando utilizamos Slip en el metraje, la longitud del clip en Timeline se queda igual; se añaden fotogramas a la cabeza del clip mientras que se recortan de la cola; o puede recortar fotogramas de la cabeza y añadirlos a la cola.

Arrastrar los rodillos a la izquierda se muestra material que viene antes de lo que hay en Timeline, deslizando hacia la cabeza. Si arrastra los rodillos a la izquierda, se muestra material que viene después de lo que hay en Timeline, deslizando hacia la cola.

Para entrar en Slip Mode:

* Enlace el clip en Timeline de derecha a izquierda.

* O entre en Dual-Roller Trim Mode (Modo recorte de rodillo doble) y luego haga clic con el botón derecho sobre el segmento del clip. Seleccione Slip Trim.

Los rodillos de recorte sencillo saltarán a los puntos de corte. Los monitores de origen y grabación pasarán a ser cuatro pantallas (véase la figura 10.8).

Figura 10.8. *Modo Slip Trim.*

Las dos pantallas del interior son los fotogramas de cabeza y cola del clip que está recortando **Master shot** (Clip B).

La pantalla de la izquierda del todo es el fotograma del Clip A y el de la derecha del todo es el fotograma de cabeza del Clip C. Los fotogramas del Clip B (Toma maestra) cambiarán mientras lo desliza. Los fotogramas de los clips A y C no cambiarán.

Puede utilizar las teclas de **Trim Frame** (<<, <, > y >>) para deslizar el clip o hacer clic y arrastrar cualquiera de los rodillos. Los fotogramas que aparecen en las dos pantallas del centro cambiarán según deslice.

Salir de **Slip** es igual que salir de **Trim Mode**:

• Haga clic en la pista TC1.

• O pulse el botón **Trim Mode**.

Slide

Slide es lo contrario de Slip, No cambia ninguno de los fotogramas del clip que está deslizando (Clip B). En vez de eso, mueve el clip B a lo largo de Timeline. En la figura 10.9, estamos deslizando del primer plano de Tim. Como puede ver, los rodillos saltan al otro lado del primer plano de Tim y, al arrastrar los rodillos a izquierda o derecha, se mueve el clip a una posición distinta en Timeline. El primer plano de Tim no cambia, pero las tomas de ambos lados sí. Es difícil imaginar por qué querría mover un clip de este modo. Quiero decir, imagine deslizar un clip a lo largo de Timeline, como tenemos en la figura 10.9. Perderíamos el control de las tomas.

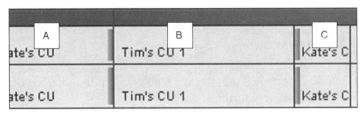

Figura 10.9. *Clips en Timeline.*

Pero piense en usar Slide con una toma de recorte: ahora vamos a algún sitio. Examine la figura 10.10. Aquí, tenemos un primer plano de Tim, en el que Tim le dice a Kate que las cartas ahora son suyas y que puede hacer lo que quiera con ellas. Digamos que queremos ver lo que Kate piensa de esto. Queremos romper la pequeña charla de Tim con una toma de recorte de Kate, con aspecto de disconformidad, por lo que sobrescribimos su imagen en algún punto sobre el primer plano de Tim.

Pero ¿dónde debería ir? Utilizando Slide, podemos moverla a lo largo de Timeline hasta que esté perfectamente colocada.

Como puede observar en la figura 10.10, podemos mover la toma de la reacción de Kate hacia el final del diálogo de Tim (arrastrándola a la derecha) o más hacia el inicio.

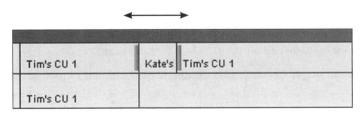

Figura 10.10. *Slide.*

Para entrar en Slide Mode:

- Mientras mantiene pulsada las teclas **Mayús-Alt** (Windows) u **Opción** (Mac), enlace el clip de derecha a izquierda.

- Entre en Dual-Roller Trim Mode y, a continuación, haga clic con el botón derecho sobre el segmento del clip. Seleccione entonces Slide Trim en el menú.

Para salir de Slide:

- Haga clic en la pista TC1.

- O pulse el botón **Trim Mode**.

Recorte J-K-L

Ésta es una de las grandes innovaciones de edición de todos los tiempos. Algunas personas lo llaman recortar al vuelo. No se usan las teclas de recorte << y >>; en su lugar, se recorta mientras se reproduce, utilizando las teclas **J-K-L** en Trim Mode.

Primero probemos el recorte J-K-L trabajando en la cara A o cara B de una transición, pero no en ambas.

1. Enlace una transición y después entre en Single-Roller Trim Mode (Modo recorte de rodillo sencillo). Asegúrese de que los rodillos están sólo en un lado de la transición.

2. Pulse las teclas **J** o **L**; las transiciones se alargarán o recortarán mientras las ve.

3. Cuando vea el fotograma en el que quiere terminar el recorte, pulse la tecla **K** o la barra espaciadora.

La primera vez que se prueba esto puede ser confuso, así que ralentizaremos las cosas pulsando y manteniendo pulsada la tecla **K** y después **J** o **L**.

1. Mantenga pulsada la tecla **K** mientras pulsa **J** o **L** para ir despacio hacia atrás o adelante mientras recorta o alarga el clip.

2. Cuando llegue el fotograma donde quiere terminar el recorte, suelte la tecla **K**.

A la mayoría de la gente le gusta tanto esto que se enganchan para siempre.

Ahora probemos el recorte J-K-L en Dual-Roller Trim Mode. Observará que solamente se reproducirá en tiempo real un lado del Trim Mode (véase la figura 10.11). El otro lado, se actualizará una vez que se detenga. Sea cual sea el lado que tiene la línea verde, justo debajo de los contadores, es el que se reproduce en tiempo real.

Figura 10.11. *La línea verde muestra el lado que se reproduce en tiempo real.*

Mueva el ratón sobre la ventana (no haga clic) para seleccionar el lado que quiere ver reproducido. La línea verde pasará al otro lado.

Replace

Replace (Sustituir) hace lo que uno espera; sustituye material de la secuencia con otro material escogido. Digamos que ha colocado un clip en Source Monitor, marcado una ENTRADA y una SALIDA y lo ha montado en Timeline. Al verlo, piensa que otra toma funcionaría mejor. Sin Replace, tendríamos que buscar la nueva toma y sobrescribirla en Timeline. Replace es diferente. A diferencia de sobrescribir, Replace no necesita marcas de ENTRADA y SALIDA. Utiliza la ubicación de los indicadores azules de posición para hacer su trabajo. Sé que esto es un nuevo concepto así que lo veremos más detalladamente.

Replace se encuentra en el menú rápido entre **Splice** y **Overwrite**. Es una flecha azul (véase la figura 10.12).

Figura 10.12. *Sustituir edición (Replace).*

OK. Digamos que tenemos metraje de dos personas nadando. Lo que se ve en la figura 10.13 está tomado de Swim Take 1. Monte esto en Timeline. Cuando revisamos la secuencia, pensamos que la Take 2 puede quedar mejor, porque cuando la mujer levanta la cabeza vemos más de su rostro.

La acción más importante es la mujer tocando la pared y levantando la cabeza, por lo que coloco el indicador de posición en Timeline (véase la figura 10.14).

Figura 10.13. *Toma 1.*

Swim Tk 1	
Swim Tk 1	

Figura 10.14. *Indicador de posición.*

Después voy a **Source Monitor** y cojo Swim Take 2. Reproduzco el clip hasta que encuentro el punto en el que ella saca la cabeza del agua. Dejo ahí el indicador de posición. Ahora, pulso el comando **Replace**, situado en el menú rápido **Source/Record**.

Ahora he sustituido Swim Take 1 por un clip de la misma longitud tomado de Swim Take 2, que se sobrescribe según la ubicación de los indicadores de posición. La cabeza de la mujer saldrá del agua en el mismo punto en la secuencia que en la toma 1. En este caso, estamos haciendo corresponder la acción al mismo tiempo que sustituimos.

Lo que tiene de especial **Replace** es que puede sustituir sonido e imagen incluso si hay un corte en L. Sustituye el sonido basándose en la cantidad de sonido utilizada en Timeline, incluso si hay más sonido que imagen (lo que puede ocurrir con un corte en L) en Timeline.

Este comando también puede ser útil si quiere intentar sustituir una sección de sonido de sincronización malo. Digamos que había un fuerte ruido de fondo durante una toma. La segunda toma no es tan buena visualmente, pero tiene un sonido más limpio. Marque una palabra en Timeline con el indicador de posición, después coloque el indicador de posición en la misma palabra de la segunda toma, que habrá colocado en Source Monitor (véase la figura 10.15). Ahora, pulse **Replace** y tendrá un mejor sonido y una buena sincronización. Esto no funcionará con tomas largas, pero es perfecto para sustituir trozos pequeños de diálogo.

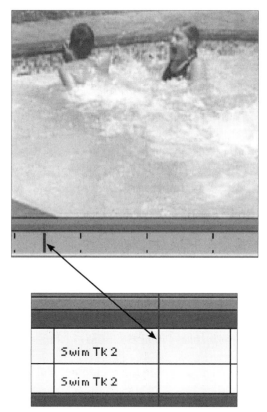

Figura 10.15. *Esto se colocará aquí.*

Edición con una sola marca

Mi mantra para hacer un montaje desde Source Monitor o Timeline siempre ha sido "son necesarias tres marcas para hacer una edición". Bien, somos editores avanzados ahora (o casi) por lo que queremos trabajar más rápido. La edición con una sola marca nos permite establecer una sola marca y después usar la ubicación del indicador de posición para las otras dos marcas.

Digamos que coloca el indicador de posición en Timeline en el lugar que desea que comience la siguiente toma. No hay necesidad de marcar una ENTRADA. Vaya a Source Monitor y luego marque un punto de ENTRADA. Ahora reproduzca hasta que encuentre su SALIDA, pero en lugar de marcarla, utilice el indicador de posición para hacer saber a Avid dónde quiere la salida. Sobrescriba y habrá editado con una sola marca.

Por el contrario, puede marcar una SALIDA en Source Monitor, después ubicar el fotograma para la marca de ENTRADA. Puede realizar la edición sin marcar la entrada.

Esto funciona con **Splice**, **Overwrite** y **Replace**.

1. Vaya a Settings y haga doble clic en Composer.

2. En el cuadro de diálogo, haga clic en la pestaña Edit y seleccione Single Mark Editing (Edición con una sola marca).

3. Haga clic en **OK**.

Practique esto porque es increíblemente rápido.

Corresponder fotograma

En ocasiones, cuando está trabajando en Timeline, quiere ver de dónde viene una toma de Timeline o se pregunta qué viene antes o después de la sección que montón. Una forma rápida de abrir el clip completo es pulsar **Match Frame** (Corresponder fotograma). Inmediatamente aparecerá el clip entero en Source Monitor.

Match Frame se encuentra en el menú rápido de Source/Record, pero también puede acceder a él desde Command Palette (Paleta de comandos) bajo la pestaña Other (Otros) y colocarlo en un botón de comando de la barra de herramientas de Timeline, como he hecho yo en la figura 10.16.

Probemos a usarlo. Coloque el indicador de posición sobre el clip en Timeline y pulse el botón **Match Frame**.

Match Frame busca en el clip de origen la pista que está seleccionada y la abre en Source Monitor con una marca de ENTRADA en el fotograma exacto que marcó con el indicador de posición. Si quiere encontrar el clip de origen de una narración, asegúrese de que la pista está seleccionada. Si es una imagen, entonces asegúrese de seleccionar la pista de vídeo.

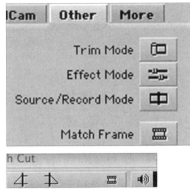

Figura 10.16. Match Frame.

Mapear elementos del menú en el teclado

Puede colocar cualquier comando de cualquier menú en cualquier tecla del teclado o en cualquiera de los botones de comando.

Por ejemplo, el comando que abre Title Tool (Herramienta de título), que utilizaremos para crear títulos, se encuentra en la parte inferior del menú Tools (Herramientas).

Si vamos a crear muchos títulos, como haremos en el capítulo 12, sería práctico no tener que ir al menú Tools y desplazarse hasta abajo para llegar a ello. Sería estupendo colocar el comando de menú en una tecla de forma que podamos acceder a esa herramienta de forma rápida.

Abra su teclado yendo a la ventana Settings y haciendo doble clic en el teclado activo.

Verá que la mayoría de teclas del teclado ya tienen comandos asignados, pero si pulsa la tecla **Mayús** (la del teclado, no la de la pantalla), verá entonces que existen muchas teclas en blanco. Vamos a colocar la herramienta de títulos en **Mayús-T**.

Verá que la tecla **T** ya tiene un comando asignado, uno que no es demasiado útil. Sí, podemos mapearlo a otra tecla en blanco, pero **Mayús-T** para título es más fácil de recordar.

1. Abra el teclado desde la ventana Settings, el que creamos anteriormente en el capítulo 4.

2. Vaya a Command Palette desde el menú Tools.

3. Seleccione Menu to Button Reassignment en Command Palette (véase la figura 10.17). Puede observarse que el cursor ahora parece un menú en blanco.

Figura 10.17. *Reasignación de menús a botones.*

4. En el teclado real, mantenga pulsada la tecla **Mayús**.

5. Ahora, haga clic con el cursor sobre la tecla **Mayús-T** del teclado de la pantalla para que se vuelva de color oscuro.

6. Lleve el cursor al menú Clip y luego seleccione New Title (Nuevo título). Ahora verá una **T** mayúscula en la tecla **Mayús-T** en el teclado Avid (véase la figura 10.18).

Figura 10.18. *Asignación de Menú de títulos a Mayús-T.*

7. Cierre Command Palette. Cierre el teclado.

No necesitaremos esto hasta el capítulo 12, pero entonces nos será muy práctico. Recuerde que puede colocar cualquier elemento del menú en cualquier botón o tecla del teclado, pero esperemos para mapear otros comandos de menú hasta que estemos más familiarizados con los elementos del menú.

Tareas recomendadas

1. Practique el recorte en dos direcciones.

2. Establezca el punto de observación para mostrar el clip que quiere ver en la pantalla de Trim Mode.

3. Entre en Slip Mode y deslice un clip.

4. Monte una toma de reacción en V1 de Timeline de *Wanna Trade* y utilice Slide para moverla.

5. Practique el recorte J-K-L.

6. Seleccione una pista de vídeo y pulse **Match Frame**.

7. Deseleccione las pistas de vídeo y seleccione una pista de audio. Pulse **Match Frame**.

8. Utilice **Replace** para cambiar un clip de Timeline utilizando los indicadores de posición para sustituir el material de Timeline con el material de Source Monitor.

11. Guardar el trabajo

Si es un ordenador, se colgará

No hace mucho hubo artículos en los periódicos, revistas semanales y sitios en línea de noticias sobre la convergencia de la televisión y los ordenadores, con algunos que sugerían que pronto estaríamos viendo la televisión en nuestros monitores de ordenador. Uno escribió refutando esta sugerencia diciendo que no quería estar viendo la Super Bowl y que el sistema se le colgara durante el *touchdown* de la victoria.

Hay parte de verdad en esa observación. Los ordenadores se cuelgan, tienen fallos y son susceptibles a los virus y otras infecciones. Cuando uno se para a pensar en ello, dichos problemas no se encuentran en ninguno de los incontables productos electrónicos que nos rodean. Mi microondas no se cuelga, mi televisión no tiene fallos y mi cámara digital no coge virus.

Dicho esto, los distintos Avid que he utilizado en los últimos 14 años han sido bastante fiables. Solamente se han colgado unas 50 veces y nunca he perdido más de 10 minutos de trabajo. Dado lo mucho que he utilizado Avid y el servicio que me ha proporcionado, deduzco que es una de las cosas más fiables de mi vida.

Por tanto, soy un consumidor satisfecho y no dudo en ensalzar la fiabilidad de Avid siempre que me preguntan. Aun así, Avid se colgará y cuando lo haga será mejor que esté preparado.

Copias de seguridad

Si hay un fallo del sistema o un problema en el disco duro, puede perder todo su trabajo, a menos que haga copias de seguridad. Con esto me refiero a colocar la información sobre sus latas y secuencias en una unidad flash USB o en un CD. Veamos cómo:

1. Cuando termine de editar diariamente, y después de haber guardado todo el trabajo, cierre el proyecto y salga de la aplicación. Volverá al escritorio o el Finder.

2. Haga doble clic en **Mi PC** (Windows) o **Macintosh HD** (Mac).

3. Los usuarios de Media Composer 3.0 en Windows Vista tienen que ir a `C:\Usuarios\Público\Documentos públicos\Avid Media Composer`. Los usuarios de versiones anteriores a Media Composer pueden encontrar la carpeta de proyectos compartidos de Avid en `Mis Documentos`. Los usuarios de Mac deben ir a **Usuarios>Compartido>Avid Media Composer.**

4. Si está utilizando una unidad externa FireWire, es posible que su carpeta de proyectos esté almacenada ahí.

5. Abra la carpeta `Shared Avid Projects` (véase la figura 11.1).

6. Desplácese hasta que encuentre su proyecto, el que nombró.

7. Inserte una memoria flash en el puerto del ordenador (USB, por ejemplo) para el tipo de dispositivo de almacenamiento.

8. Cuando aparezca el icono de la unidad flash en el escritorio, arrastre (o copie) la carpeta de proyecto que contiene el nombre de su proyecto a la unidad flash (véase la figura 11.2). El ordenador comenzará automáticamente a copiar en la unidad flash. Saque la unidad flash.

No ha sido tan difícil. Recuerde hacerlo diariamente.

Debería hacer copias de seguridad de su carpeta de proyecto al final de cada sesión de edición y después renombrar la última versión con la fecha actual de forma que pueda encontrar los cambios más recientes.

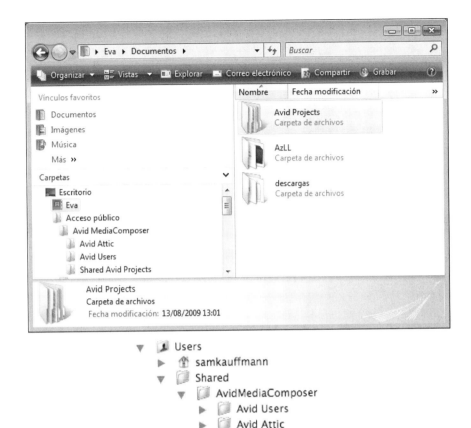

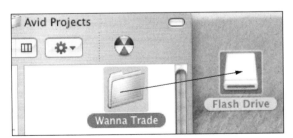

Figura 11.1. *La carpeta de proyectos de Avid en Windows y Mac.*

Figura 11.2. *Hacer una copia de seguridad.*

Todas las opciones, secuencias y latas del proyecto, incluyendo títulos, efectos, clips, subclips e información de clips de audio, todo se copia al disco de seguridad. Abra la carpeta más reciente y verá que todo lo asociado con el proyecto se ha copiado al disco de seguridad, como muestra la figura 11.3.

Figura 11.3. *Contenido de la carpeta Wanna Trade.*

Es importante remarcar que no se copian los archivos de medios (ni imagen digitalizada ni sonido) en la copia de seguridad.

Sólo la información que Avid ha creado sobre el proyecto, pero suele ser todo lo que necesita.

Unidades flash USB

Las unidades flash USB, también llamadas unidades de viaje, tienen todas las formas y tamaños (véase la figura 11.4). Mi único consejo es comprar una fina. Sé que hay algunas con formas de animales o que tienen luces de flash, pero resista la tentación.

Compre una que no sea mucho más gruesa que la conexión USB. Una vez cometí el error de comprar una gruesa y cada vez que iba a utilizarla tenía que desconectar otros dispositivos USB para poder conectarla al puerto USB. Mi unidad flash de 512 MB me ha servido muy bien. Puede obtener 1 GB o más.

Después del fallo

Si hay un fallo grave y el proyecto falta o está muy corrupto o bien si alguien elimina su proyecto del ordenador, puede volver a cargar todos sus archivos en Avid.

Lo único que tiene que hacer es insertar la unidad flash en el puerto del ordenador y arrastrar la carpeta de proyecto a la carpeta `Avid Projects`. Inicie el programa Avid y su proyecto y toda la información de clip estará ahí. Se mostrará como `Media Offline` (Medios fuera de línea) pero puede recapturar fácilmente los clips.

Y, una vez recapture los clips, todas las secuencias que editó utilizando esos clips estarán tal y como las dejó. Aprenderemos a recapturar clips más adelante en este capítulo.

Figura 11.4. *Unidad flash USB.*

Guardar la configuración de usuario

Puede hacer una copia de seguridad de la configuración de usuario de la misma forma.

Todas las opciones de usuario que realizó en el área Settings (Configuración), la configuración del teclado, cómo funciona el auto-guardado, el color de las pistas en Timeline (Línea de tiempo), etc., están guardados con su nombre en la carpeta Avid Users.

Copiar la configuración de usuario

Cuando esté en el escritorio o el Finder (la aplicación está cerrada y el disco duro del ordenador abierto), repita los pasos que utilizó para llegar a la carpeta Avid Projects y busque la carpeta Avid Users.

Haga doble clic en ella y después arrastre su carpeta a una unidad flash, como muestra la figura 11.5.

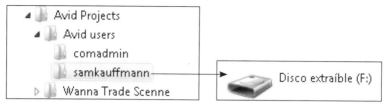

Figura 11.5. *Localice la carpeta Avid User y arrástrela al disco de copia de seguridad.*

Si se convierte en un editor *freelance* y trabaja en distintas empresas de post-producción, puede llevar consigo todas sus opciones de usuario: el aspecto de Avid, el mapeo del teclado, etc., en una unidad flash.

Cuando se siente en una nueva estación de edición Avid, simplemente conecte su unidad flash.

En la ventana Project (Proyecto), haga clic en la pestaña Settings. Vaya al menú desplegable User (véase la figura 11.6) y luego seleccione Import User (Importar usuario) o User Profile (Perfil de usuario). Navegue hasta la unidad flash y seleccione su perfil.

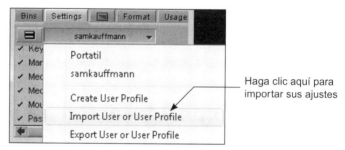

Figura 11.6. *Trabaje siempre que quiera con su perfil de usuario.*

El ático

Si recuerda el trabajo que hicimos con Settings, recordará que Bin Settings (Opciones de lata) fue una de las primeras cosas que examinamos (véase la figura 11.7). Aquí es donde le dijimos a Avid la frecuencia y modo en que queríamos guardar el trabajo en el "ático". El ático, como recordará, es como el ático de una casa, donde se almacenan las cosas antiguas. En este caso, las cosas antiguas son las versiones anteriores del trabajo. Si hubiese un fallo o si perdiese una secuencia o algo ocurriera durante la sesión de edición, puede ir al ático y recuperar la lata que contiene sus secuencias. Sea lo que sea lo que busque, probablemente esté en el ático.

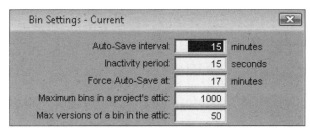

Figura 11.7. *Guardado de archivos en el ático.*

Busque la carpeta `Attic` en el mismo lugar en el que encontró las carpetas `Avid Projects` y `Avid User`. Haga doble clic para abrirla y después abra su carpeta de proyecto (véase la figura 11.8). Avid no guarda secuencias sino las latas.

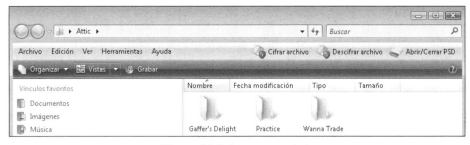

Figura 11.8. *La carpeta Attic.*

Recuperar un archivo del ático

1. En la ventana **Project**, cierre todas las latas (véase la figura 11.9).

Figura 11.9. *Copias de seguridad de las latas.*

2. Minimice la ventana de Avid en Windows; en un Mac, oculte la pantalla de Avid pulsando **Comando-H**.

3. Abra el disco duro en el escritorio.

4. Busque la carpeta `Attic` en el mismo lugar en el que encontró las carpetas `Avid Projects` y `Avid User` (véase la figura 11.10).

Figura 11.10. *Carpeta Attic.*

5. Abra la carpeta `Attic`. Mostrará una carpeta para cada proyecto.

6. Desplácese hasta que encuentre su proyecto. Ábralo.

7. Busque la carpeta llamada como la lata que quiere y ábrala.

8. Dentro de la carpeta de lata, encontrará múltiples archivos que representan las distintas versiones de la lata. El número más bajo (1.1) será el más antiguo y el más alto será la versión más reciente.

9. Haga **Control-clic** (Windows) o **Mayús-clic** (Mac) sobre el archivo de lata que quiere.

10. Los usuarios de Windows deben hacer una copia de la lata original en la carpeta `Attic` y pegarla en el Escritorio. Los usuarios de Mac deben pulsar **Opción** y arrastrar la lata al escritorio.

11. Ahora abra el programa Avid desde la barra de tareas.

12. Cuando se abra Avid, haga clic sobre la ventana Project para activarla.

13. Desde el menú File (Archivo), seleccione Open Bin (Abrir lata). Navegue hasta que encuentre la lata que acaba de crear en el escritorio y haga clic en **Open**.

14. Ahora cree una nueva lata. Llámela `Restore` (Restaurar).

15. Seleccione la secuencia que quiere de la lata y después arrastre la secuencia (Windows) o pulse **Opción** y arrastre (Mac) la secuencia a la nueva lata `Restore`.

16. Seleccione y elimine la copia de la lata en la carpeta `Other Bins` (Otras latas).

17. En el escritorio, elimine el archivo de copia de la lata.

Capturar medios fuera de línea en lote

Si el material se queda fuera de línea (a propósito o por accidente) o si va a capturar material que registró, el proceso de captura de lote es el mismo. La captura de lote sólo funciona con cintas que tienen código de tiempo.

Examine la lata en **Frame View** (Vista Fotograma) (véase la figura 11.11). El clip de la izquierda está fuera de línea.

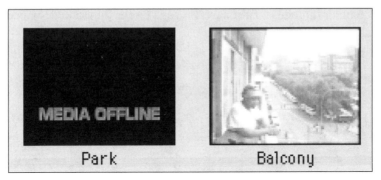

Figura 11.11. *Clips en Vista Fotograma.*

La información sobre el clip está ahí, pero el archivo de medios o fue eliminado o nunca se capturó.

Antes de capturar nada, debe tener frente a usted las cintas. También necesitará el equipo para poder enviar la señal de vídeo y audio desde la pletina a Avid. Eche un vistazo al capítulo 6 para revisar los pasos que realizamos para capturar. Una vez listo:

1. En la lata, seleccione todos aquellos clips de vídeo o de audio que desea capturar.

2. Cuando todos los clips fuera de línea estén resaltados, vaya entonces al menú **Toolset** (Herramientas) y seleccione **Capture** (Capturar).

3. Seleccione:

   • La lata de destino.

   • La resolución.

   • Las pistas (V1, A1, A2, TC).

4. Vaya al menú **Clip** (Media Composer) o menú **Bin** (Xpress) y seleccione **Batch Capture** (Captura de lote).

5. Aparecerá entonces un cuadro de diálogo. Asegúrese de que está seleccionado **Offline Media Only**. Haga clic en **OK** (véase la figura 11.12).

Avid le pedirá la primera cinta. Debería tener cerca todas las cintas de origen e insertarlas según Avid las va pidiendo. Una vez que Avid comienza a capturar los clips fuera de línea, puede observar el proceso. Cuando se captura un clip, ya no está resaltado, por lo que con el tiempo la lista de clips resaltados es cada vez menor, hasta que no queda ninguno resaltado. Puede abortar el proceso de lote en cualquier momento. Para hacerlo, haga clic en el icono de papelera en la herramienta de captura.

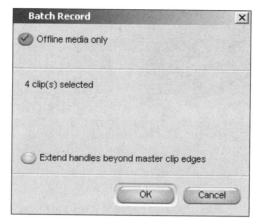

Figura 11.12. *Captura de lote.*

Copia de seguridad
de archivos de medios

Si casi todo en su proyecto se capturó desde cintas de vídeo con código de tiempo, entonces no hay mucha razón para hacer una copia de seguridad de sus archivos de medios; simplemente capture las cintas en lote, tal y como se describió anteriormente.

No obstante, hoy en día muchas cámaras ya no graban en cinta. El sonido y la imagen se graban en unidades y tarjetas de memoria, por lo que diseñar un protocolo de copia de seguridad es importante. Con las unidades externas de 500 GB a buen precio, estaría loco si no hiciese copia de seguridad de sus medios Avid, especialmente si no tiene una cinta de vídeo de la que recapturar. Puedo parecer obsesivo/compulsivo pero tengo un amigo que perdió cinco meses de rodaje porque su unidad de disco falló. ¿Cómo es eso posible? Buen, rodó con una cámara que almacenaba todo en tarjetas de memoria y esas tarjetas ya se habían borrado, por lo que no hubo forma de recuperar el metraje.

Incluso los proyectos que fueron grabados en cinta a menudo tienen muchos gráficos, música, efectos de sonido o archivos de animación importados.

Ninguno de ellos tiene código de tiempo, por lo que no hay una forma fácil de recapturarlos. Creo que es momento de considerar hacer una copia de seguridad de nuestros archivos de medios en unidades duplicadas. Puedo dormir tranquilo pensando que he copiado todos mis medios en una unidad de apoyo de 320 GB que me costó bien poco.

Arrastrar y soltar la carpeta MediaFiles

Una vez haya capturado o importado sus medios, simplemente conecte su disco de apoyo a su ordenador. Si ha almacenado los medios en una unidad FireWire externa, entonces deberá conectar ambas unidades, la de medios y la de seguridad, al ordenador para poder ver ambas.

Navegue a su disco de medios, el que ha utilizado para almacenar los archivos de imagen y sonido. Si está trabajando con archivos MXF, estarán almacenados en una carpeta llamada `Avid MediaFiles`, tal como la que muestra la figura 11.13.

Si está trabajando con material de definición estándar y seleccionó OMF en vez de MXF como tipo de medios, la carpeta se llamará `OMFI MediaFiles`. Arrastre la carpeta a la unidad de copia de seguridad. Si tiene mucho material, puede llevar varios minutos.

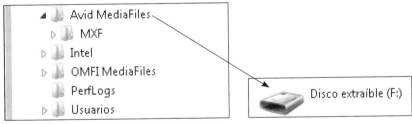

Figura 11.13. Carpeta de medios.

Copias de seguridad diarias

Una vez haya capturado todo su material en la unidad de apoyo, no hay razón para copiar los archivos de medios más de una vez porque no cambian. Pero debería continuar haciendo copias de seguridad de su carpeta `Avid Projects` al final de cada día de trabajo. Es la carpeta que registra todas sus decisiones de edición, su creatividad y trabajo duro. Le han dicho que algún día su querido Avid fallará, así que no se arriesgue a perder días e incluso semanas de trabajo. Recuerde: hágalo a diario.

Tareas recomendadas

1. Abra la unidad del sistema o el disco duro del ordenador y examine las carpetas Avid que contiene.

2. Busque las carpetas `Avid Projects`, `Avid Users` y `Attic`.

3. Abra la carpeta `Avid Projects` y haga una copia de seguridad de sus proyectos Avid en una unidad flash.

4. Haga una copia de seguridad de su archivo `Avid User` en una unidad flash o CD.

5. Abra su unidad de medios y examine la carpeta `Avid MediaFiles` o `OMFI MediaFiles`.

12. Títulos

Hay muchos tipos de títulos que sirven a distintas funciones en una producción. Además del título principal, están los créditos de apertura y los créditos finales, los títulos de identificación (tercio inferior), subtítulos e información de *copyright*. Cuando se piensa en ello, uno no puede realmente acabar un proyecto sin añadir títulos.

Normalmente los títulos se añaden hacia el final de la etapa de edición. Si aún está haciendo muchos cambios en la secuencia y añade títulos, pueden salirse de la sincronización fácilmente y deslizarse a otras imágenes a las que no pertenecen y es penoso volver a colocar todo. Confíe en mí. Espere a añadir los títulos lo más tarde posible en el proceso de edición. Puesto que hemos terminado el proceso de edición de *Wanna Trade* y posiblemente otra tarea corta, podemos volver y añadirles títulos.

Abrir la herramienta de títulos

Si está planeando añadir un título sobre una imagen de vídeo, normalmente se coloca el indicador de posición sobre la imagen en Timeline (Línea de tiempo) y después se abre Title Tool (Herramienta de títulos), tal y como se muestra en la figura 12.1. De esa forma, el fondo elegido se convierte en el fondo que muestra Title Tool. Para abrir Title Tool (véase la figura 12.2), vaya al menú Clip y seleccione New Title (Nuevo título).

Área segura de acción

Fondo de vídeo   Área segura de título

Barra de herramientas   Título

Figura 12.1. *Herramienta de títulos.*

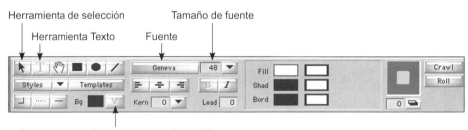

Herramienta de selección   Tamaño de fuente

Herramienta Texto   Fuente

Conmutador de fondo de color o vídeo, "V"

Figura 12.2. *Barra de herramientas de Title Tool.*

Probablemente aparezca un aviso como el de la figura 12.3, preguntándole si desea Title Tool o títulos Marquee (Marco). Marquee es una herramienta avanzada de títulos que es mucho más fácil de comprender una vez se domina Title Tool estándar. Puesto que este aviso aparecerá cada vez que abra Title Tool, seleccione la casilla Persist (Persistir) y después haga clic en el botón **Title Tool** para ir directamente a la herramienta.

Más adelante, cuando esté preparado para trabajar con Marquee, vaya a Settings (Configuración) y luego haga doble clic en la opción Marquee Title para abrir la herramienta de títulos Marquee.

Una vez seleccione Title Tool, verá la ventana Title.

Aquellos que practicaron colocar un elemento del menú directamente en una tecla del teclado en el capítulo 10, recordarán que colocamos el comando de menú Title Tool en la tecla **Mayús-T**, por lo que sólo tienen que pulsar esa combinación para abrir Title Tool.

Figura 12.3. *Aviso de selección de herramienta de título.*

Seleccionar un fondo

Si no quiere una imagen de vídeo como fondo del título, haga clic en el botón **V** para conmutar (véase la figura 12.4). La V verde se volverá negra. Negro es el color predeterminado pero puede hacer clic y mantener el cursor dentro del cuadro Bg y aparecerá un selector de color. Mueva el cursor por los colores para seleccionar el que desea para el fondo. También puede utilizar el cuentagotas para seleccionar un color.

Figura 12.4. *Seleccione un fondo de color haciendo clic en el botón V.*

Crear nuestro primer título

Crear títulos es bastante directo. Voy a crear un título para que vaya sobre una toma concreta de Nelson Mandela saludando a sus seguidores. Hago clic en el botón **V** para que se vuelva verde y la imagen de vídeo aparece en la ventana de Title Tool. Para escribir las letras, asegúrese de que la **T** de la herramienta **Texto** está verde. Si no, haga clic en la **T** para activarla. Ahora haga clic sobre la imagen en el lugar donde quiere que comience el texto. El cursor se convierte en un palito. Mientras escribe, el texto aparecerá y fluirá hacia la siguiente línea. No se preocupe, simplemente escriba el texto. Puede eliminar letras, editarlas, escribir otras, básicamente todas las funciones que ofrecen la mayoría de programas de edición de texto.

Herramienta de selección

En algunos sistemas, Geneva es la fuente por defecto y su tamaño predefinido es de 48 puntos. Verá que 48 suele ser demasiado grande. Una vez ha terminado de escribir, haga clic en la herramienta **Selection** (Selección) a la izquierda de la herramienta texto para que la flecha se ponga verde. Ahora haga clic sobre el título. Aparecerá un cuadro de selección con manillas alrededor del título. Cambie a otra fuente haciendo clic en el botón de fuente y seleccionando una fuente distinta en la lista. También puede seleccionar otro tamaño de fuente. Observe que la negrita (**Bold**) está seleccionada por defecto, así que haga clic en el botón **B** si quiere texto normal.

Las manillas de selección también le permiten cambiar el tamaño del cuadro de texto. Si las palabras pasan a la siguiente línea y quiere que entren todas en una, arrastre uno de los extremos de la derecha hasta la línea de título seguro. Ahora, arrastre la parte izquierda hasta la línea de título seguro. Verá que las palabras tienen más espacio, por lo que entrarán en una sola línea. Haga clic en el botón **Center text** (Centrar Texto) (no en los botones de alinear a derecha o izquierda) y el título estará perfectamente centrado. Ahora puede hacer clic en cualquier punto dentro del título y arrastrarlo a un área distinta del fotograma.

En la figura 12.5 he arrastrado el título a la parte de la pantalla llamada normalmente tercio inferior, donde aparecen la mayoría de títulos de identificación.

Utilice la herramienta **Text Tool** para escribir las letras; la herramienta **Selection** para hacer cambios al título. He seleccionado la fuente Tahoma y un tamaño de 36 puntos. Esto permitirá que las palabras "Nelson Mandela" quepan en una línea. El *kerning* permite cambiar el espaciado entre letras. Seleccione el texto que quiere espaciar y despliegue el menú de Kern o bien escriba un número en el cuadro.

Los números negativos estrechan el espacio. Los números positivos lo aumentan. Lead cambia el espacio entre las líneas de texto.

Manillas de selección: arrástrelas a izquierda
o derecha para ajustar el texto a una línea

Herramienta Selección   Centrar Texto   Herramienta Sombra

Figura 12.5. *Herramienta de selección.*

Tenga en cuenta el cuadro de título seguro, las líneas punteadas. Algunos monitores de televisión recortan los bordes de la imagen, pero si mantiene las letras dentro de las líneas punteadas puede estar seguro de que los espectadores verán todo el texto.

Sombras

Puede añadir una sombra paralela o una sombra interior a sus títulos. Las sombras hacen que las letras resalten sobre el fondo. Es mejor añadir sombras con la herramienta de selección. Haga clic en el título para que aparezcan las manillas. Ahora vaya al cuadro Shadow Tool (Herramienta Sombra) y, al arrastrar en cualquier dirección dentro del cuadro, aparecerá una sombra. Puede utilizar el cursor para arrastrar la sombra en cualquier dirección y aumentar o disminuir la profundidad de sombra. El número del cuadro Shadow Depth Selection (Selección de profundidad de sombra) cambiará para indicar cuánta sombra se está creando. Aquí, he establecido la dirección de forma que la sombra aparezca en la parte superior derecha de las letras con una profundidad de 14. En realidad, 14 es demasiado, pero exagerando el efecto puede verse mejor la diferencia. Al pulsar el botón **Drop and Depth Shadow** (Sombra paralela e interior) puede cambiar de un tipo de sombra a otra (véase la figura 12.6).

También puede hacer clic en el cuadro Shadow Depth Selection, escribir un número y pulsar **Intro** o **Retorno**.

Arrastre la sombra para establecer la dirección y cantidad de sombra

Pulse este botón para pasar de sombra paralela a...

...a sombra interior

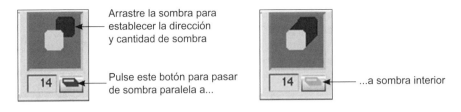

Figura 12.6. Sombra paralela (izquierda); sombra interior (derecha).

Guardar títulos

Los títulos no se guardan automáticamente. Debe guardar un título en una lata para poder utilizarlo. Vaya al menú File (Archivo) y seleccione Save Title (Guardar título). Aparecerá un cuadro de diálogo que le permite seleccionar la lata donde guardará el título, la partición del disco duro y la resolución. Después de hacer clic en **OK**, el título se guardará en la lata seleccionada. Si ha terminado con los títulos, vaya al menú File y seleccione Close (Cerrar). Si quiere seguir creando títulos, seleccione New Title en el menú File.

File	Edit	Bin	Clip	Output	Special	Tools
New Title						Ctrl+N
Open Bin...						Ctrl+O
New Script...						
Close						Ctrl+W
Save Title						Ctrl+S
Save Title as...						Shift+Ctrl+S

Figura 12.7. Menú File.

Montar títulos en la secuencia

No puede editar títulos directamente sobre la secuencia desde la herramienta **Title Tool**. Una vez ha guardado el título y cerrado la herramienta **Title Tool**, verá que el título se ha guardado en la lata y colocado convenientemente en Source Monitor (Monitor de origen).

Name	Start
⊞ Title: Thabo Mbeki	00;00;30;00
⊞ Title: Soweto Housing	00;00;30;00
⊞ Title: Nelson Mandela.01	00;00;30;00

Figura 12.8. *Título en la lata y el monitor de origen.*

Con el título en **Source Monitor**, estamos listos para añadirlo a la secuencia. Pero espere, ¿dónde irá? Ya que este título se supone que va superpuesto sobre el vídeo de Nelson Mandela, necesitamos abrir una segunda pista de vídeo. Vaya al menú **Clip** y seleccione **New Video Track** (Nueva pista de vídeo). Aparecerá V2 en **Timeline**. Ahora debe pegar la pista de origen en la pista de grabación V2. Recuerde que aprendimos a pegar pistas en el capítulo 8. Haga clic y mantenga pulsado sobre la pista de origen V1 y arrastre a la pista de grabación V2, como muestra la figura 12.9.

Figura 12.9. *Haga clic para mover el icono de monitor de vídeo a V2.*

Cuando haya pegado la pista, V2 estará resaltado pero V1 no. Asegúrese de que el icono de monitor de vídeo se encuentra en V2. Recuerde: Avid monitorizará todas las pistas de vídeo por debajo de la pista con el monitor de vídeo. Si el icono se queda en V1, no mostrará las pistas superiores.

Ahora, está listo para montar el título utilizando la regla "son necesarias tres marcas para hacer una edición". Hay unas cuantas cosas que debería saber antes de hacer el montaje.

Avid genera unos dos minutos de material de título cada vez que crear uno. Puesto que eso es mucho más de lo que necesitará, no marque la ENTRADA en el primer fotograma de **Source Monitor**. En lugar de eso, avance unos 60 fotogramas y marque su ENTRADA. De esa forma puede hacer fundidos y recortes. Tres segundos son una buena duración para la mayoría de los títulos cortos. Marque una ENTRADA, reproduzca unos tres segundos y marque una SALIDA. Ahora vaya a **Timeline** y marque una ENTRADA donde quiere montar el título. Es mejor utilizar sobrescribir que unir. Como puede ver, el título se ha colocado en **Timeline** sobre la toma en la que irá superpuesto (véase la figura 12.10).

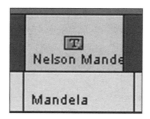

Figura 12.10. *Título en línea de tiempos.*

Una pequeña bola en el icono de título nos dice que el título está sin interpretar. Un efecto sin interpretar es uno que no ha sido creado dentro del ordenador. El título, su color, sombra, tamaño, etc., no se han convertido en una entidad completa. Cuando se interpreta un título o un efecto se crea algo nuevo, un archivo de medios en la unidad de medios. Interpretar títulos ocupa espacio en la unidad de medios, por lo que la mayoría de la gente no interpreta títulos o efectos a menos que tengan que hacerlo.

Ajustar la longitud del título

Si resulta que el título en pantalla es demasiado largo, utilice **Dual-Roller Trim Mode** (Modo recorte de doble rodillo) para recortar la cabeza o la cola del título. Si no es lo suficientemente largo, utilice **Dual-Roller Trim Mode** para ampliar la cola del título.

Añadir fundidos al título

El título que he creado queda bien pero después de verlo decido que no me gusta que aparezca de repente en la pantalla. Añadamos un fundido de medio segundo al inicio y fin del título:

1. Asegúrese de que está seleccionada la pista con Title Tool.

2. Coloque el indicador de posición de forma que esté dentro del clip del título en Timeline.

3. Haga clic ahora en el botón **Fade Effect** (Efecto de fundido) (véase la figura 12.11) del menú rápido entre Source Monitor y Record Monitor.

Figura 12.11. *Botón de efecto de fundido.*

Aparece un cuadro de diálogo como el de la figura 12.12. Escriba el número de fotogramas que desea que tenga el fundido, 15 en este caso, y haga clic **OK**.

No verá ninguna indicación en Timeline de que se ha colocado el efecto, pero verá los resultados cuando pulse **Play**. Eso es todo. Hemos creado un título con una sombra paralela, lo hemos colocado en el tercio inferior del fotograma, lo hemos guardado en una lata, montado sobre una pista de vídeo y hemos añadido un fundido. No obstante, se pueden hacer muchas más cosas con **Title Tool**.

Figura 12.12. *Efecto fundido.*

Títulos de color

Puede cambiar el color de las letras, de la sombra, o ambos. Incluso puede crear una mezcla para que, por ejemplo, un título que comience oscuro y se vaya aclarando progresivamente. (Puesto que este libro es en blanco y negro, deberá practicar las técnicas de color en Avid para ver los colores.)

Utilizando la herramienta **Title Tool**, cree un nuevo título. Ahora intentaremos convertir un título blanco en un título con color. Primero lo seleccionamos con la herramienta de selección. Después hacemos clic en la ventana Fill (Relleno) (véase la figura 12.13). Pulse y mantenga el ratón sobre la ventana Fill y aparecerá un selector de color.

Figura 12.13. *Haga clic y mantenga pulsado para abrir el selector de color.*

Arrastre los colores y seleccione el color deseado o haga clic en el cuentagotas y haga clic dentro del fotograma de vídeo para seleccionar un color que ya
esté en la pantalla. En la figura 12.14 he seleccionado el color rojo para rellenar
las letras. También puede seleccionar un color para las sombras. No tienen por
qué ser negras. Seleccione el título en la ventana y después haga clic y mantenga pulsado sobre la ventana Shadow (véase la figura 12.15). Cuando aparezca
el selector de color, arrastre por las opciones y seleccione la que desee. Aquí he
seleccionado un rojo claro para la sombra. He exagerado la sombra seleccionando una profundidad de 7 para que el cambio sea más pronunciado. Ahora tengo
un título blanco con una sombra roja.

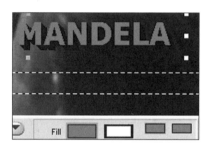

Figura 12.14. *Letras con relleno rojo.*

Figura 12.15. *Título en blanco con sombra roja.*

Mezclar un título

Digamos que el fondo de vídeo cambia de claro a oscuro por lo que un título en blanco no se verá en las áreas claras y uno oscuro no se verá bien en las oscuras. Puede crear una mezcla de forma que el título cambie de un color a otro. Cuando hago clic en la ventana Fill (véase la figura 12.16), aparecen dos pequeñas ventanas a su derecha. Haga clic y mantenga pulsado sobre la ventana de la izquierda y seleccione un color oscuro. Haga clic y mantenga pulsado sobre la ventana de la derecha y luego seleccione un color claro. Las opciones aparecen en su respectivo cuadro, y la mezcla de ambos aparece en el cuadro Blend Direction (Dirección de la mezcla). Puede cambiar la dirección arrastrando el cursor dentro de este cuadro. He seleccionado gris oscuro en el cuadro de la izquierda y blanco en el de la derecha. La figura 12.16 muestra el título resultante. Observe cómo las letras van del gris oscuro al blanco a lo ancho del título.

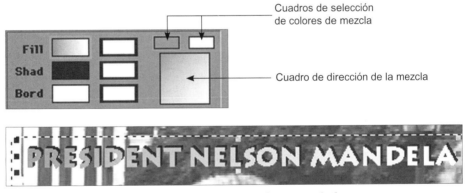

Figura 12.16. *Título con colores mezclados.*

Crear hojas de estilo de título

Después de hacer mucho trabajo para configurar el título de la forma que desea, sería estupendo no tener que reinventar la rueda la siguiente vez que cree un título similar. Afortunadamente, **Title Tool** tiene una función Save as... (Guardar como) que le permite crear una hoja de estilo para poder utilizar los mismos parámetros en cualquier nuevo título que cree.

Para crear una hoja de estilo:

1. Haga clic en el título u objeto que desea guardar como hoja de estilo de forma que se resalte el cuadro de selección en **Title Tool**.

2. Pulse el triángulo que hay junto a **Styles** para que aparezca el cuadro Save as... Véase la figura 12.17).

Figura 12.17. *Guardar como hoja de estilo.*

3. Seleccione Save as....

4. Aparece el cuadro de diálogo Style Sheet (Hoja de estilo).

5. Asegúrese de que los parámetros reflejan su elección.

6. Verá el nombre del tipo de fuente en un cuadro. Escriba sobre él, sustituyendo por un nombre como "Tercio inferior" o "Créditos".

7. Haga clic en **Done** (Hecho).

Una vez ha creado un estilo, las hojas de estilo aparecen en la ventana Save As.... Para aplicar un estilo a un nuevo título, elija la herramienta **Selection**, después vaya al menú Styles y seleccione su opción. Se aplicarán esos parámetros al nuevo título.

Sombras suaves

Cuando se colocan sombras en las letras, tienen un borde duro. En ocasiones, dar menor definición a las sombras mejora su apariencia. En **Title Tool**, seleccione un título que tenga sombra y después vaya al menú Object (Objeto) en la parte superior de la pantalla. Este menú y el menú Alignment (Alineación) sólo aparecen cuando **Title Tool** está abierto.

Seleccione Soften Shadow (Suavizar sombra) que es el último elemento en el menú Object. En cuanto lo seleccione, aparecerá un cuadro de diálogo como el de la figura 12.18.

Escriba una cantidad. El rango es de 4 a 40. Pruebe con 5 y después haga clic sobre **Apply** (Aplicar). Verá la cantidad de suavizado en la sombra del título. Si le gusta lo que ve, pulse **OK**. Si no, cambie el valor y haga clic de nuevo en **Apply** hasta que le guste el aspecto (véase la figura 12.19).

Figura 12.18. *Cuadro de diálogo Suavizar sombra.*

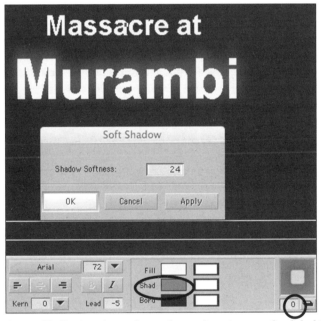

Figura 12.19. *Asegúrese de que la sombra tiene profundidad 0
y que tiene seleccionado un color en el cuadro Shadow.*

Títulos luminosos

Puede hacer que los títulos sean luminosos para darles otro aspecto. El título parecerá estar rodeado por un matiz de color. Utilicé este efecto para el título de apertura de mi película *Massacre at Murambi*. Para crear un efecto luminoso utilizaremos las mismas herramientas que usamos para crear títulos con sombras suavizadas, pero de forma algo distinta.

Abra la herramienta **Title Tool** y escriba el texto. Utilizando la herramienta **Selection**, coloque el texto donde desee. Asegúrese de que el título no tiene un valor de sombra. Si hay un número en el cuadro Shadow Depth Selection, haga clic en él, escriba **0** y pulse **Intro** o **Retorno**. Ahora vaya al cuadro Shadow y elija un color. Pruebe con un amarillo o rojo claros. Sé que parece extraño seleccionar un color para la sombra cuando no hay una sombra, pero tenga paciencia. Ahora, vaya al menú Object y seleccione Soften Shadow. Pruebe introduciendo un valor de 24. Pulse **Apply** para obtener una vista previa. La figura 12.19 muestra el efecto que obtuve. Es difícil verlo en blanco y negro pero espero que pueda apreciar que hay cierta suavidad alrededor y a lo largo de las letras.

Dibujar objetos

Title Tool tiene herramientas de dibujo con las que puede crear cuadros, círculos, líneas y flechas de diversas formas y colores. El título de la figura 12.20 tiene letras blancas, un poco de sombra paralela y una línea roja bajo las letras para añadir énfasis. Creé la línea utilizando la herramienta **Rectangle** (Rectángulo) (véase la figura 12.21) y arrastrando las manillas para crear una línea delgada y larga.

Figura 12.20. *Título con una línea debajo.*

Figura 12.21. *Herramientas rectángulo, círculo y línea.*

Para darle al rectángulo un aspecto más redondeado, seleccioné el rectángulo y luego fui a la herramienta que cambia las esquinas de los objetos (véase la figura 12.22).

Figura 12.22. *Haga clic aquí para seleccionar la forma de las esquinas.*

Tecla Supr

Si crea un título o bien dibuja un objeto que no le gusta, selecciónelo con la herramienta **Selection** y después pulse la tecla **Supr**. También puede utilizar **Deshacer**.

Títulos con objetos

Para darle un ejemplo de algunas otras cosas que podemos hacer con estas herramientas, he creado un título que quiero superponer sobre una toma de bañistas en el océano de Durban, Sudáfrica (véase la figura 12.23). Las letras blancas no resaltan como quisiera, por lo que he creado un rectángulo coloreado que puedo colocar detrás del texto.

Primero, selecciono un color para el rectángulo haciendo clic en el cuadro Fill y seleccionando un color aguamarina. A continuación, selecciono la herramienta de dibujo que crea cuadros (y rectángulos). Como quiero que el rectángulo tenga esquinas redondeadas, selecciono la curva redondeada en la herramienta **Corner Selection** (Selección de esquinas).

DURBAN WATERFRONT

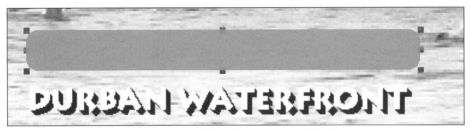

Figura 12.23. *Título sobre imagen del océano.*

Cuando arrastro el puntero a lo largo de la ventana de título, aparece un rectángulo azul con esquinas redondeadas.

Utilizando la herramienta **Selection**, arrastro el rectángulo sobre el título "Durban Waterfront". El título ya no se ve.

Ahora voy al menú Object y entonces selecciono Send to Back (Enviar al fondo) (véase la figura 12.24). Esto coloca el objeto que está al frente (el rectángulo azul) detrás del título.

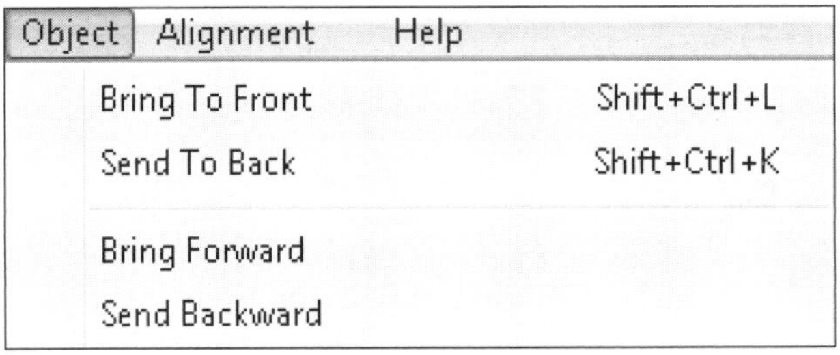
Object
Alignment
Help
Bring To Front
Shift+Ctrl+L
Send To Back
Shift+Ctrl+K
Bring Forward
Send Backward

Figura 12.24. *Enviar al fondo.*

Nuestro título es más visible ahora que tiene el rectángulo detrás (véase la figura 12.25).

DURBAN WATERFRONT

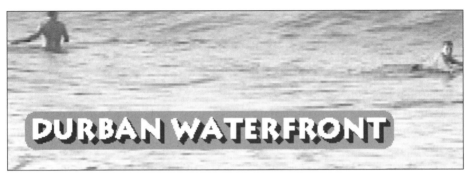

Figura 12.25. *Título con rectángulo de color detrás.*

Transparencia

No estoy realmente satisfecho con el título. Creo que el rectángulo estaría mejor si fuese menos opaco y mostrara algo del mar. Para establecer la transparencia de un objeto, seleccione la herramienta transparencia para el objeto al que quiere aplicarla. El cuadro Transparency está a la derecha del cuadro Fill (véase la figura 12.26).

En este ejemplo, he seleccionado el cuadro Transparency para Fill, lo que afecta a la transparencia del rectángulo azul. Para que sea más transparente, primero debo colocarlo en primer plano. Selecciono Bring to front (Traer al frente) en el menú Object. A continuación hago clic y mantengo pulsado el cuadro Fill Transparency Tool (Herramienta Transparencia de relleno). Aparece una barra de deslizamiento y cuando arrastro a la derecha, el rectángulo azul se hace más transparente. Ahora tiene un nivel alto de transparencia (Hi). Ahora debo enviarlo de nuevo al fondo utilizando el menú Object.

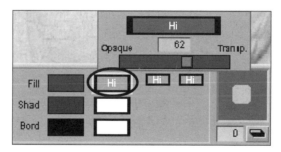

Figura 12.26. *Cuadro Transparencia.*

Menú Alignment

Cuando se abre **Title Tool** otro menú disponible es Alignment. Verá que tiene muchos elementos para ayudarle a colocar los objetos seleccionados dentro del fotograma. Utilizando la herramienta **Selection**, practique las distintas opciones de alineación disponibles en el menú desplegable.

Líneas y flechas

Hay herramientas para crear flechas y líneas de diverso grosor (véase la figura 12.27). Funcionan con **Line Tool** (Herramienta Línea) y pueden cambiarse y manipularse como el rectángulo que creamos anteriormente. Seleccione el grosor de línea o la forma de flecha, haga clic en **Line Tool** y después arrastre el cursor para crear la línea o la flecha.

Figura 12.27. *Herramientas de flecha y línea.*

Otros botones

Video Placement Tool (Herramienta de colocación de vídeo) es una herramienta que sugiero que evite por el momento. No mueve objetos en el fotograma, sino el fotograma entero (véase la figura 12.28).

Figura 12.28. *Otros botones.*

Cambiar o arreglar un título

En ocasiones creará un título, lo montará en una secuencia y días más tarde se dará cuenta de que ha escrito mal un nombre o encuentra un error que debe corregirse. No tiene que empezar desde cero y crear un título nuevo. Utilizaremos el Effect Editor (Editor de Efectos) para hacerlo, que veremos en el siguiente capítulo.

Títulos rodantes

Los créditos que aparecen al final de las películas normalmente se manejan mediante un título largo rodante. No son tan difíciles de crear. La única particularidad es que la velocidad a la que pasan los títulos viene determinada por el clip en Timeline. Para que vayan más rápido, debe recortar el clip. Para ralentizarlos, amplíe su duración en Timeline. Para crear un título rodante:

1. Seleccione un fondo, negro o vídeo, haciendo clic en **V** en **Title Tool**.

2. Desde el menú Clip, seleccione New Title.

3. A la derecha del todo de **Title Tool**, haga clic sobre el botón **Roll**; se pondrá verde.

4. Haga clic en la herramienta **Text**.

5. Seleccione la fuente y tamaño y, a continuación, haga clic sobre el botón **Center Text**.

6. Escriba el texto. Mientras escribe, es posible que el texto salte de línea. No se preocupe, siga escribiendo. Pulse la tecla de retorno al final de cada línea de texto.

7. Active la herramienta **Selection** y arrastre las manillas a derecha e izquierda para ensanchar el cuadro de texto para evitar los saltos de línea.

8. Si el texto tiene más de una página (pantalla), arrastre la barra de desplazamiento que aparece en el lado derecho de la ventana de título y desplácese por el texto.

9. Seleccione Close en el menú File.

10. Guarde el título:

    • Seleccione la unidad y lata de destino.

    • No guarde con el guardado rápido (Fast Save).

11. Haga clic en **OK**.

El título se ha guardado en una lata.

Montar los títulos rodantes

El título rodante ya estará en Source Monitor. Puesto que comienza en negro (vacío) no veremos nada. Para ver los títulos, debe arrastrar el indicador de posición de Source Monitor a lo largo de la barra de posición.

Seleccione la pista de vídeo en Timeline, pegue la pista de origen y ahora marque una ENTRADA en Timeline donde quiere que comience el título. A continuación, mueva el cursor a lo largo de Timeline y marque una SALIDA después de la ENTRADA, calculando el número de segundos entre la ENTRADA y la SALIDA.

Si la ENTRADA y la SALIDA están separadas unos 40 segundos, ésa será la duración del título. Ahora vaya a Source Monitor y marque una ENTRADA en el primer fotograma del título. Tenemos tres marcas. Ahora pulse **Overwrite**.

Verá que el título está en Timeline, con una pequeña RT para "título rodante". Dependiendo de su versión del software, puede no reproducirse en tiempo real. Probablemente tenga que interpretarlo para que se reproduzca.

Interpretar los títulos

Los títulos normales se reproducen en tiempo real pero los títulos rodantes a menudo deben interpretarse para reproducirse en Timeline.

Interpretar un título rodante

1. Seleccione la pista que contiene el título.

2. Coloque el indicador de posición azul sobre el icono **T** en Timeline.

3. Vaya al menú Clip y luego seleccione Render at Position (Interpretar en la posición).

4. O haga clic sobre el botón **Render Effect** de la barra de herramientas de Timeline (véase la figura 12.29).

Figura 12.29. *Botón Interpretar efecto.*

5. Cuando aparezca el cuadro de diálogo, seleccione la unidad de destino para el efecto.

6. Haga clic en **OK**.

Si tiene varios títulos que deben interpretarse, es más fácil hacerlos todos a la vez.

Interpretar múltiples títulos

1. Haga clic en el selector de pista para seleccionar las pistas que contienen los títulos que quiere interpretar.

2. Marque una ENTRADA antes del primer título y una SALIDA después del último.

3. Vaya al menú Clip y, a continuación, seleccione Render In/Out (Interpretar Entrada/Salida).

Ajustar la velocidad de los títulos rodantes

Una vez lo vea reproducido, puede decidir que el título rodante va demasiado deprisa o demasiado despacio. Parecerá raro, pero utilizaremos Trim Mode para cambiar la velocidad del título rodante.

Enlace el final del título para entrar en Dual-Roller Trim Mode. Ahora, arrastre el rodillo hacia la derecha (cola) y los títulos se ralentizarán. Arrastre hacia la izquierda (cabeza) y entonces la velocidad de los títulos aumentará (véase la figura 12.30).

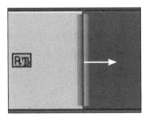

Figura 12.30. *Arrastre hacia la derecha para ralentizar los títulos.*

El título rodante siempre comienza con la primera línea fuera de pantalla. Aparecerá en la parte inferior de la pantalla y se moverá hacia arriba. Puede establecer marcas de ENTRADA y SALIDA en Source Monitor para cambiar los puntos de inicio y final; por ejemplo, si marca una ENTRADA el título comenzará con la primera línea ya en pantalla.

Títulos reptantes

Avid llama reptante a un título que se mueve a lo largo de la pantalla horizontalmente. El texto corre por el fotograma de derecha a izquierda. Estos títulos se crean igual que los rodantes, haciendo clic en el botón **Crawl** en lugar de **Roll**. Debe utilizar las manillas del selector para evitar que las palabras salten de línea. Por ejemplo, si quiere que el siguiente texto repte por la pantalla:

"Boston Red Sox win World Series! Watch the News at Eleven for Highlights."

Para que este texto repte como una sola línea, arrastre la manilla hasta la derecha del todo para que no salte de línea.

Marquee

Como dijimos anteriormente, Media Composer tiene un software de titulado especial llamado Marquee. Le permite crear títulos en tres dimensiones que pueden moverse por la pantalla como una montaña rusa. No voy a entrar en Marquee ya que tiene tantas funciones que necesita su propio libro, pero puede crear muchos de esos efectos con las herramientas que ha aprendido.

Tareas recomendadas

1. Abra **Title Tool** y seleccione un tamaño de fuente.

2. Escriba un título.

3. Haga clic en la herramienta **Selection** y arrastre las manillas de la derecha para que el título entre en la línea.

4. Mueva el título por el fotograma.

5. Añada una sombra paralela. Aumente y disminuya la profundidad y dirección de la sombra.

6. Cambie a sombra interior.

7. Guarde su título.

8. Cierre **Title Tool** y monte el título en Timeline. Si lo necesita, cree una pista V2.

9. Abra **Title Tool**. Cree un título coloreado. Añada una sombra interior. Ahora cree una mezcla de color para el título.

10. Cierre **Title Tool** y monte este título en V2. Utilice el botón **Lift/Overwrite Segment Mode** (véase el capítulo 9) para mover el título a lo largo de Timeline.

11. Abra **Title Tool**. Cree un título rodante. Cierre **Title Tool** y monte el título en Timeline.

12. Interprete el título.

13. Cambie la velocidad del título rodante.

14. Interprete el título.

13. Efectos

Avid tiene una fantástica variedad de efectos que le permitirán hacer cosas que, hasta hace unos años, sólo podía manejar George Lucas y su Skywalker Ranch. Puesto que la paleta de efectos de Avid es tan completa y extensa, he dividido nuestro examen de efectos en dos capítulos: el primero para efectos estándar y el segundo para efectos más complicados. Domine este capítulo antes de pasar a las profundidades del capítulo 14.

Tenga en cuenta que no todo proyecto se beneficia de muchos efectos. Las escenas que contienen escenas potentes con actores de talento a menudo se ven dañadas por los efectos visuales, porque roban la escena a los actores. Las secuencias de montaje que están dirigidas por la música o que contienen una cinematografía asombrosa son candidatas estupendas para los efectos, porque el efecto correcto realza el ambiente e impacto visual de la secuencia. Los vídeos musicales, que están diseñados para verse muchas veces, se benefician de efectos visuales complejos; si no, el vídeo se queda rancio después de una o dos visualizaciones. Las transiciones antes y después de anuncios comerciales en televisión suelen estar llenas de efectos visuales para atraer la atención del público. Lo mismo puede decirse de los anuncios en sí, que a menudo cuentan con asombrosos efectos visuales.

Tipos de efectos

Hay dos categorías de efectos. Los efectos de transición se aplican en el punto de corte o punto de transición, en Timeline (Línea de tiempo). Estos efectos cambian el modo en que la toma A pasa a la Toma B. Disolver A es un ejemplo de efecto de transición. En lugar de un corte recto, la toma A se funde mientras que aparece la toma B, creando así una mezcla de ambas tomas.

Los efectos de segmento se aplican al clip o segmento completo en Timeline. Puede tener una toma en la secuencia en la que el actor está de frente a la pantalla de izquierda a derecha y aplicando un volteo (*flop*) puede cambiar la dirección de pantalla de toda la toma para que el actor mire de derecha a izquierda. Cuando utiliza un efecto de segmento está afectando a un segmento en Timeline. Los efectos de segmento pueden funcionar sobre una pista de vídeo, como el volteo, o varias. Por ejemplo, puede hacer que una imagen en V2 interactúe con la imagen de V1. En un efecto multicapa, V1 siempre es la capa de fondo y V2 se coloca encima del fondo.

Muchos efectos funcionan tanto como efectos de transición y de segmento. Pueden aplicarse a ambos. Aplicar un efecto a una transición o segmento es realmente sencillo. Conseguir que hagan lo que queremos es algo más complicado.

Paleta de efectos

Echemos un vistazo a Effect Palette (Paleta de efectos). Vaya al menú Tools (Herramientas) y seleccione Effect Palette, o vaya a la ventana Project (Proyecto) y haga clic en la pequeña pestaña que parece una bandera naval. Una vez abierta Effect Palette, verá un cuadro con dos columnas. La parte izquierda de la columna enumera las categorías de efectos. Cuando hace clic en una categoría, a la derecha se muestra la lista de tipos de efectos que ofrece el sistema para dicha categoría. En la figura 13.1, he hecho clic en la categoría Image (Imagen) y mis opciones se muestran en la columna de la derecha. Desplácese por la lista de categorías haciendo clic en ellas y vea las opciones que ofrecen.

Aplicar un efecto

Aplicar un efecto es fácil. Simplemente haga clic sobre el icono del efecto que quiere aplicar y arrastre desde Effect Palette a Timeline. Suelte el ratón cuando haya llegado a la transición o segmento elegido.

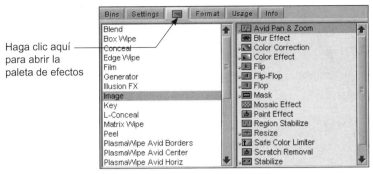

Haga clic aquí para abrir la paleta de efectos

Figura 13.1. *Paleta de efectos.*

Probemos un efecto de transición: el efecto **Squeeze**. Haga clic en la categoría **Squeeze** para ver las opciones. Hay varios efectos entre los que escoger. Probemos un **Centered Zoom** (Zoom centrado) (véase la figura 13.2).

La figura 13.3 muestra las colinas de Ruanda y la figura 13.4 es una toma de un mercado en Murambi, Ruanda.

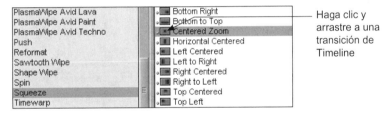

Haga clic y arrastre a una transición de Timeline

Figura 13.2. *Seleccionar un efecto.*

Figura 13.3. *Colinas de Ruanda.*

Figura 13.4. *Mercado en Murambi.*

Ahora voy a hacer clic sobre el icono de **Centered Zoom** en Effect Palette, arrastrar hasta el punto de transición en Timeline y soltar el ratón. Ya está. Ahora ya tengo una transición con un zoom centrado entre ambas tomas (véase la figura 13.5).

Figura 13.5. *Arrastre el icono Centered Zoom a la Timeline y suelte.*

La figura 13.6 le da una idea de cómo se ve el efecto. La gente del mercado se ve en pequeño al principio y después se va agrandando hasta que la imagen desplaza a la toma de las colinas.

Aplicar más efectos

Probemos a aplicar algunos efectos distintos a otras transiciones. Haga clic en la categoría llamada Shape Wipe. Haga clic y arrastre el efecto llamado Horizontal Bands a una transición de Timeline. Hay que admitirlo: algunos efectos de transición son bastante tontos, de los que sólo le podrían gustar a George Lucas. La mayoría de los efectos de transición están preestablecidos pero aprenderemos a modificarlos más adelante.

Figura 13.6. *Transición con zoom centrado.*

Ahora probemos un efecto de segmento. Desplácese en Effect Palette hasta que encuentre la categoría Image en la columna de la izquierda. Haga clic y después en el efecto llamado Flop. Este efecto cambia la dirección de pantalla de la toma. Observemos un clip de estudiando sobre el césped. Para cambiar la dirección de pantalla del clip, simplemente arrastro el icono **Flop** al clip (véase la figura 13.7), no a la transición y, ya está, la dirección de pantalla cambia (véanse las figuras 13.8 y 13.9).

Figura 13.7. *Efecto Flop sobre el segmento.*

Eliminar efectos

Deshacerse de un efecto que no queremos es fácil:

- Coloque el indicador de posición sobre el icono del efecto.

- Pulse el botón **Remove Effect** (Eliminar efecto) (véase la figura 13.10).

Figura 13.8. *Antes de aplicar el efecto.*

Figura 13.9. *Después de aplicar el efecto.*

Figura 13.10. *Botón Remove Effect.*

Efectos en tiempo real

Si observa los efectos en la paleta, los efectos con puntos verdes a la izquierda del nombre son efectos en tiempo real: se reproducirán en tiempo real. No tendrá que interpretarlos para ver cómo quedan cuando se reproducen. Discutimos la interpretación (o renderización) en el capítulo 12. Como recordará, un efecto, como un título, es una nueva creación. Para ver esta nueva creación el efecto debe crearse por el ordenador para que se quede en la unidad de medios. No obstante, Avid tiene la capacidad de reproducir la mayoría de efectos en un tipo de vista previa.

Estos efectos, que pueden reproducirse en Timeline aunque no se hayan interpretado, son efectos en tiempo real (véase la figura 13.11).

Figura 13.11. *Los efectos en tiempo real tienen un punto verde a la izquierda.*

Los efectos sin punto verde son efectos complejos. Una vez coloque ese efecto en Timeline, aparecerá un punto azul, y deberá interpretarlo para ver cómo funciona.

Media Composer también tiene efectos creados por Avid, así como por otras empresas especializadas en efectos visuales, como los que se encuentran bajo la categoría Illusion FX (véase la figura 13.12).

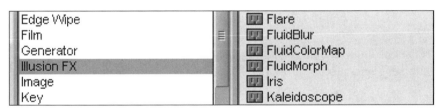

Figura 13.12. *Efectos complementos.*

Estos efectos se llaman efectos de complemento. Todos los iconos de efectos complemento parecen enchufes eléctricos. No son efectos en tiempo real, son bastante complicados y lleva bastante tiempo interpretarlos.

Nos ceñiremos a los efectos en tiempo real primero, antes de entrar en los más complicados.

Editor de efectos

Hasta el momento hemos visto efectos bastante directos. Como puede ver, no es difícil aplicar un efecto a una transición o un segmento de Timeline. Ahora veremos cómo pueden cambiarse de forma significativa los efectos utilizando Effect Editor (Editor de efectos).

Casi todos los efectos tienen parámetros, que son características específicas que pueden alterarse o ajustarse. Por ejemplo, puede tener una toma en pantalla y después hacer que una segunda imagen aparezca dentro de un cuadro que viaja a través de la primera imagen.

Hay muchos parámetros que puede manipular para mejorar este efecto. Por ejemplo, podría ponerle un borde al cuadro. Podría ponerle color al borde, que el cuadro aumentara según se mueve por la pantalla. Todos estos son parámetros que pueden controlarse mediante Effect Editor.

Puede abrir Effect Editor desde el menú Tools, pero normalmente yo suelo hacer clic en el botón **Effect Mode** (Modo Efecto) que está convenientemente situado en varios lugares (véase la figura 13.13). Veamos el aspecto de Effect Editor.

Figura 13.13. *Botones de comando Effect Mode.*

Haga clic en la categoría Blend y luego arrastre el efecto Picture-in-Picture a cualquier segmento de Timeline. Asegúrese de que la pista está seleccionada. Después:

1. Coloque primero el indicador de posición azul sobre el icono del efecto en Timeline.

2. Entonces haga clic en el botón **Effect Editor**.

Cuando se abre Effect Editor, verá que Record Monitor (Monitor de grabación) cambia de aspecto. Ahora se llama oficialmente Effect Preview Monitor (Monitor de vista previa de efecto) y está viendo el clip que contiene el efecto, no la secuencia entera. Observe que hay dos fotogramas clave ya colocados en la barra de posición.

Examinemos el editor de efectos. La figura 13.14 muestra el editor de efectos para el efecto Picture-in-Picture. En la parte superior del Effect Editor, verá el nombre del efecto que está editando. Dentro, verá los parámetros que pueden cambiarse. Las flechas le permiten deplegar las barras de deslizamiento, que controlan la cantidad de un parámetro concreto. Haga clic en un triángulo para mostrar u ocultar las barras de deslizamiento.

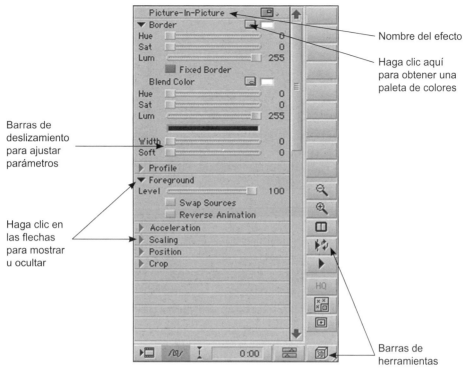

Figura 13.14. Effect Editor.

Cada efecto tendrá distintos parámetros puesto que cada uno se comporta de forma diferente. No obstante, los efectos de una misma categoría suelen tener parámetros similares.

En la figura 13.15, el efecto Picture-in-Picture se ha aplicado a una toma de dos niños yendo al mercado en la pista V2, y dicha toma está sobre una toma de tres hombres de negocios en la pista V1. Picture-in-Picture coloca a los chicos en un cuadro de imagen sobre los tres hombres de negocios. Usando algunos de los parámetros que ofrece Effect Editor, he creado un pequeño borde alrededor del cuadro de los niños y le he dado un color amarillo que ayuda a separarlo del clip del aeropuerto. Después he movido el cuadro de los niños al lado derecho del fotograma. Veamos algunos de los parámetros que encontrará:

- Border (Borde): Cambia el color del borde, o recuadro, que rodea la imagen. Puede cambiar también el ancho y suavizado del borde.

- Foreground Level (Nivel de primer plano): En mezclas y efectos clave, representa la transparencia del vídeo. En los efectos de transición, representa la proporción de fotogramas entrantes a salientes.

Fotogramas clave al inicio y fin del clip

Figura 13.15. *Monitor de vista previa de efecto.*

- **Reverse** (Invertir): Invierte los parámetros introducidos. Todos los parámetros se reordenan del último al primero. En lugar de que un recuadro empiece pequeño y después se agrande, comenzará grande y disminuirá.

- **Acceleration** (Aceleración): Controla la velocidad del inicio y fin de un movimiento para que no sea demasiado abrupto.

- **Scaling** (Escalado): Cambia el tamaño del recuadro. Puede manipular el ancho y alto de los cuadros. La mayoría de recuadros tiene manillas que puede arrastrar para cambiar su forma. También puede hacer clic en el centro del cuadro y arrastrarlo a una nueva posición.

- **Position** (Posición): Permite mover un efecto, como un recuadro, dentro del fotograma. También puede hacer clic en el centro y arrastrarlo a una nueva posición.

Herramientas de edición de efectos

Observará que cuando abre **Effect Editor** el lado **Record** (Grabación) del monitor de origen/grabación cambia al monitor de vista previa de efecto. La barra de posición ofrece un grupo de botones de comando y contiene dos fotogramas clave: uno al principio y otro al final. Puede añadir más fotogramas clave con el comando **Add Keyframe** (Añadir fotograma clave). Los fotogramas clave le permiten cambiar el aspecto de un parámetro en el tiempo (véase la figura 13.16).

Figura 13.16. *Añadir fotograma clave.*

Effect Editor tiene barras de herramientas que contienen herramientas útiles (véase la figura 13.17). Una herramienta interpretará el efecto y otra le permite introducir una nueva duración para un efecto de transición. Escriba un nuevo valor y pulse **Intro** o **Retorno**.

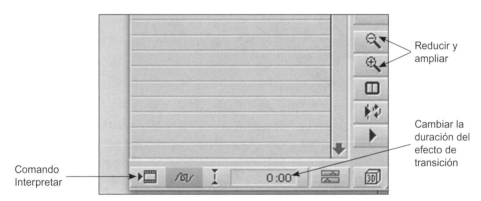

Figura 13.17. *Botones y herramientas de Effect Editor.*

Otro comando le permite reducir el fotograma de forma que puede comenzar un efecto fuera de pantalla y después aumentar el fotograma para devolver la pantalla a su tamaño normal.

Vamos a trabajar con un efecto de segmento y utilizaremos Effect Editor y fotogramas clave para cambiar el modo en que funcionan los parámetros. Esperaremos al siguiente capítulo para examinar Picture-in-Picture. Es uno de los efectos más complicados. En lugar de eso, utilizaremos el efecto de segmento Superimpose (Superponer) y trabajaremos con el parámetro Foreground Level. Superimpose se encuentra en la categoría de efectos Blend.

Para que una superposición funcione, necesitamos dos imágenes. Primero, añadimos una segunda pista de vídeo V2. Simplemente vamos al menú Clip y seleccionamos New Video Track (Nueva pista de vídeo). Después sobrescribo el segundo clip en la pista V2 (véase la figura 13.18). A continuación arrastro el icono de Superimpose desde la paleta de efectos a la imagen V2.

Figura 13.18. *Efecto sobre V2.*

Ahora abrimos Effect Editor colocando el indicador de posición sobre el icono de efecto y pulsando la tecla de comando **Effect Editor**. Se abre el editor, como muestra la figura 13.19.

Figura 13.19. *Editor de efectos.*

Las figuras 13.20 y 13.21 muestran ambos clips. Ahora el efecto me da una superposición de la imagen de V2 sobre V1. El nivel está ajustado a 50, lo que significa que ambas imágenes están mezcladas a partes iguales. Si hago clic en el botón **Play**, veré que las dos imágenes permanecen mezcladas a este nivel a lo largo de la duración del clip. La razón es que tanto el primer como el último fotograma clave están activos (rosa). Sin embargo, queremos cambiar el aspecto a lo largo del tiempo.

Figura 13.20. *La imagen de V1.*

Figura 13.21. *La imagen de V2.*

La superposición se ve bien pero no es lo que quiero. Lo que quiero es cambiar la cantidad de superposición según se reproduce el segmento.

Primero, hago clic en el primer fotograma clave en la barra de posición. Esto mantiene activo el primer fotograma clave (rosa) y desactiva el último (ya no es rosa) (véase la figura 13.22).

Figura 13.22. *Fotograma clave activo.*

Ahora, vamos a **Effect Editor** y arrastramos la barra de deslizamiento **Level** hacia la izquierda, lo que resulta en una opacidad 0 al inicio del clip (véase la figura 13.23).

Cuando hacemos esto, la imagen del primer plano, V2, no se ve en absoluto. Queremos que sea así al inicio del efecto.

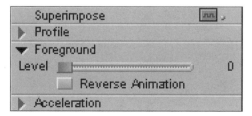

Figura 13.23. *Mover la barra de deslizamiento Level a 0.*

Después, colocamos un nuevo fotograma clave más adelante en la barra de posición, como muestra la figura 13.24. Para crear un nuevo fotograma clave, arrastramos el indicador de posición al lugar deseado y hacemos clic en el botón **Add Keyframe**. A continuación, hacemos clic en el fotograma clave para activarlo. Volvemos a Effect Editor y movemos la barra de deslizamiento Level a 25.

Figura 13.24. *Botón añadir fotograma clave.*

Ahora colocamos un tercer fotograma clave más allá en la barra de posición, hacemos clic para seleccionarlo y entonces cambiamos la opacidad a 75 (véase la figura 13.25).

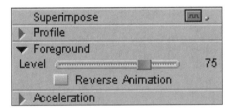

Figura 13.25. *Level a 75.*

Ahora, la imagen de primer plano comienza a verse a través de la imagen de fondo (véase la figura 13.26).

Figura 13.26. *La imagen de primer plano comienza a verse sobre la imagen de fondo.*

Por último, hacemos clic en el último fotograma clave del final y cambiamos la opacidad a 100 (véase la figura 13.27).

Figura 13.27. *Barra de posición con fotogramas clave a distintos niveles de opacidad.*

Ya hemos creado el efecto. La imagen comienza con V1 llenando completamente la pantalla (Level en 0). Con el tiempo, la imagen de V2 se va mostrando, según está establecida la cantidad de opacidad en cada fotograma clave, hasta que al final la opacidad es 100 y sólo se ve la imagen de V2 en la pantalla (véanse las figuras 13.28 a 13.30).

Figura 13.28. *Comienzo con V1.*

Figura 13.29. *V2 superpuesto a V1.*

Figura 13.30. *V2 se apodera de la pantalla.*

Trabajar con fotogramas clave

- Después de crear un fotograma clave, puede moverlo manteniendo pulsada la tecla **Alt** (**Opción**) y arrastrando a una nueva posición.

- Puede eliminar un fotograma clave seleccionándolo y pulsando **Supr**.

- Puede cambiar el parámetro de cualquier fotograma clave haciendo clic sobre él (se vuelve rosa) y después cambiando los parámetros en Effect Editor.

- Si quiere que un efecto permanezca igual a lo largo del segmento, mantenga los fotogramas clave de inicio y fin activos (rosas). Si uno está inactivo, pulse **Mayús** y haga clic para activar los dos.

Guardar un efecto como plantilla

Después de realizar todo el trabajo que implica ajustar parámetros para un efecto, puede guardarlos para utilizarlos de nuevo en otra transición o segmento en Timeline. Arrastre el icono desde la ventana de Effect Editor a una lata. Renómbrelo en la lata.

Habrá creado una plantilla (véase la figura 13.31).

Figura 13.31. *Arrastre este icono a la lata.*

Para colocar la plantilla creada en un segmento o transición diferente, haga clic sobre ella en la lata y arrástrela a Timeline.

Revisión rápida de efectos

Pasos para añadir efectos:

- Abra una secuencia en Timeline.

- Abra Effect Palette desde el menú Tools o desde la ventana Project.

- Seleccione el efecto y arrástrelo a la transición o clip en Timeline.

- Ajuste los parámetros del efecto con Effect Editor.

Añadir disoluciones

Las disoluciones son tan comunes que encontrará una tecla **Dissolve** (Disolver) en el teclado (la tecla \), un botón **Dissolve** en el menú rápido y uno en la barra de herramientas de Timeline (véase la figura 13.32).

Siga estos pasos para obtener la disolución deseada:

1. Coloque el indicador azul de posición en la transición.

2. Pulse el botón **Add Dissolve** (Añadir disolución). Aparecerá un cuadro de diálogo Quick Transition (Transición rápida), ofreciéndole opciones sobre cómo controlar el efecto.

3. Seleccione la duración. La duración por defecto es de 30 fotogramas.

4. Seleccione si el efecto está centrado en el corte, comienza en el corte, termina en el corte o está diseñado a medida.

5. Seleccione el disco de destino.

6. Haga clic en **Add** (Añadir) para colocar la disolución en la transición, o seleccione **Add and Render** (Añadir e Interpretar) para colocarlo en la transición e interpretarla. Normalmente yo hago clic en **Add**.

Figura 13.32. *Botón Add Dissolve (Añadir disolución).*

Congelar fotogramas

Hay dos efectos importantes que no están en Effect Palette: congelar fotogramas y efectos de movimiento. Congelar fotogramas tiene un estatus especial y se encuentra en el menú Clip. Para crear fotogramas congelados se trabaja desde Source Monitor. El único truco es seleccionar el método de interpretación. Siga estos pasos para crear su primer fotograma congelado; cuando lo haya hecho una vez, podrá hacerlo dormido:

1. En Timeline, vaya a la cola de la toma que quiere congelar y coloque el indicador de posición en el último fotograma. Recuerde, en Timeline, utilice **Control-Alt-clic** (**Opción-Comando-clic**) para saltar al fotograma de cola del clip.

2. Haga clic en el botón **Match Frame** (Corresponder fotograma) de Fast Menu (Menú rápido) de Timeline (véase la figura 13.33) y el clip aparecerá en Source Monitor con el último fotograma marcado con una ENTRADA.

Figura 13.33. *Match Frame.*

3. Vaya al menú Clip y haga clic y mantenga pulsado Freeze Frame (Congelar fotograma). Desplácese hasta la parte inferior del menú y mantenga el cursor pulsado para abrir el menú desplegable Two Field Freeze Frames (Congelar fotogramas de dos campos). Seleccione Using Both Fields (Usar ambos campos) (véase la figura 13.34).

Figura 13.34. *Menú Congelar Fotograma.*

4. Ahora debe ir de nuevo al menú Clip, hacer clic y mantener pulsado sobre Freeze Frame y seleccionar una duración. Haga clic en **OK**. Se creará un nuevo clip llamado `Clip name FF`. Se abrirá automáticamente en Source Monitor.

5. Marque una ENTRADA y una SALIDA en Source Monitor.

6. En Timeline, vaya al primer fotograma de la siguiente toma y marque una ENTRADA.

7. Seleccione todas las pistas haciendo clic en los selectores Record Track (Pista de grabación).

8. Únalas (mediante **Splice**) en la toma congelada.

Recuerde, no habrá sonido, sólo un relleno.

Efectos de movimiento de dos campos

Tiene tres opciones cuando cree sus fotogramas congelados: Using Duplicated Field (Usar campo duplicado), Using Both Fields y Using Interpolated Fields (Usar campos interpolados). Obtendremos la mejor calidad de vídeo utilizando Using Both Fields, pero si está congelando un clip que tiene mucho movimiento, pruebe con Using Interpolated Field.

Efectos de movimiento

Es un efecto especial que tiene su propio botón de comando, pero sólo está dentro de la paleta FX Command Palette de Media Composer. En el capítulo 4, cuando practicamos con esta paleta, colocamos el comando **Motion Effect** en la barra de herramientas de Source Monitor (véase la figura 13.35). Si se saltó ese paso, por favor regrese para ver cómo se hizo. Con la herramienta **Motion Effect** puede crear movimiento a cámara lenta y rápida, marcha atrás, o crear un efecto estroboscópico. Trabajaremos en Source Monitor. Colocamos la toma que queremos cambiar en Source Monitor y marcamos la parte que queremos cambiar y después Avid crea un nuevo afecto, que montamos en Timeline. Todos los efectos de movimiento comparten el mismo cuadro de diálogo (véase la figura 13.36).

Figura 13.35. *Comando Efecto Movimiento.*

Cámara lenta/rápida

1. Seleccione un clip de una lata al que quiera aplicar el efecto de movimiento y haga doble clic para abrirlo.

2. En Source Monitor, marque una ENTRADA y una SALIDA para mostrar la sección del clip que quiere utilizar para el efecto.

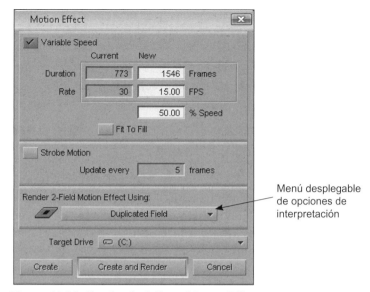

Menú desplegable de opciones de interpretación

Figura 13.36. Cuadro de diálogo Motion Effect.

3. Pulse el botón **Motion Effect** en la barra de herramientas de Source Monitor. Aparece el cuadro de diálogo Motion Effect.

4. Para efectos de velocidad variable (Variable Speed), verá que la configuración predeterminada es de 15 fotogramas por segundo y 50 por 100. La toma resultante es el doble de larga, que es otra forma de decir que parece ir a la mitad de rápido de lo normal.

5. Seleccione otra configuración, como 8 fps, para hacerla aún más lenta.

6. Cuando haga clic en **Create and Render** (Crear e Interpretar), el efecto de movimiento aparece como un nuevo clip en Source Monitor.

7. Pulse **Splice** u **Overwrite** para montarlo en la secuencia.

Marcha atrás

Este efecto es útil, por ejemplo, si tiene un zoom que se acerca y quiere que se aleje:

1. Seleccione un clip de la lata al que quiere aplicar el efecto y haga doble clic en él.

2. En Source Monitor, marque una ENTRADA y una SALIDA en la sección deseada.

3. Pulse el botón **Motion Effect** en la barra de herramientas de Source Monitor.

4. Coloque un signo menos (-) frente al porcentaje o FPS. Seleccione 30 fps si quiere que se reproduzca a velocidad normal.

5. Después de hacer clic en **Create and Render**, monte el nuevo clip en la secuencia.

Efecto estroboscópico

1. Seleccione un clip de la lata al que quiere aplicar el efecto y haga doble clic en él.

2. En Source Monitor, marque una ENTRADA y una SALIDA en la sección deseada.

3. Pulse el botón **Motion Effect** en la barra de herramientas de Source Monitor.

4. Haga clic en la casilla Strobe Motion y deseleccione la casilla Variable Speed.

5. La configuración por defecto es actualizar cada 5 fotogramas. Esto significa que se muestra cada quinto fotograma, creando el efecto estroboscópico. Pruebe con 5 fotogramas y después pruebe con otro número.

6. Después de hacer clic en **Create and Render**, monte el nuevo clip en la secuencia.

Interpretar efectos de movimiento de dos campos

Si hace clic en el menú desplegable de la herramienta **Motion Effect**, verá que tiene cuatro opciones al crear estos efectos, como se muestra en la figura 13.37.

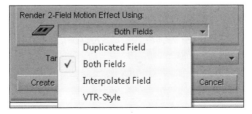

Figura 13.37. *Opciones de interpretación del menú desplegable de Motion Effect.*

Esta situación surge con vídeo entrelazado porque cada fotograma tiene dos campos y no es fácil combinarlos cuando se crea movimiento.

Mis sugerencias son las siguientes, pero puede probar las otras opciones si no está contento con el efecto:

- Prefiero Both Fields para la mayoría de efectos porque ofrece la mejor calidad de imagen.

- Interpolated Field es otra opción de alta calidad que utilizo si el clip tiene mucho movimiento.

- Duplicated Field tiene menor calidad de imagen y sólo lo utilizo cuando el resto de opciones no quedan bien.

- VTR-Style ofrece imágenes más nítidas que Interpolated Field y merece la pena probarlo para congelar fotogramas con mucho movimiento.

Interpretación (Renderización)

No importa lo sencillos o complejos que sean sus efectos, en algún momento tendrá que interpretarlos. Éste es siempre el caso cuando necesita enviar el trabajo a cinta o DVD.

Interpretar puede llevar mucho tiempo y algo de espacio en el disco duro, así que hágalo lo más tarde posible en el proceso de edición, e interprete sólo los efectos que sabe que irán en la secuencia final.

Interpretar efectos de uno en uno

1. Primero coloque el indicador de posición azul sobre el icono del efecto en Timeline.

2. Haga clic sobre el botón **Render Effect** de la barra de herramientas de Timeline (véase la figura 13.38) o seleccione Render en el menú Clip.

Figura 13.38. *Botón Render Effect.*

3. Cuando se abra el cuadro de diálogo, seleccione el disco de destino (la unidad de medios).

4. Haga clic en **OK**.

Interpretar múltiples efectos

Primero haga clic en los cuadros de selección de pista en aquellas que contienen los efectos que quiere interpretar:

1. Marque una ENTRADA antes del primer efecto y una SALIDA después del último.
2. Vaya al menú Clip y seleccione Render In/Out.
3. Cuando aparezca el cuadro de diálogo, seleccione el disco de destino.
4. Haga clic en **OK**.

Esperar a que se interpreten los efectos

Si tiene efectos complejos que interpretar, el proceso puede llevar mucho tiempo. A menudo he esperado 5 minutos a que se interprete un efecto. Puede no parecer demasiado tiempo, pero si está en pleno flujo de trabajo y le están llegando ideas puede ser como ver hervir el agua. Una estrategia es esperar a haber creado varios efectos y después interpretarlos todos a la vez, mientras hace otra cosa. Irse a comer es una opción.

Arreglar títulos con el modo efecto

Digamos que ha notado que ha cometido un error en los títulos (una palabra mal escrita o una coma inadvertida). No es necesario que vuelva a hacer el título. Coloque el indicador de posición sobre el título en Timeline. Asegúrese de que está seleccionada la pista en la que se encuentra el título. Ahora haga clic en el botón **Effect Mode** como muestra la figura 13.39. Se abrirá el editor de efectos del título.

Haga clic aquí para abrir el título

Haga clic aquí para abrir el editor de efectos del título

Figura 13.39. Abrir el editor de efectos y el título.

Ahora haga clic en el pequeño icono de Title para abrir este título en **Title Tool** (Herramienta Título). Realice sus cambios y guarde el nuevo título. Avid crea un nuevo título y mágicamente sustituye el antiguo en Timeline por el nuevo.

Práctica

El siguiente capítulo trata efectos avanzados y el amplio mundo de la corrección de color. Asegúrese de haber practicado todos los pasos descritos aquí antes de pasar al siguiente capítulo. Si no, será como saltar al extremo más profundo de una piscina. Vale, sé que aprende rápido; sé que piensa que soy demasiado cauteloso. Aun así, es muy profundo.

14. Efectos avanzados y corrección de color

Efectos avanzados

Hay algunos efectos bastante complejos que merece la pena examinar en detalle porque pueden ser increíblemente útiles. Así que, vamos allá.

Pintar

Digamos que ha entrevistado a un hombre que no quiere ser identificado. Promete disfrazar sus rasgos para que ni siquiera su madre lo reconozca. Los pasos son bastante sencillos:

1. Vaya a Effect Mode>Image>Paint.

2. Arrastre el icono **Paint** (Pintar) sobre la imagen en V1. Con el indicador de posición sobre el icono de efecto en Timeline (Línea de tiempo), haga clic

en el botón **Effect Mode** (Modo Efecto) para abrir Effect Editor (Editor de efectos) (véase la figura 14.1).

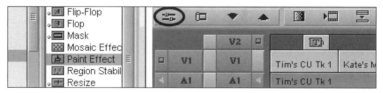

Figura 14.1. *Haga clic para abrir el Editor de efectos.*

3. En Effect Editor, haga clic en una herramienta de pintura; aquí utilizaremos la herramienta **Rectangle** (Rectángulo).

4. Utilizando el cursor, arrastre ahora un rectángulo que cubra los ojos de la persona.

5. Haga doble clic dentro del rectángulo para poder cambiar su forma (véase la figura 14.2).

6. El modo en que nos encontramos se llama Solid (Sólido). En el menú desplegable, seleccione otro modo: Mosaic (Mosaico), Blur (Desenfoque), etc. He escogido Mosaic (véase la figura 14.3).

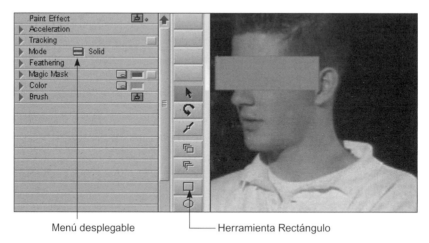

Menú desplegable   Herramienta Rectángulo

Figura 14.2. *Herramientas de dibujo.*

Está bien, su madre lo reconocería. Así que hago clic en el recuadro, lo amplío y selecciono Blur en el menú desplegable. Luego abro Feathering (Calado) y ajusto las barras de desplazamiento Horizontal (Horizontal) y Bias (Tendencia) (véase la figura 14.4), para que la forma del rectángulo sea menos evidente.

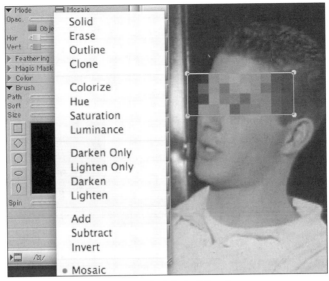

Figura 14.3. Modo Mosaico.

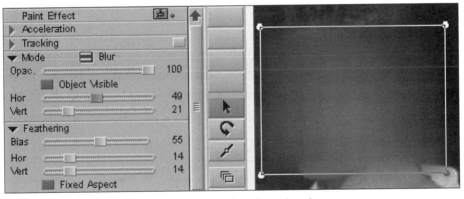

Figura 14.4. Calar el rectángulo.

Cuando cierre Effect Editor, deberá interpretar el efecto. Si ve que la persona se sale del rectángulo, puede colocar fotogramas clave y mover el rectángulo para mantenerlo colocado adecuadamente.

Clonar

Clone (Clonar) es una de las opciones del menú desplegable dentro de Paint y puede valer su peso en oro. Digamos que tiene una sombra en la toma, o un destello. Clone al rescate.

En el ejemplo de la figura 14.5, tenemos a la actriz caminando por una calle y un trozo de papel es arrastrado por el viento frente a ella. Nadie lo notó hasta que vimos las tomas diarias y ahora todo el mundo quiere que desaparezca. No hay problema.

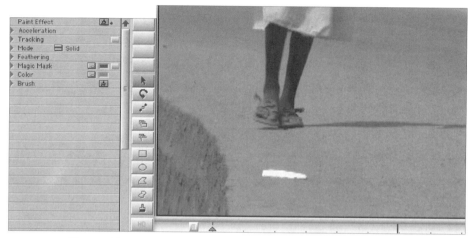

Figura 14.5. *Aplicaremos el clonado para deshacernos del papel.*

Utilizando las técnicas que aprendimos en la sección sobre Paint, arrastramos el icono **Paint** sobre el clip en Timeline. Abra Effect Editor y utilice una de las herramientas de dibujo; he utilizado la herramienta **Poly** (Poligonal) pero podía haber utilizado **Rectangle** para dibujar una forma que cubra la imagen, como muestra la figura 14.6.

Ahora hago doble clic sobre la forma para poder arrastrar las manillas para ajustarla perfectamente.

Figura 14.6. *Dibuje una forma sobre la imagen.*

Ahora arrastre la forma a un área de la calle que sea idéntica a aquélla donde está el papel (véase la figura 14.7).

Figura 14.7. *Arrastre la forma a un área idéntica.*

Vaya al menú desplegable y seleccione Clone. Inmediatamente, habremos tomado la imagen de la calle y la habremos colocado dentro de nuestra forma. Ahora la arrastramos sobre la parte de la imagen que queremos tapar y soltamos el cursor. El papel desaparece (véase la figura 14.8). Aunque en el ejemplo es un trozo de papel que distrae, podría ser un micrófono o una sombra o destello. Si el plano se desplaza o se inclina, deberá establecer fotogramas clave para que la forma que dibujó cubra el objeto según se mueve la toma. Simplemente mueva la forma, añada un fotograma clave y continúe hasta el final de la toma.

Figura 14.8. *El papel desaparece.*

Eliminar arañazos

Esto es útil si tiene arañazos o polvo en la película, algo que parece ocurrir siempre en el peor momento. Normalmente sólo duran un fotograma, pero pueden ser tan obvios como un diente ausente. Primero vamos a Tools>Command Palette (Herramientas>Paleta de comandos) y seleccionamos la pestaña Effects.

Coloque el botón **Scratch Removal** (Eliminación de arañazos) en un espacio libre de la barra de herramientas de Timeline (véase la figura 14.9).

Figura 14.9. *Botón de eliminación de arañazos.*

Como puede ver en la figura 14.10, hay una marca en la camisa del hombre que vamos a eliminar.

1. Coloque el indicador de posición sobre el fotograma para que esté visible en Record Monitor (Monitor de grabación).

2. Pulse el botón **Scratch Removal**. Se abrirá Effect Editor.

3. Haga clic en una de las herramientas de dibujo (aquí he utilizado el rectángulo) y después utilice el cursor para dibujar un cuadro alrededor de la imperfección. Ya está; ha desaparecido (véase la figura 14.11).

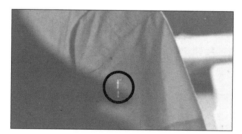

Figura 14.10. *Arañazo a eliminar.*

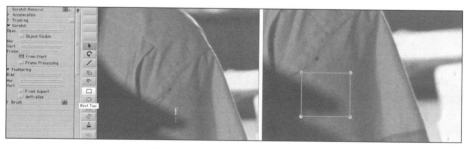

Figura 14.11. *Eliminar arañazo.*

La herramienta **Scratch Removal** toma material del fotograma anterior, el que no tiene el arañazo. Verá Add Edits (Añadir ediciones) en Timeline, que muestra cómo funciona el efecto. Probablemente necesite interpretar el efecto para verlo en reproducción.

Picture-in-Picture (PIP)

Este efecto permite ver dos imágenes en pantalla al mismo tiempo. Lo utilizo mucho para combinar créditos con una imagen del actor o miembro del equipo o para crear una yuxtaposición de imágenes.

En Timeline, coloque la imagen de fondo en V1 y la imagen frontal en V2, tal y como hicimos en el capítulo 13 cuando trabajamos con las superposiciones. En la paleta de efectos, haga clic sobre Blend (Mezclar) y arrastre el icono **Picture-in-Picture** (Imagen en imagen) sobre el clip de V2 (véase la figura 14.12).

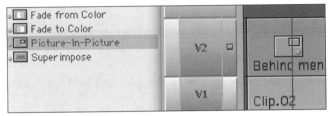

Figura 14.12. Arrastre el icono sobre el clip de V2.

Verá un cuadro que contiene la imagen frontal sobre la imagen de fondo, como muestra la figura 14.13.

Figura 14.13. Imagen frontal sobre imagen de fondo.

Abra **Effect Editor** para ver los parámetros disponibles. Haga clic en las flechas para abrir los parámetros. Como puede ver en la figura 14.13, hay dos fotogramas clave: uno al principio y otro al final del clip y ambos están seleccionados (rosas). Si hace clic en la flecha **Border** mostrará varias barras de deslizamiento. Haga clic y arrastre la barra **Width** (Anchura) para conseguir un borde alrededor de la imagen. Puede cambiar el color con la rueda de color o las barras de deslizamiento (véase la figura 14.14).

Abra la rueda de color

Haga clic en las flechas para abrir los controles de parámetros

Figura 14.14. *Editor de efecto Picture-in-Picture.*

Haga clic en los triángulos **Scaling** (Escalado) o **Position** (Posición) para ver las barras de deslizamiento que puede utilizar para cambiar el tamaño y posición del recuadro.

Si se aseguró de que ambos fotogramas clave estaban seleccionados, los cambios que realicen serán los mismos al inicio y final del efecto. No obstante, si hace clic en el primer fotograma clave deseleccionará el último y cualquier cambio afectará al inicio del clip, pero no al final. Así pues, tenga cuidado de no deseleccionar uno de los fotogramas clave, a menos que sea su intención. Juegue con todos los parámetros y vea lo que ocurre.

- **Scaling** cambia el tamaño del recuadro o Picture-in-Picture.

- **Position** cambia el lugar en el que se coloca Picture-in-Picture.

Puede añadir fotogramas clave para cambiar la forma en que funcionan los parámetros a lo largo del efecto, tal y como hicimos con el efecto **Superimposition**

(Superposición) en el capítulo 13. Por ejemplo, utilizando Scaling, puede hacer que la imagen empiece pequeña y luego aumente. Haga clic en el primer fotograma clave, ajuste el tamaño de la imagen para que sea pequeña, añada un fotograma clave en la mitad para hacerla un poco más grande y después haga clic en el último fotograma clave y amplíela un poco más.

Hay un truco que implica copiar y pegar ajustes de parámetros, igual que en un documento de Microsoft Word. Tomemos el ejemplo de Scaling anterior. Para que PIP permanezca igual en tamaño a lo largo del segmento, haga clic en el fotograma clave central y pulse **Control-C (Comando-C)**. Haga clic en el último fotograma clave y pulse **Control-V (Comando-V)** para establecer esos atributos hasta el final. El cuadro PIP se ampliará, alcanzará el tamaño que estableció en el fotograma clave central y se quedará así hasta el final (véase la figura 14.15).

Figura 14.15. Copie en el fotograma clave central y pegue en el final.

Cuando haya explorado todos los parámetros veremos una forma más compleja, pero mucho más precisa de trabajar con efectos como Picture-in-Picture. Les resultará familiar a aquellos que hayan utilizado After Effects.

Fotogramas clave avanzados

Cree un nuevo efecto colocando una toma en V2 sobre una toma en V1. Arrastre el icono Picture-in-Picture sobre el clip de V2. Coloque el indicador de posición sobre el icono en Timeline y abra Effect Editor. Ahora vaya a la parte inferior derecha de Effect Editor y haga clic en el botón **Promote to Advanced Keyframes** (Ir a fotogramas clave avanzados) de la figura 14.16.

Figura 14.16. Botón de Fotogramas clave avanzados.

Effect Editor se amplía para mostrar una fila unida a cada parámetro. Parece intimidante, pero veamos qué es lo que nos permite hacer.

Examinemos el parámetro Position. Ya hemos trabajado con él en el modo estándar de Picture-in-Picture así que probemos a utilizar fotogramas clave avanzados y gráficos. Haga clic en las flechas para que apunten hacia abajo y abrir los controles de los ejes X e Y, como muestra la figura 14.17.

Figura 14.17. *Haga clic en las flechas para abrir las cuadrículas.*

El eje X permite mover el cuadro a izquierda o derecha en la pantalla. El eje Y permite mover el cuadro arriba y abajo. Puede cambiar de forma precisa la colocación del recuadro arrastrando los fotogramas clave en el eje. Puede añadir más fotogramas clave y manipular aún más la posición del recuadro.

En la figura 14.17, no he tocado el eje Y, sólo el X. Lo que he hecho al arrastrar hacia abajo el fotograma clave del inicio y subiendo el fotograma clave final es iniciar el recuadro en la parte izquierda y hacer que se desplace lentamente hacia el lado derecho de la pantalla. Para subir o bajar el recuadro, manipulo los fotogramas clave del eje Y. Una vez satisfecho con el movimiento del recuadro, cierro el triángulo y abro otro conjunto de parámetros para ajustarlos.

A continuación, pruebe Scaling para ajustar de forma precisa el tamaño del recuadro. La ventaja de los fotogramas clave avanzados es que permite afinar un parámetro cada vez sin afectar al resto de parámetros.

Cuando se trabaja con efectos bidimensionales, obtendrá dos fotogramas clave en cada gráfico. Si quiere añadir un fotograma clave, haga clic en el botón **Add Keyframe**. Automáticamente verá un menú que le permite controlar dónde irá el fotograma clave. Examine las opciones en la figura 14.18.

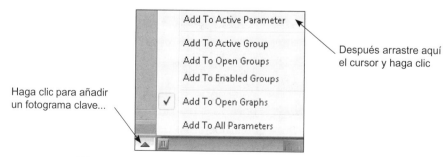

Figura 14.18. *Opciones para añadir un fotograma clave.*

Puesto que normalmente quiero añadir fotogramas clave al gráfico en el que estoy trabajando y no en otros, selecciono Add to Active Parameter (Añadir a parámetro activo). Muevo el cursor al punto del gráfico en el que quiero añadir el fotograma clave y hago clic para activarlo. A continuación, hago clic en el botón **Add Keyframe** (véase la figura 14.18) y se abre el menú. Arrastro el cursor a la opción Add to Active Parameter y hago clic. Se añade un solo fotograma clave al punto del gráfico. Si seleccionara cualquier otra opción, estaría añadiendo fotogramas clave a otros grupos abiertos o habilitados o a gráficos que he abierto.

3D Warp o 3D Picture-in-Picture

Iniciemos otro Picture-in-Picture. Cree un nuevo efecto colocando una toma en V2 sobre una toma en V1.

Arrastre el icono de Picture-in-Picture sobre el clip de V2. Coloque el indicador de posición sobre el icono en Timeline y abra Effect Editor. Ahora haga clic en el botón **Promote to Advanced Keyframes**. A continuación, haga clic en el botón **Promote to 3D** (Ir a 3D). Esto llevará Picture-in-Picture al efecto 3D Warp (Deformar en 3D) en Media Composer y a 3D PIP en Xpress Pro (véase la figura 14.19).

Figura 14.19. *Botón Ir a 3D.*

Los efectos tridimensionales son similares a sus homólogos bidimensionales; simplemente tienen unos cuantos parámetros más. Una diferencia es que los parámetros 3D no tienen fotogramas clave. Tiene colocarlos todos.

Trabajemos con un parámetro en 3D Warp, el eje de X de Rotation (Rotación). Abro este grupo y el gráfico del eje X. Ahora coloco dos fotogramas clave en el gráfico y arrastro uno a la izquierda arriba, de forma que esté por encima de la posición 0.00 (véase la figura 14.20). El segundo fotograma clave no se ha movido de su posición base.

Figura 14.20. *Establezca dos fotogramas clave y después eleve el de la izquierda para rotar la imagen.*

Debido a este sencillo cambio, la imagen comienza de lado y después, a lo largo del clip, rota para colocarse recta.

Ahora veamos nuestro viejo amigo el parámetro del eje X de Position en el mismo 3D Picture-in-Picture. Puesto que este parámetro es parte de la versión 2D, tiene dos fotogramas clave.

En el gráfico de la figura 14.21, he arrastrado uno hacia la izquierda y debajo de su línea de base, su posición 0.00. El segundo fotograma clave no se ha movido de su posición estándar. Lo que ocurre por este simple cambio es que la imagen comienza en el lado izquierdo de la pantalla y se mueve al centro y se queda ahí. El indicador de posición del gráfico se coloca para mostrar que la imagen se ha desplazado gran parte del camino.

Figura 14.21. *Arrastre el fotograma clave de la izquierda hacia abajo para mover la imagen hacia la derecha.*

El efecto combinado de estos pequeños cambios en dos parámetros es una suave rotación y desplazamiento de una imagen dentro de otra. Recientemente vi un anuncio en televisión que mostraba una tarjeta de crédito haciendo esto exactamente. La agencia de publicidad probablemente pagara miles de dólares por esto y nosotros lo hemos hecho en unos segundos.

Observe que la inclinación de las líneas en los gráficos no es recta, como en nuestra versión 2D.

Compare la figura 14.17 con la figura 14.21. Muestran ejes X de posición. Si hace clic con el botón derecho (o **Mayús-Control** en Mac) sobre un fotograma clave, aparecerá un menú como el de la figura 14.22. He seleccionado Spline (Polilínea con curvas) en lugar de Linear (Lineal).

Esto hace que las líneas tengan una curva y el movimiento se acelera y desacelera de forma elegante. Este menú también facilita trabajar y eliminar los fotogramas clave.

Si tiene prisa, o el efecto es sencillo, no es necesario utilizar fotogramas clave avanzados, pero cuando se quiere ser preciso y cambiar muchos parámetros, los fotogramas clave avanzados no tienen precio.

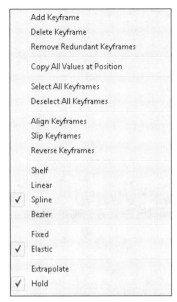

Figura 14.22. Menú de fotograma clave.

Corrección de color

Las últimas versiones de Avid contienen una potente herramienta de corrección de color.

La herramienta fue diseñada por coloristas profesionales y editores Avid avanzados, pero algunas de sus funciones son fáciles de asimilar y pueden realmente ayudar a dar a la producción un aspecto más consistente.

Accedemos a la herramienta **Color Correction** (Corrección de color) a través del menú Toolset.

La corrección de color funciona como un efecto pero se encuentra en el menú Toolset porque cambia la apariencia de la pantalla Avid de forma bastante drástica (véase la figura 14.23).

Recuerde que la corrección de color es uno de los últimos pasos en el proceso de edición.

Espere hasta que haya llegado al cierre de imagen o al menos a un montaje final antes de realizar serias correcciones de color. Tal y como ya dijimos anteriormente, primero cuente la historia y después tome las decisiones importantes de edición.

Después, cuando haya terminado de montar, añada cosas como corrección de color, títulos, música y efectos sonoros.

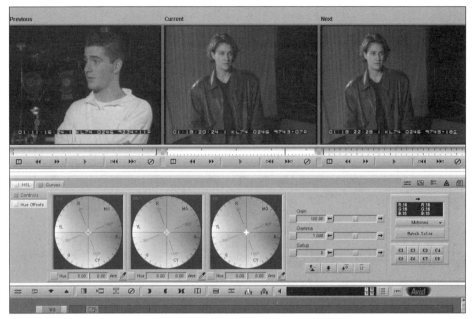

Figura 14.23. *Herramienta de corrección de color.*

Cuando se abre la herramienta **Color Correction**, asegúrese de que está seleccionada la pista de vídeo que contiene los clips que quiere corregir y que todas las
pistas de vídeo que hay encima están sin seleccionar. En otras palabras, si quiere
corregir los clips de V1, asegúrese de que está seleccionado V1 y que el resto de
pistas de vídeo, como V2 o V3, están sin seleccionar.

En cuanto seleccione la herramienta **Color Correction** en el menú Toolset,
verá tres monitores mostrándole tres segmentos (o clips) de Timeline (véase la
figura 14.23). La corrección de color es relativa. Cambiar el color de un clip sin
ver cómo queda comparado con otros clips sería un error, porque las tomas de la
misma escena no coincidirían.

El monitor central muestra el segmento en el que se encuentra el indicador
de posición de Timeline, en este caso, la toma maestra de Kate y Tim. Ése es el
segmento cuyos colores estamos cambiando. El monitor de la izquierda muestra el
clip anterior y el de la derecha el clip siguiente. Mueva el indicador de posición en
Timeline a otro clip y las imágenes del monitor cambiarán. Cada monitor tiene
un indicador de posición de forma que puede desplazarse por el clip, y varios comandos. El comando más interesante es el primero **Dual Split** (Dividir en dos). Al
hacer clic en ese botón, el fotograma se divide en dos. Puede arrastrar los triángulos blancos para cambiar la forma y ubicación del recuadro. Lo que hay dentro
del cuadro es lo que había antes de la corrección (véase la figura 14.24).

Antes de la
corrección

Botón dividir

Figura 14.24. La división muestra la imagen antes de la corrección.

Menús desplegables

Si observa los tres monitores, de izquierda a derecha, verá que están etiquetados como Previous (Previo), Current (Actual) y Next (Siguiente). Si hace clic y mantiene pulsado sobre el nombre, verá un menú desplegable que permite cambiar el clip que muestra el monitor (véase la figura 14.25).

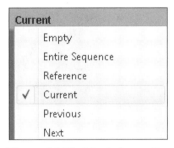

Figura 14.25. Menú de monitor.

Reference (Referencia) permite bloquear un fotograma de un clip en uno de los monitores (suelo utilizar el de la derecha). Con el monitor derecho en Reference, puede mantener un clip en ese monitor y moverse por Timeline, viendo y corrigiendo distintos clips en el monitor central; siempre tengo este clip como referencia. Quizá quiera utilizar tonos de piel o el color de una camisa como referencia. Cuando selecciona Reference en el monitor de la derecha o la izquierda, el clip que se encuentre en el monitor central se convierte en el fotograma de referencia.

También puede utilizar este menú desplegable para cambiar el monitor en herramientas que ayudan a analizar el brillo, contraste y saturación de color de la imagen. Las opciones Waveform Monitor y Vectorscope son las herramientas que los ingenieros de vídeo utilizan más comúnmente para determinar la exposición y color adecuados. Waveform Monitor (Monitor de ondas) muestra una representación gráfica del brillo del clip, normalmente llamada luminancia. Vectorscope (Vectores) analiza el color del clip, a menudo llamado crominancia. Como puede ver en el menú de la figura 14.26, hay otras herramientas para analizar la luminancia y crominancia del clip.

Quad Display permite colocar múltiples herramientas de referencia de color en un solo monitor para verlas todas a la vez. Podría escribirse un libro entero para explicar la función de estas herramientas de referencia de color. Concéntrese en hacer que el clip tenga buen aspecto, no en estas herramientas, pero, mientras lo hace, observe las herramientas para ver cómo cambian mientras ajusta el clip. Comience con Y Waveform Monitor y una vez que lo asimile pruebe a usar otras pantallas para familiarizarse con ellas.

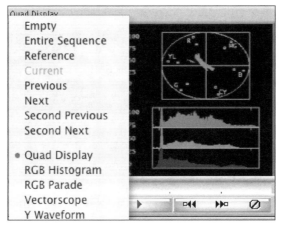

Figura 14.26. *Herramientas de control del color y la luz.*

Sus herramientas: Grupos

Hay dos modos principales de corrección: el modo HSL (tono, saturación, luminancia) y el modo Curves (Curvas). Seleccionamos uno u otro haciendo clic en la pestaña. Si hace ajustes en un modo, y después pasa al siguiente para hacer más ajustes, los cambios son acumulativos. Creo que es fácil liar las cosas saltando de un modo al siguiente. Intente utilizar uno y hacer todos sus cambios ahí (véase la figura 14.27).

Haga clic en la pestaña para ir al modo HSL

Seleccione Controls o Hue Offsets

Haga clic en la pestaña para ir al modo Curves

Figura 14.27. *Modos de corrección.*

El grupo HSL tiene estas dos pestañas: Controls (Controles) y Hue Offsets (Desplazamiento de tono). Así que, en cierto modo, hay tres formas distintas de atacar una corrección de color o problema de exposición: Controls, Hue Offsets y Curves.

- Hue Offsets: Es el grupo de herramientas que se ve en cuanto se abre la herramienta de corrección de color y parece el más sobrecogedor. De hecho, es fácil de usar y el que utilizo el 80 por 100 de las veces para corregir mis problemas de exposición o color.

- Controls: También es más fácil de lo que parece y el que uso siempre que quiero aumentar o bien disminuir la saturación (intensidad) de colores en una toma.

- Curves: Éste quizá sea el más difícil de dominar. Funciona muy parecido a Curvas en Adobe Photoshop, así que si está acostumbrado a utilizarlo puede preferirlo, aunque pienso que los dos primeros son más fáciles de dominar para los principiantes.

Corrección de color automática

La herramienta **Color Correction** de Avid tiene una función asombrosa que optimizará el color y brillo de cualquier clip. Puede analizar de forma inteligente cada clip y hacer que tenga mejor aspecto. Parece increíble y lo es. Es sofisticada y fácil de usar a la vez y funciona el 75 por 100 de las veces.

Algunos dicen que no debería enseñar a mis alumnos la corrección de color automática porque puede ser un apoyo que evite que aprendan a usar la herramienta **Color Correction**. No estoy de acuerdo. Es una forma estupenda de arreglar problemas a la vez que ayuda al principiante a comprender cómo funciona la herramienta de corrección de color. Las herramientas automáticas son especialmente útiles si no se tiene un monitor de cliente de grado 1 o 2 conectado a Avid y se confía en la pantalla del ordenador (como suele ser el caso en un aula).

Empezaremos colocando nuestra secuencia final de *Wanna Trade* en Timeline. En el menú Toolset, seleccione Color Correction. Cuando se abra la herramienta, estaremos viendo HSL Hue Offsets. Si no, haga clic en la pestaña correcta.

Para demostrar la función de autocorrección, he colocado el indicador de posición en un clip de Kate que necesita algo de trabajo. Los negros son algo lechosos y la exposición es un poco baja. Vaya al monitor de la izquierda y, donde se encuentra el clip Previous, haga clic en el menú desplegable y luego seleccione Y Waveform como se ve en la figura 14.28.

Figura 14.28. Corrección de color.

Esta tormenta gris (en realidad es verde) es una representación gráfica de las áreas de sombra y luz del clip. Utilizaremos esto para ayudarnos a comprender qué ocurre cuando hacemos ajustes en la imagen, con la corrección automática.

Observe los botones de corrección automática de la figura 14.29. Observe los comandos **Auto Contrast** (Contraste automático) y **Auto Balance** (Equilibrio automático). Ésos son los que vamos a usar para que esta toma tenga más chispa.

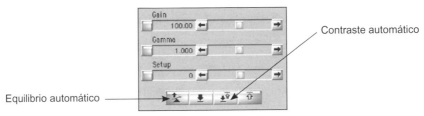

Figura 14.29. Herramientas de corrección automática.

Primero, haga clic en el botón **Auto Contrast** y observe lo que pasa en Setup y Gain.

Como puede ver en la figura 14.30, el comando **Auto Contrast** determinó que el clip estaba algo oscuro y aumentó un poco Gain (Ganancia), los niveles de blanco, de 100 a 105,29. También determinó que Setup (Negros) eran demasiado bajos por lo que no había detalle en las áreas oscuras. Setup se ha aumentado de 0 a 7. Gracias a estos cambios, el clip de Kate tiene más contraste.

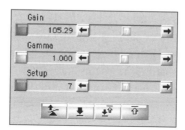

Figura 14.30. *Después de Auto Contrast.*

El color está dividido en dos partes: matiz y saturación. El matiz se refiere al color, rojo, azul o amarillo. La saturación es la intensidad de ese color. Para corregir automáticamente el matiz y la saturación, haga clic en el botón **Auto Balance** y observe lo que ocurre en la mira de las ruedas de color mientras lo hace (véase la figura 14.31). Observe que la mira ha cambiado del centro de la rueda hacia el lado azul. **Auto Balance** determinó que la imagen era un poco demasiado amarilla y cambió el color del clip del amarillo al azul.

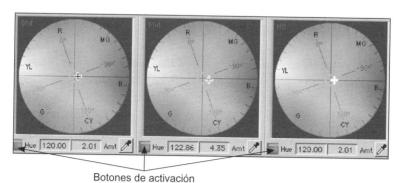

Botones de activación

Figura 14.31. *Ruedas de color.*

Utilice **Auto Contrast** primero y después **Auto Balance** y observe los ajustes que hace Avid. Así es cómo puede aprender la corrección de color de forma que con el tiempo pueda realizar sus propios ajustes.

Si no le gustan los resultados, es fácil ajustar la configuración, pero utilizar el ajuste automático me ofrece un punto de partida. Observará que **Auto Contrast** realiza un buen trabajo el 98 por 100 de las veces, pero **Auto Balance** es menos fiable porque es difícil para Avid saber cuáles son los colores verdaderos. Rara vez cambio los ajustes de **Auto Contrast**, pero a menudo deshago o ajusto **Auto Balance**. Haga clic y arrastre la mira hacia el color deseado. Cuanto más lejos del centro de la rueda, más saturados serán los colores. Arrastrar la mira puede causar mucho cambio así que mantenga pulsada la tecla **Mayús** mientras arrastra para tener ajustes más afinados. Comience con la rueda central Mid range (Medios tonos) y después pase a la derecha, Highlights (Iluminaciones) y después a la izquierda, Shadows (Sombras), si es necesario. Si la toma tiene demasiado verde, arrastre hacia el lado contrario de la rueda, hacia el magenta/azul.

Si quiero hacer cambios en **Auto Contrast**, puedo cambiar Gain o bien Setup arrastrando las barras de deslizamiento (véase la figura 14.32). Para hacer ajustes más afinados, haga clic en las flechas derecha o izquierda para aumentar o disminuir la cantidad del cambio.

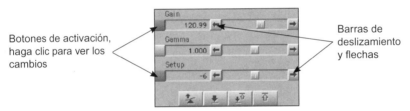

Botones de activación, haga clic para ver los cambios

Barras de deslizamiento y flechas

Figura 14.32. Barras de deslizamiento de Auto Contrast.

Volver al preestablecido

Siempre que haga un cambio, los botones **Enable** (Activar) se oscurecen para indicar que se ha realizado un cambio. Si quiere ver cómo era antes de hacer el cambio, use estos botones para activar y desactivar los cambios realizados. Compare con y sin. Si no le gusta lo que hay en algún control, puede borrar los cambios y volver al 0 o valor preestablecido. Pulse **Alt-clic** (**Opción-clic**) sobre los botones **Enable** (véase la figura 14.32).

- **Alt-clic** (**Opción-clic**) sobre los botones individuales para restaurar.

- **Alt-clic** (**Opción-clic**) sobre el botón de grupo para restaurar todos los ajustes del grupo.

Para obtener una mejor idea de lo que estoy haciendo, a menudo voy al menú Toolset y cambio a Source/Record Editing (Edición origen/grabación) para poder reproducir la secuencia. Después vuelvo a **Color Correction** para continuar puliendo cada toma de Timeline.

Guardar los ajustes de corrección de color

A menudo querrá guardar un efecto de color concreto para utilizarlo en otro clip de la escena. Si ha pasado mucho tiempo corrigiendo un plano medio de uno de sus actores en una escena de diálogo, como Tim en *Wanna Trade*, y corta a esa toma varias veces, querrá guardar los ajustes de color para poder aplicarlos a todas los planos medios de Tim en esa escena.

Para guardar los ajustes, haga clic y arrastre el icono **Color Effect** (Efecto Color) a una lata (véase la figura 14.33) y dele un nombre. Para aplicarla a otro clip de Timeline, arrástrela desde la lata al clip en Timeline. De esta forma puede mantener un aspecto consistente a lo largo de la escena. Si sale de la aplicación, la corrección de color se guardará en la lata.

Figura 14.33. *Icono de efecto de color.*

Cubos de color

Otra forma de guardar las correcciones de color es colocarlas en cubos de color (véase la figura 14.34). Esto es más rápido que arrastrar el icono **Color Effect** a una lata.

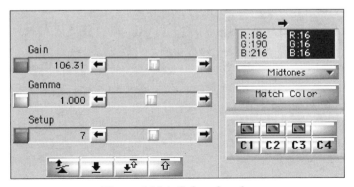

Figura 14.34. *Cubos de color.*

Dependiendo de su software, puede crear entre cuatro y ocho plantillas de ajustes y tenerlas disponibles para su uso durante la sesión colocándolas en uno de los cubos. Cree el efecto de color usando las herramientas que hemos discutido. Tenemos el plano medio de Kate justo como queremos. Ahora haga **Alt-clic** (**Opción-clic**) sobre **C1**, **C2**, **C3** o **C4**, etc. Aparecerá un icono **Color Effect** sobre el cubo. Ahora mueva el indicador de posición al siguiente clip de Kate. Haga clic en **C1** (**C2**, **C3** o **C4**) y el efecto se colocará sobre el siguiente clip.

Puede crear un efecto de color para el plano medio de Kate (**C1**), uno para el plano medio de Tim (**C2**) y otro para el plano general (**C3**).

Ahora, según vaya pasando por Timeline, sólo tiene que hacer clic en el cubo correcto y pronto habrá corregido el color de toda la escena. Estos cubos desaparecerán en cuanto salga de la aplicación por lo que, si los necesita para otro día, arrastre el icono a una lata.

Controles HSL

Al hacer clic en la pestaña Controls se abre otro conjunto de herramientas de corrección de color que se distingue de Offsets en la forma en la que afronta los problemas. Normalmente utilizo Controls para cambiar la saturación de los colores haciendo clic en las flechas de Saturation (Saturación), a la izquierda para hacer los colores menos vivos y a la derecha para aumentar su viveza. Si arrastra la barra Saturation a la izquierda del todo, el clip perderá la saturación; es decir, la imagen resultante es en blanco y negro (véase la figura 14.35).

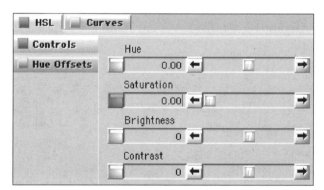

Figura 14.35. *Controles HSL.*

Curvas

Curves es más complicado que HSL Offsets, pero tiene una función muy práctica Match Color (Igualar color). Digamos que tiene una toma en una escena que tiene un matiz de color distinto al resto de la escena. Coloque la toma correcta en la ventana **Reference** y después coloque el indicador de posición sobre la toma que debe arreglar de forma que sea la toma Current. Después:

1. Haga clic en el cuentagotas.

2. Colóquelo dentro del recuadro izquierdo y haga clic y arrástrelo al fotograma Current. Colóquelo sobre el color que desea mejorar (el rostro de Peter en la figura 14.36). Suelte el cuentagotas en esa posición.

Haga clic en el cuentagotas del cuadro de la izquierda y después sobre el rostro de Peter

Figura 14.36. *Función Igualar color.*

3. Ahora coloque el cuentagotas en el lado derecho del cuadro y luego haga clic y arrástrelo al fotograma **Reference**, colocándolo en la parte del rostro donde se encuentra el color que quiere imitar. Suelte el cuentagotas en ese punto.

4. Ahora haga clic en el botón **Match Color**.

Sin duda, la herramienta **Color Correction** ofrece muchas posibilidades. Como la mayoría de funciones de Avid, **Color Correction** le ofrece *feedback* inmediato. O está mejor o peor, y puede deshacer fácilmente si las cosas se descontrolan. La visión general que he ofrecido aquí debería ayudarle a arreglar los problemas de sus clips, dar más garra a sus clips buenos y un aspecto más consistente a sus escenas.

Interpretar efectos complejos

Si tiene varios efectos en tiempo real agrupados en Timeline porque está creando un aspecto visual complejo, es posible que tenga que interpretarlos para reproducirlos. Si es el caso, pruebe a seleccionar Expert Render (Interpretación experta) en el menú Clip. Avid averiguará el menor número de efectos que deben interpretarse para que los efectos se reproduzcan juntos.

Un mundo de efectos

Podríamos escribir un libro entero sobre efectos; sólo hemos arañado la superficie en estos dos capítulos. Por ejemplo, hay todo un mundo de efectos complementos de terceras partes y efectos tridimensionales que apenas he mencionado. No obstante, creo que ahora tiene información más que suficiente para empezar. A través de la práctica y la experimentación, lo hará bien.

15. Mantener la sincronización

Problemas de sincronización

Cuando escribo sobre problemas de sincronización en este capítulo, pienso en algo más que simplemente la imagen y el audio fuera de sincronización. Para mí, si la música que debe oírse en cuanto se abre una puerta se escucha dos segundos más tarde, está fuera de sincronización. Si ha empleado mucho tiempo en que la narración, música o efectos encajen perfectamente con un visual y de repente no lo hacen, está fuera de sincronización. Si tiene un título de tercio inferior en V2 que dice "Nelson Mandela" y cuando reproduce la secuencia el título aparece sobre la toma de un edificio, el título está fuera de sincronización. Tiene problemas de sincronización.

Perder la sincronización puede ser la peor pesadilla de un editor, especialmente si el cliente o productor se encuentra en la sala. Un segundo está montando tomas, recortando transiciones, construyendo pistas y trabajando en un buen clip, y al siguiente está perdido. El sonido ha perdido la sincronización con la imagen, la música entra en el momento incorrecto, los títulos caen sobre las tomas equivocadas, y no sabe qué ha ocurrido. Y, mientras intenta resolver el problema, el cliente está detrás de usted, caminando arriba y abajo, mirando el reloj y suspirando. No es de mucha ayuda. Si no ha tenido esta experiencia, la tendrá, y si la ha tenido, no hace falta que siga porque ya sabe a qué me refiero.

De hecho, puesto que podemos añadir fácilmente múltiples pistas de vídeo y audio a las secuencias, Avid aumenta enormemente el potencial de problemas de sincronización. Cuando se está trabajando en tres pistas de vídeo y seis pistas de audio, un problema de sincronización resulta en un confuso lío en Timeline (Línea de tiempo). Por suerte, hay algunas herramientas que nos ayudan a volver a estar sincronizados rápidamente y hay cosas que puede hacer para evitar perder la sincronización.

El origen de sus problemas

Antes de hablar de soluciones, repasemos las formas en las que puede perder la sincronización. Sepa lo que puede ir mal y estará en una mejor posición para identificar y resolver el problema. ¿Cómo perdió la sincronización? He aquí las tres acciones que suelen ser las más frecuentes responsables de problemas de sincronización. Son los que llamamos "sospechosos habituales":

- Recortar una pista con rodillo sencillo y no la otra.

- Unir material a una pista pero no a la otra.

- Extraer material de una pista y no de la otra.

Ahora que sabe quiénes son, no los pierda de vista. Esté alerta siempre que realice alguna de estas tres acciones.

Indicadores de pérdida de sincronización

Si el audio y el vídeo se capturaron a la vez, Avid bloqueará ambos juntos. Si se sale de sincronización, aparecerán indicadores de pérdida de sincronización en Timeline para mostrarle exactamente en cuántos fotogramas la ha perdido. Aparecen números en Timeline en las pistas de audio y vídeo, indicando de forma precisa qué fue mal y en cuánto.

En el ejemplo de la figura 15.1, cometí un error al entrar en Single-Roller Trim Mode (Modo recorte de rodillo sencillo) en una sola pista. Sin darme cuenta añadí nueve fotogramas a la imagen de Kate pero no a su sonido. El indicador muestra la pérdida de sincronización así como el número de fotogramas en los que la secuencia ha perdido la sincronización. También me dice en qué dirección debo ir para volver a estar sincronizado. Para recuperarlo, utilizo Single-Roller Trim Mode para añadir o quitar el número de fotogramas indicado. Aquí, o bien quito nueve fotogramas de la imagen de Kate (-9) o bien añado nueve (+9) al sonido de Kate.

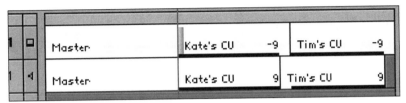

Figura 15.1. *Pistas de audio fuera de sincronización.*

Muchas pistas significan muchos problemas de sincronización

Si pierde la sincronización mientras monta una secuencia que contiene sólo unas cuantas pistas, podrá restaurarla sin mucho problema, pero una vez comience a añadir pistas con material adicional a la secuencia (como narración, efectos de sonido, títulos y música) los problemas de sincronización pueden hacerse más frecuentes y confusos.

Las figuras 15.2 y 15.3 muestran una secuencia que contiene material en dos pistas de vídeo y tres pistas de audio. El material visual principal consiste en un *travelling* de una fila de casas con una superposición de un título sobre la toma. La pista de audio A1 tiene la narración; A2 y A3 el audio de sincronización.

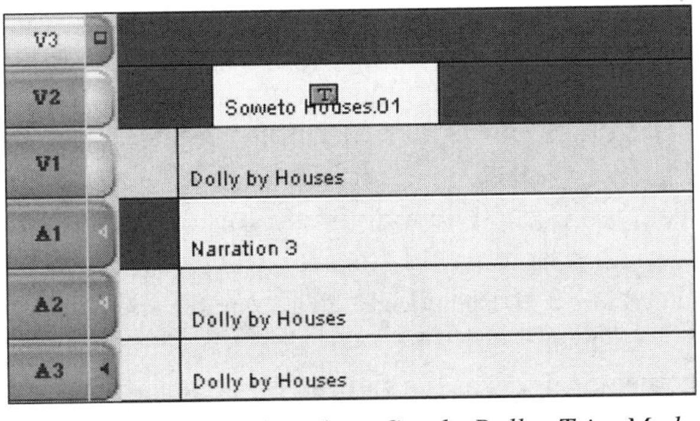

Figura 15.2. *Antes de utilizar Single-Roller Trim Mode.*

Figura 15.3. *Después del recorte, con pérdida de sincronización.*

Veamos qué ocurre si perdemos la sincronización. Para ello, utilizo Single-Roller Trim Mode sólo en V1 y no en el resto de pistas y recorto V1 en 32 fotogramas. Inmediatamente aparecen indicadores de pérdida de sincronización.

Observe que los indicadores muestran que la toma de *travelling* está fuera de sincronización en 32 fotogramas. Lo que no ve es que el título de V2 y la narración de A1 también están fuera de sincronización. Si va a añadir o recortar material de una pista, debe añadir o recortar material en todas las pistas, si no perderá la sincronización.

¿Por qué Avid no muestra que el título de V2 y la narración de A1 están fuera de sincronización? La pérdida de sincronización sólo funciona entre imágenes y sonidos que se capturaron juntos. Las pistas de vídeo y audio que contienen material que se añadió después (títulos, narración, efectos de sonido y música) no mostrarán las pérdidas pues son independientes de cualquier vídeo. Hay varias formas de solucionar este problema. Le mostraré uno de los métodos más rápidos.

Localizadores

Los localizadores son pestañas prácticas que puede colocar en cualquier pista de Timeline para mostrarle si está o no sincronizado. También puede utilizarlos para dejar mensajes útiles en Record Monitor (Monitor de grabación) (véase la figura 15.4).

Como recordará, en el capítulo 4 abrimos Command Palette (Paleta de comandos) y mapeamos el botón **Add Locator** (Añadir localizador) de la pestaña More (Más) en la tecla **F5** del teclado. Seleccione una pista en Timeline haciendo clic en el selector de pista y pulse **F5**. Aparece una ventana emergente en la que puede escribir comentarios (véase la figura 15.5). Haga clic en **OK** para guardar el localizador y cerrar la ventana.

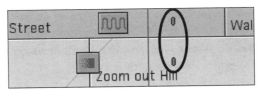

Figura 15.4. *Localizadores en Timeline.*

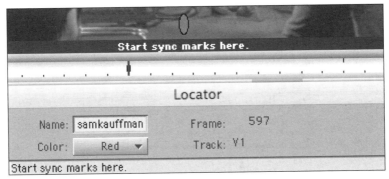

Figura 15.5. *Añadir localizador.*

Para propósitos de sincronización, queremos colocar un localizador en todas las pistas de forma que se alineen en una fila vertical. En la figura 15.6 puede ver los localizadores que he colocado en cada pista que contiene un clip. Puede colocar los localizadores en cada pista, uno a uno.

He deseleccionado todas las pistas excepto V2 y luego pulso el botón **Add Locator**. Después, sin mover el indicador de posición, deselecciono V2 y selecciono V1 y pulso el botón **Add Locator** de nuevo, y así hasta que todas las pistas tienen localizadores.

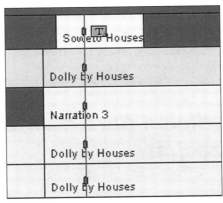

Figura 15.6. *Pistas en sincronización.*

Observe lo que ocurre si cualquiera de las pistas se sale, como en la figura 15.7. Los indicadores de pérdida de sincronización me dicen que la toma del *travelling* y sus pistas de sincronización están fuera de sincro, pero ahora, como hemos añadido los localizadores, podemos ver que el título y la narración también están fuera de sincronización.

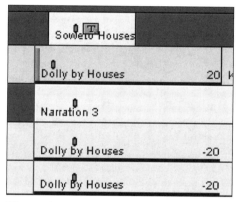

Figura 15.7. *Pistas fuera de sincronización.*

No es necesario colocar localizadores en todas partes de Timeline, sin embargo le sugiero que coloque una fila vertical aproximadamente cada cinco minutos de proyecto.

De esa forma, si pierde la sincronización, no tendrá que ir muy lejos para encontrar un punto de comprobación.

Eliminar localizadores

Si desea eliminar el localizador (y su mensaje), haga clic en el localizador en la barra de posición (la ventana que hay bajo el monitor). Si no aparece en la ventana del monitor, muévase fotograma a fotograma hasta que aparezca y después pulse la tecla **Supr**.

Trucos de edición para mantener la sincronización

En el capítulo 10 examinamos el tema del recorte en dos direcciones. Puesto que es una habilidad crucial, repasémosla un momento.

Recortar en dos direcciones: Repaso del capítulo 10

Si quiere añadir (o recortar) material en Single-Roller Trim Mode debe recortar todas las pistas para conservar su relación. Si sólo recorta V1 y A1 (imagen y sonido de sincronización), la música y la narración perderán la sincronización.

- Entre en Single-Roller Trim Mode.

- Añada rodillos en el lado del relleno (haga clic mientras pulsa **Mayús** para añadir un rodillo).

- Haga esto aunque los rodillos no estén todos en el mismo lado o vayan en la misma dirección.

- Mientras recorta, Avid añadirá o quitará relleno para mantener las pistas sincronizadas.

En la figura 15.8, cuando arrastramos el primer plano de Tim en la pista V1 y su audio solapado de la pista A1 hacia la izquierda, estamos añadiendo, o haciendo más larga la toma. Eso haría que la música se saliera de sincronización. Pero supongamos que colocamos un rodillo en el lado de relleno de la música de la pista A2. Entonces, al arrastrar hacia la izquierda, Avid añade relleno y se mantiene la sincronización. Si acortamos la toma de Tim arrastrando hacia la derecha, Avid quitará relleno para mantener la sincronización de la música. Recuerde: coloque el rodillo en el lado de relleno de la música, no dentro de la música.

¿Qué ocurre si queremos recortar una toma en una secuencia que contiene muchas pistas como la de la figura 15.9? Digamos que está realizando un programa de una hora y tiene tres pistas de vídeo y cinco o seis pistas de audio. Además, suponemos que la distancia entre el punto el que quiere recortar y los otros elementos es demasiado grande para añadir rodillos.

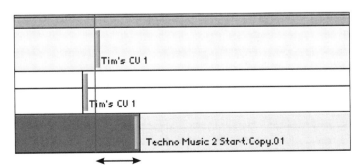

Figura 15.8. *Recortar el relleno para mantener la relación.*

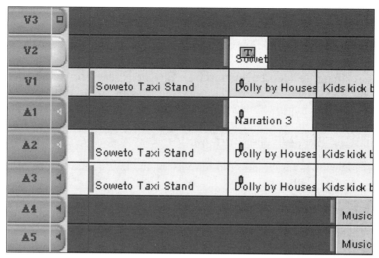

Figura 15.9. *¿Qué podemos hacer cuando no es posible
añadir un rodillo a una de las pistas?*

Puede añadir fácilmente rodillos en V2, V1, A1, A2 y A3. Las pistas A4 y A5 son algo más complicadas pero no demasiado. Pero ni siquiera puede ver el material de V3 y a menos que expanda Timeline y añada un rodillo a V3 se saldrá de sincronización en cuanto recorte. Además, no olvide que tiene que mover el punto de observación a la toma que quiere recortar.

Tiene que haber una forma más fácil, dirá. Y la hay.

Bloqueos de sincronización

Avid sabe lo importante que es mantener la sincronización, especialmente cuando se está llegando al final de la edición y las pistas están llenas de títulos, efectos visuales, efectos de sonido y música. Por tanto, ofrece una herramienta en Timeline que permite bloquear juntas todas las pistas; se denomina **sync lock** (bloqueo de sincronización).

En el área de selección de pista, hay un pequeño cuadro justo a la izquierda de las pistas (véase la figura 15.10). Al hacer clic en el cuadrito, puede colocar un bloqueo de sincronización en la pista. Puede bloquear dos, tres o todas las pistas juntas. Haga clic en el cuadro vacío en TC1, o pista de código de tiempo, y bloqueará todas las pistas.

Puede eliminar los bloqueos de forma individual haciendo clic en el cuadro de bloqueo de cada pista o bien eliminar todos haciendo clic de nuevo en el cuadro de TC1.

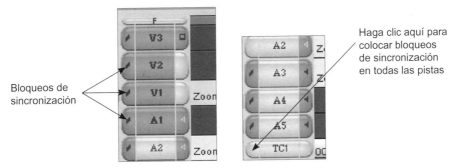

Bloqueos de sincronización

Haga clic aquí para colocar bloqueos de sincronización en todas las pistas

Figura 15.10. Bloqueo de sincronización.

Los bloqueos de sincronización se supone que sólo funcionan en Trim Mode (Modo Recorte), pero verá que también funcionan con **Lift** y **Extract**.

Su función principal es evitar que pierda la sincronización cuando se encuentra en Single-Roller Trim Mode. Avid mantendrá la relación adecuada con el resto de pistas.

La figura 15.11 ofrece un ejemplo. He colocado rodillos sencillos en la cara-A de esta transición, en las pistas V1, A2 y A2, pero he olvidado colocar rodillos en la narración de A1 y en la música de A4 y A5. ¿Qué ocurre si recorto esta toma arrastrando los rodillos hacia la izquierda? La narración y la música se saldrán de sincronización porque no he recortado en dos direcciones. ¿Correcto? Incorrecto. Puesto que los bloqueos de sincronización están activados, Avid mantendrá A1, A4 y A5 unidos con V1, A2 y A3.

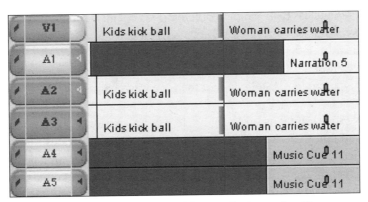

Figura 15.11. Pistas con bloqueo de sincronización.

Observe la figura 15.12. Aunque la toma *Kids kick ball* se ha acortado, la música y la narración siguen sincronizadas. Aunque no recorte en dos direcciones, el bloqueo de sincronización de Avid lo hace por mí.

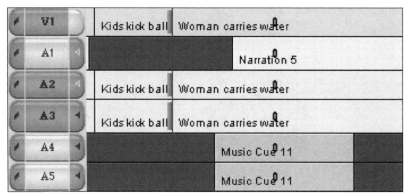

Figura 15.12. *Aunque no hay rodillos en A1, A4 y A5, mantendrán
la sincronización porque los bloqueos están activados.*

Podría pensar: "Si esto funciona tan bien, ¿por qué ha pasado tanto tiempo en-
señándonos a recortar en dos direcciones y establecer puntos de observación?".
Mi respuesta es doble. Primero, necesita conocer esas cosas para comprender el
valor de los bloqueos de sincronización, pero principalmente porque los bloqueos
de sincronización no siempre funcionan. Otra forma de decirlo es que funcionan
"demasiado" bien.

Con los bloqueos de sincronización, si el resto de pistas alineadas (verticalmente) con la que está cortando están vacías, Avid añade o elimina relleno para
mantener las pistas sincronizadas y todo el mundo contento. Pero, si el resto de
pistas tiene material alineado con las pistas que está cortando, Avid recorta material de esas pistas. Esto es un problema. De repente la narración y la música
han desaparecido. Sí, está sincronizado, pero ha perdido al narrador, o falta parte
de la música.

Observe ahora la figura 15.13. Tengo bloqueos de sincronización en todas las
pistas y voy a ampliar la cola de la toma (la cara-A) arrastrando los rodillos a la
derecha.

Observe los resultados en la figura 15.14. La música se ha partido en dos y
se ha añadido un trozo de relleno (silencio). Sin duda, no era eso lo que quería.
¿Qué ha ocurrido? Porque aunque A4 y A5 no estaban seleccionados para el recorte, estaban unidas a las otras pistas mediante el bloqueo de sincronización.
Utilicé Trime Mode para ampliar la cola de la toma.

Avid mantuvo las pistas sincronizadas, aunque eso significara añadir relleno
en medio de la pista de música.

La figura 15.15 muestra otro ejemplo. Tengo rodillos sencillos en la cara-B
de las pistas de vídeo y audio de sincro pero no en la narración. Quiero ampliar
la cabeza de girls watch bus en diez fotogramas.

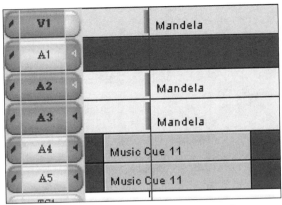

Figura 15.13. *Antes de la ampliación.*

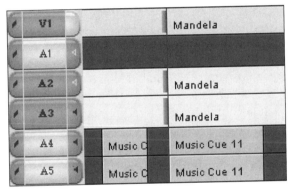

Figura 15.14. *Después de la ampliación.*

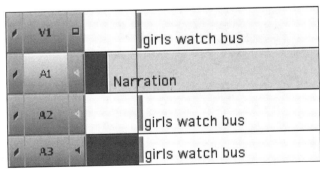

Figura 15.15. *Antes de la ampliación.*

Observe lo que ocurre en la figura 15.16 cuando arrastro los rodillos hacia la izquierda para ampliar la toma. Avid ha añadido relleno en mitad de la narración. Eso no va a sonar muy bien.

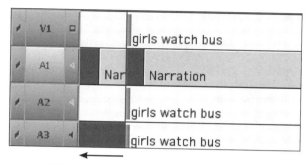

Figura 15.16. *Después de la ampliación.*

Como puede ver, los bloqueos de sincronización funcionan algunas veces, pero no siempre. Si el resto de pistas alineadas (verticalmente) con las que está editando están vacías, los bloqueos de sincronización son rápidos y seguros. Pero si las otras pistas contienen material alineado con las pistas que está recortando, Avid eliminará ciegamente material importante en su intento de mantener la sincronización. Ahí es donde entra en juego nuestro trabajo de sincronización anterior. Tome el caso de la figura 15.17. Para ampliar la toma `girls watch bus` no utilizo bloqueos de sincronización en A1, la narración. En lugar de eso, quito el bloqueo y coloco un rodillo en el lado de relleno de la narración. Ahora, al arrastrar hacia la izquierda para ampliar la toma, Avid se ocupa de las pistas que están bloqueadas juntas (V1, A2 y A3) y nosotros controlamos la pista de narración para que permanezca sincronizada.

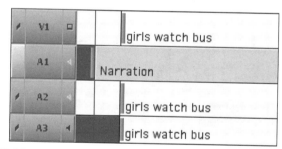

Figura 15.17. *Añadimos un rodillo en el lado de relleno de la narración.*

Bloquear pistas

También puede bloquear pistas para evitar cambios accidentales. Este bloqueo es diferente al de sincronización. Cuando bloquea una pista no puede hacerse ninguna edición sobre ella. Puede bloquear pistas de vídeo y audio. Digamos que tiene varias pistas de diálogo de sincronización y una pista de narración que están perfectamente sincronizadas con la pista de vídeo, y necesita trabajar en las pistas de música y efectos de sonido. Puede bloquear las pistas de imagen, narración y diálogo. Ahora no tiene que preocuparse de estropear esas pistas mientras trabaja en las de música y efectos de sonido. Para bloquear y desbloquear las pistas:

1. Seleccione las pistas que quiere bloquear y deseleccione las otras.

2. Desde el menú Clip, seleccione Lock Tracks (Bloquear pistas). Aparece el icono de un candado en el espacio indicador de bloqueo de la pista. Seleccione Unlock Track (Desbloquear pista) para eliminar los candados (véase la figura 15.18).

Puesto que empezamos a aprovechar todo lo que Avid tiene que ofrecernos, corremos peligro de perder la sincronización. Añadimos pistas de vídeo para títulos y efectos, y añadimos pistas de audio para la música y la narración. Una vez ha montado unas cuantas pistas, los problemas de sincronización pueden ser todo un dolor. Empleamos mucho tiempo en el tema de la sincronización porque perderla puede ser doloroso. Mi mejor consejo es mantener las cosas lo más simples posibles todo el tiempo que pueda. No añada títulos, música ni efectos de sonido hasta que haya llegado al montaje final. Cuente la historia primero. Si no, pasará su tiempo arreglando la sincronización en lugar de editando.

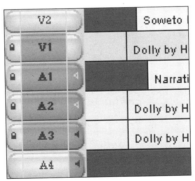

Figura 15.18. *Bloquear y desbloquear pistas.*

Tareas recomendadas

1. Coloque un solo rodillo (Trim Mode) en una pista y no en la otra. Arrastre hacia la izquierda y observe la pérdida de sincronización. Salga de Trim Mode. Ahora vuelva a Trim Mode y arregle la sincronización.

2. Coloque una fila de localizadores en sus pistas.

3. Déjese un mensaje, utilizando la función de mensaje del localizador.

4. Elimine el localizador.

5. Coloque bloqueos de sincronización en las pistas. Pruebe el recorte de rodillo sencillo.

6. Elimine los bloqueos de sincronización de pistas individuales.

7. Elimine los bloqueos de sincronización de todas las pistas.

8. Añada bloqueos de sincronización a unas pistas y no a otras y pruebe el recorte de rodillo sencillo.

9. Bloquee una o más pistas. Intente editar las pistas bloqueadas.

16. Importar y exportar

La mayoría de nosotros nos hemos hecho adeptos a pasar archivos digitales a nuestros ordenadores; hemos importado archivos de música MP3 a iTunes, o pasado imágenes JPEG de amigos y familiares. Importar archivos a Avid es bastante directo. En su mayor parte, es tan sencillo como identificar el tipo de archivo, navegar a la unidad o CD que contiene el archivo y hacer clic en **OK**. Hay un par de cosas que comprobar, pero en general importar es fácil, incluso aunque no lo haya hecho antes. Exportar es algo más complicado porque necesitamos saber algo sobre el software o sistema al que estamos exportando. Aun así, Avid ha facilitado este proceso más de lo que solía ser. Estoy seguro de que dominará la importación y exportación sin problemas.

Importar

Para importar, primero debe haber un archivo que importar. Puede estar ubicado en una unidad externa, una unidad flash, un CD o Internet. Para importar, seleccione Import (Importar) en el menú File (Archivo). Si Import está tenue en el menú, es porque no se ha seleccionado una lata. Haga clic en cualquier parte de la lata para activarla. Una vez seleccionado Import, se abrirá el cuadro de diálogo Import. Las figuras 16.1 y 16.2 muestran los cuadros de Avid para Windows y Mac. Como puede ver, aunque parecen bastante distintos, las ventanas Import de Windows y Mac ofrecen las mismas opciones.

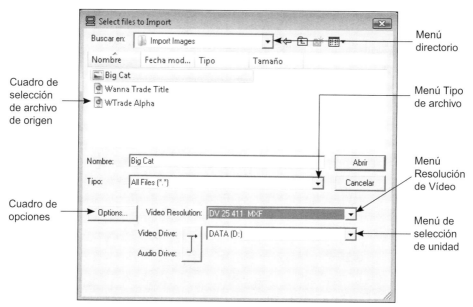

Figura 16.1. *Cuadro de diálogo Importar en Windows.*

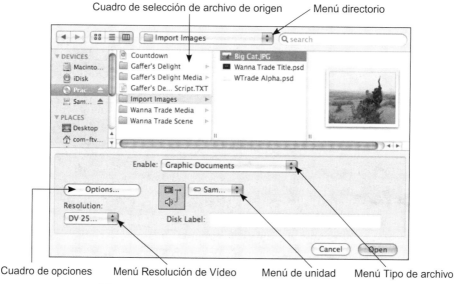

Figura 16.2. *Cuadro de diálogo Importar en Mac.*

Importar un archivo gráfico

Quizá el aspecto más confuso de la importación son las distintas opciones que debe establecer para cada tipo de archivo. Vamos a ver el proceso de importación de un archivo de imagen que está guardado como un archivo .jpg. Encontrará la imagen en el DVD que acompaña a este libro. Veamos los pasos necesarios para realizar esta importación, la elección de las opciones y el por qué. Observe la figura 16.1 (Windows) o la figura 16.2 (Mac) mientras sigue estos pasos:

1. Abra cualquier proyecto. Cree una nueva lata llamada Imported Files (Archivos importados). Ábrala y asegúrese de que está seleccionada.

2. Seleccione Import en el menú File. Se abrirá el cuadro de diálogo Select Files to Import (Seleccione archivos a importar).

3. En Files of type (Tipo de archivo) en Windows o Enable (Habilitar) en Mac, elija el tipo de documento que está buscando: Graphic, Audio, etc. Como mi título es un archivo .jpg, selecciono Graphic Files (Windows) o Graphic Documents (Mac). Si, por alguna razón, el cuadro Import no reconoce su tipo de archivo o no está seguro de qué tipo de archivo es, cámbielo a All files (Todos los archivos) en Windows o Any Documents (Cualquier documento) en Mac, como he hecho en la figura 16.1.

4. Utilizando el menú Directory (Directorio), navegue por el escritorio o disco duro hasta encontrar el DVD. Dentro del DVD, haga clic en la carpeta Import Images (Imágenes para importar) y después haga clic en la imagen Big Cat para que se resalte.

5. Haga clic en Options (Opciones) y se abrirá el cuadro de diálogo Import Settings (Ajustes de importación). Seleccione la pestaña Image (Imagen) y aparece un conjunto de opciones, como muestra la figura 16.3.

6. Seleccione Image sized for current format (Ajustar tamaño al formato actual).

7. En File Pixel to Video Mapping seleccione Computer RGB (0-255).

8. En Field Ordering in File (Orden de campos de archivo) seleccione ahora Ordered for current format (Ordenar conforme al formato actual).

9. En Alpha Channel seleccione Ignore (Ignorar).

10. En el cuadro Frame Import Duration (Duración del fotograma importado) seleccione 10 segundos como duración. Si quiere que sea más largo o más corto, cambie el número.

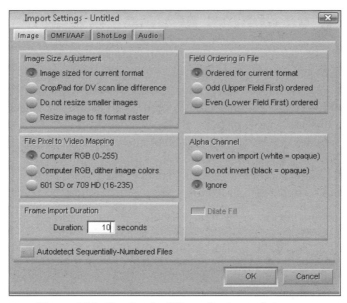

Figura 16.3. *Cuadro de diálogo Opciones de imagen.*

11. Finalmente, deseleccione la casilla Autodetect Sequentially-Numbered Files (Autodetección de archivos secuenciales).

12. Haga clic en **OK**. Se cerrará el cuadro de diálogo de opciones.

13. De nuevo en el cuadro de diálogo Select Files to Import, seleccione una unidad en la que almacenar los medios.

14. Como se trata de un gráfico, seleccione una resolución en el cuadro Video Resolution (Resolución de vídeo) que coincida con la resolución de su secuencia.

15. Al terminar, haga clic en Open (Abrir).

Observe la lata. Ahí está, guardado como un clip maestro de 10 segundos de duración.

Haga clic en el icono del clip para que se abra en Source Monitor, listo para editarlo en la secuencia.

Tenga en cuenta que su ordenador no se colgará o le saltará un fusible si escoge la configuración incorrecta. Si se ve mal, pruebe la opción siguiente. Quién sabe, puede gustarle el aspecto de una importación con la configuración incorrecta en lugar de la correcta.

Ahora que ya hemos visto cómo se hace una importación, examinemos las razones que hay detrás de cada opción y configuración realizada.

Ordenador vs. Televisión

La mayoría de problemas asociados a la importación de archivos a Avid nace del hecho de que estamos creando muchos de nuestros archivos en un ordenador, y aunque Avid está en un ordenador no se comporta como tal. Se comporta como una televisión digital. Un ordenador y Avid tratan las imágenes de una forma diferente.

Las principales diferencias implican la relación de aspecto, forma del píxel y color.

Relación de aspecto y forma del píxel

El estándar de vídeo digital de definición estándar se conoce como ITU-R 601. El estándar de vídeo digital HD es ITU-R 709. De ahí los números 601 y 709.

La relación de aspecto se refiere a las dimensiones de un rectángulo. En nuestro caso, el rectángulo es una imagen, fotograma de vídeo o pantalla.

Determinamos la relación de aspecto de un rectángulo dividiendo su anchura por su altura. Un cuadrado tiene una relación de aspecto 1:1, porque la anchura es igual a la altura.

Observe cualquier pantalla de televisión. No es cuadrada, es un rectángulo. El fotograma es más ancho que alto.

En la televisión de definición estándar, la relación de aspecto es 4:3. Los cinematógrafos están más acostumbrados al número 1.33:1, que es el resultado de dividir 4 entre 3 (véase la figura 16.4).

Figura 16.4. Relación de aspecto.

El estándar para televisión de alta definición presenta un fotograma mucho más ancho, con una relación de aspecto de 16:9. Al dividir 16 entre 9 obtenemos 1.777777777778, redondeando, 1.78:1.

En ordenadores, la imagen se describe normalmente en términos de píxel: el número y forma de los píxeles que conforman la imagen. Los artistas gráficos a menudo trabajan en ordenadores creando imágenes formadas por píxeles. Cuando se crean imágenes con una relación de aspecto 4:3 hay 648 filas de píxeles (ancho) y 486 filas de píxeles (alto). Si dividimos 684 entre 486 obtenemos una relación de aspecto de 4:3, o 1.33:1.

El problema es que algunos píxeles son cuadrados y otros no lo son (véase la figura 16.5).

Figura 16.5. *Píxel cuadrado y píxel no cuadrado de Avid.*

El fotograma de definición estándar de Avid en términos de píxel no es 648 por 486, sino 720 (ancho) por 486 (alto) de píxeles no cuadrados. Puesto que los píxeles no son cuadrados y son más estrechos, hacen falta 720 para rellenar el mismo espacio que 648 píxeles cuadrados. Por eso, los 720x486 píxeles no cuadrados de Avid ofrecen la misma relación de aspecto que los 648 x 486 píxeles cuadrados del ordenador, es decir 4:3.

En alta definición, los píxeles son cuadrados y hay bien 1.920 x 1.080 píxeles, o 1.280 x 720 píxeles. Divida el ancho por el alto y obtendrá 1.777777777778, que es 16:9.

Color

En este nivel, no necesita saber tanto sobre las distintas formas en las que Avid y un monitor de ordenador manejan el color. Simplemente recuerde que el color del ordenador se conoce como color RGB mientras que el color de Avid se ajusta al estándar de vídeo digital ITU-R 601 en definición estándar y al estándar ITU-R 709 en alta definición.

Opciones de importación

Ahora, con esta información, podemos observar de nuevo las opciones de la figura 16.3. Avid pide información sobre nuestro archivo para poder traducirlo debidamente al formato de Avid.

Image Size Adjustment

El primer cuadro que vemos es Image Size Adjustment (Ajuste del tamaño de imagen). Tenemos cuatro opciones: Image sized for current format (Ajustar tamaño al formato actual), Crop/Pad for DV scan line difference (Cortar/ Rellenar para salvar diferencia de líneas para DV), Do not resize smaller images (No remuestrear imágenes pequeñas) y Resize image to fit format raster (Remuestrear imagen para encajar en formato).

- Image sized for current format toma los gráficos con la relación de aspecto correcta, sin importar la forma del píxel, y hace que se ajusten al estándar de Avid.

- Crop/Pad for DV scan line difference es la opción que trata las discrepancias entre DV y definición estándar. Los formatos mini DV y DVCAM tienen 480 líneas horizontales, no 486. Esta opción añade o elimina esas 6 líneas.

- Do not resize smaller images mantiene el gráfico de la forma que se diseñó, sin cambiar su tamaño. Por ejemplo, puede que no quiera que un logo llene la pantalla de Avid sino que se quede en la esquina del fotograma. Esta opción hará eso. Mantendrá la forma y el tamaño de la imagen tal y como se creó.

- Resize image to fit format raster fuerza al gráfico a ajustarse al fotograma Avid. Una imagen alargada se ajustará al fotograma (no se recortará o apretará) pero para que llene la imagen se añadirá un borde negro a la izquierda y a la derecha. Una apaisada se importará completa sin recortar o apretar, pero con un borde en la parte superior e inferior.

Field Ordering in File

Las opciones aquí son Ordered for current format (Ordenar conforme al formato actual), Odd (Upper Field First) ordered (Impares, primero campo superior) y Even (Lower Field First) ordered (Pares, primero campo inferior). En el capítulo 6, vimos que muchos sistemas de vídeo usan la exploración entrelazada para grabar imágenes de vídeo. Un fotograma entrelazado está formado por dos campos: uno que contiene las líneas impares y otro que contiene las pares.

Avid se preocupa del orden de las líneas en el archivo digital. Por tanto, cuando importe imágenes entrelazadas deberá establecer el orden de campo. En un proyecto NTSC, Avid necesita Even (Lower Field First) ordered (véase la figura 16.6). Si está trabajando en un proyecto Pal 601, seleccione Odd (Upper Field First) ordered. No obstante, si está trabajando en un proyecto PAL DV, seleccione Even. Para archivos HD, Avid necesita Odd.

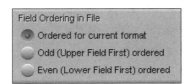

Figura 16.6. *Field Ordering in File.*

Si el archivo que está importando es progresivo o no trata con campos, enton-ces Ordered for current format es la opción correcta. Por ejemplo, al importar una fotografía seleccionaremos Ordered for current format porque es un archi-vo JPG, no un archivo de vídeo.

File Pixel to Video Mapping

Si lo que está importando se creó con cualquier aplicación de pintura/foto-grafía/gráficos, utilice Computer RGB (0-255). Eso incluye Adobe Photoshop, After Effects, Illustrator y Corel Painter. Si la imagen que quiere importar tiene un degradado y al importarla ve bandas, pruebe a importarla de nuevo utilizando Computer RGB, dither image colors (véase la figura 16.7). Seleccione 601 SD or 709 HD (16-235) cuando esté importando patrones de prueba, como ba-rras SMPTE, que veremos más adelante en este capítulo. La única ocasión sería al importar un archivo creado por otro Avid y que ese archivo se exportase a 601. Cuando tenga dudas, utilice Computer RGB excepto al importar barras SMPTE, que utilizaremos 601 SD or 709 HD (16-235).

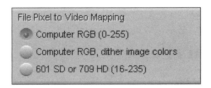

Figura 16.7. *File Pixel to Video Mapping.*

Alpha Channel

Si la imagen que está importando tiene una capa opaca y una transparente, entonces deberá decirle a Avid cómo se creó la imagen. La capa transparente se denomina canal alfa. Las distintas opciones para su importación las encontrará en Alpha Channel (véase la figura 16.8).

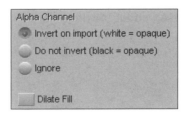

Figura 16.8. *Alpha Channel.*

Las aplicaciones de gráficos y animación establecen el canal alfa a lo opues-to que quiere Avid, por lo que deberá seleccionar Invert on import (white =

opaque) (Invertir al importar (blanco = opaco)). La fotografía que estamos importando no tiene capa de transparencia por lo que no es un problema y seleccionamos Ignore.

Puede crear gráficos utilizando programas como Photoshop que se superpondrán a la toma de fondo. Haremos esto en un instante.

Frame Import Duration

Importamos la fotografía como un fotograma único (*single frame*). Cuando lo importe, Avid va a convertir ese fotograma único en un clip maestro. En el cuadro Duration, le decimos a Avid cuánto queremos que dure dicho clip. La duración preestablecida es de 30 segundos. Normalmente, 10 es suficiente para una sola imagen (véase la figura 16.9).

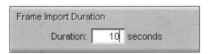

Figura 16.9. *Frame Import Duration.*

Importar un gráfico con un canal alfa

Vamos a probar a importar un par de imágenes gráficas. Ambas son títulos para *Wanna Trade* y se encuentran en la carpeta Import Images del DVD, al igual que Big Cat. Una tiene un canal alfa y la otra no. Primero importaremos Wanna Trade Title. Siga las instrucciones para importar un archivo gráfico.

Ahora importaremos el archivo llamado Wanna Trade Alpha. Cuando llegue al paso 9, en el cuadro de diálogo Import Settings, seleccione Invert on import (white = opaque) en la sección Alpha Channel (véase la figura 16.10).

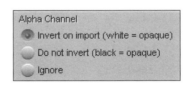

Figura 16.10. *Importar una imagen con un canal alfa.*

Una vez haga clic en Open en el cuadro de diálogo Select Files to Import, verá un aviso de Avid diciendo que el archivo tiene capas. Seleccione Flatten Layers (Acoplar capas).

Verá dos títulos importados en la lata. Wanna Trade Title tiene un fondo negro opaco y no puede superponerse a otra imagen, pero Wanna Trade Alpha tiene un efecto **Matte Key** (Composición). Puede colocarlo en V2 y se superpondrá a la imagen debido a su canal alfa. Pruébelo.

Importar barras de color

Importemos algo más. Normalmente, cuando se envía una secuencia en cinta de vídeo, se colocan barras SMPTE al inicio de la cinta para que el ingeniero de vídeo pueda utilizarlas como referencia para ajustar el monitor de reproducción y el grabador.

Importemos las barras SMPTE que vienen incluidas en el software de Avid. Este archivo ya está en su ordenador. Necesitaremos 60 segundos cuando aprendamos a dar salida a la secuencia a cinta en el capítulo 19.

1. Cuando se encuentre en su proyecto, haga clic en una lata.

2. Desde el menú **File**, seleccione **Import**. Se abrirá entonces la ventana de importación.

3. Seleccione **Graphic** como tipo de archivo.

4. Navegue por **Source Files** hasta que entre en el disco duro de su ordenador. Estamos buscando la carpeta `Avid Media Composer`, después la carpeta `Supporting Files`, la carpeta `Test Patterns` y después la carpeta correcta para nuestro formato. Haga clic en la carpeta correcta dependiendo de si su formato es HD 720, HD 1080, SD NTSC o SD PAL. Dentro de esa carpeta encontrará `SMPTE_Bars.tif` (en la figura 16.11, mi proyecto era HD 720).

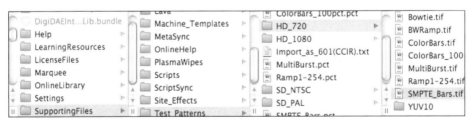

Figura 16.11. *Archivo SMPTE_Bars para el formato HD 720.*

5. Seleccione el archivo.

6. Haga clic en **Options**.

7. Seleccione **Image sized for current format**.

8. Seleccione **Ordered for current format**.

9. En el cuadro File Pixel to Video Mapping, seleccione 601 SD or 709 HD (16-235). Aquí es cuando escogemos esta opción, no Computer RGB (0-255).

10. Seleccione 60 segundos.

11. Haga clic en **OK**.

12. De vuelta en el cuadro de diálogo Select Files to Import, seleccione la resolución de vídeo correcta y la unidad deseada.

13. Encontrará un clip maestro llamado SMPTE Bars en su lata.

En el capítulo 19 montaremos este clip, junto con un tono de audio de 1000Hz, al inicio de una secuencia que pasaremos a cinta de vídeo. Tendremos barras y tono.

Importar una película QuickTime

Insertaremos también una cuenta atrás de 10 segundos justo después de las barras y el tono y antes del inicio de nuestra secuencia final. La cuenta atrás es una película de QuickTime y se encuentra en el DVD que acompaña al libro.

1. Abra su proyecto Avid, abra una lata y entonces asegúrese de que está seleccionada.

2. En el menú File, seleccione Import.

3. Cuando se abra el cuadro de diálogo Select files to Import, seleccione All files o Any Documents. Vaya al DVD y haga clic sobre la película QuickTime llamada *Countdown*.

4. Haga clic en Options. Seleccione Image sized for current format, Computer RGB (0-255), Ordered for current format e Ignore en Alpha Channel. Haga clic en **OK**.

5. De vuelta al cuadro de diálogo Select files to Import, seleccione la unidad y la resolución.

6. Haga clic en **Open**.

El archivo aparecerá en la lata como un clip maestro. Ábralo en Source Monitor y pulse **Play**. Comenzará en negro pero después aparecerán los números (véase la figura 16.12).

Puede importar muchos tipos distintos de archivo. Ahora que conoce los parámetros, debería ser capaz de importar cualquier archivo con éxito. Como cualquier tema tratado en este libro, sólo lo aprenderá mediante la práctica y la experiencia. Pruebe a importar distintos tipos de archivo y juegue con las opciones. Lleve un registro escrito de qué opciones funcionan. Si tiene un archivo que quiere importar, hay una forma de hacerlo. Siga intentándolo.

Figura 16.12. *Cuenta atrás importada.*

Exportar

Hay cientos de aplicaciones informáticas que pueden cambiar, alterar, dulcificar o mejorar la imagen o el sonido generado por Avid y hay muchos puntos de venta para el trabajo que cree en Avid, incluyendo Internet y DVD. Para aprovechar esas aplicaciones y avenidas de distribución, deberá comprender los conceptos básicos de la exportación. Por suerte, Avid ha hecho este proceso mucho más fácil de lo que fue en el pasado. Ahora hay un menú desplegable Export Settings (Opciones de exportación) que contiene muchas plantillas para las exportaciones más comunes. Seleccione la plantilla y las opciones preestablecidas serán las que normalmente quiera utilizar.

Veamos tres situaciones en las que puede querer exportar fotogramas o secuencias desde Avid:

- Crear una imagen de producción para propósitos publicitarios. Puede exportar un único fotograma fijo de una secuencia, retocar la imagen en un programa como Photoshop y enviarla a festivales que las pidan.

- Exportar parte de una secuencia a After Effects, realizar cambios y reimportarla a Avid.

- Exportar una película QuickTime para publicarla en YouTube o MySpace o en el sitio Web de su empresa.

- Exportar a un DVD (veremos esta opción en el capítulo 19).

Para aprender realmente a exportar, debe estar familiarizado con la aplicación de software a la que va a exportar. Normalmente, exportará archivos a aplicaciones como Pro Tools, After Effects, Photoshop, Maya y muchas otras. Si no tiene mucha experiencia con estas aplicaciones, pida ayuda al artista gráfico, ingeniero de sonido o animadores de su zona que trabajen con la aplicación diariamente.

Preparar la exportación

Hay varias cosas de las que debe estar seguro para que la exportación funcione sin problemas:

- Si está exportando una secuencia o las pistas de audio de una secuencia, debería duplicar la secuencia antes de iniciar la exportación. Cree una nueva lata para el duplicado y expórtela. Si cualquier cosa falla, tendrá un original al que volver.

- Si está exportando un fotograma, no necesita duplicar nada.

- Si está exportando algo más que V1, asegúrese de que el monitor de pista de vídeo se encuentra en el nivel superior.

- Asegúrese de que el material que quiere exportar está seleccionado:

  - Si es un fotograma, marque entonces el fotograma con una marca de ENTRADA.

  - Si es una o más pistas, haga clic en el panel selector para seleccionar las que quiere y deseleccionar las que no quiere.

  - Si se quiere exportar una sección de una secuencia, marque una ENTRADA y una SALIDA en Timeline (Línea de tiempo).

Exportar un fotograma fijo

Exportar un fotograma de una secuencia para crear una imagen de producción es una tarea importante, especialmente si el presupuesto no incluye dinero para un foto fija. En lugar de eso, obtendremos nuestras fotos fijas directamente desde Timeline. Por suerte, Avid ofrece una plantilla para facilitar la tarea.

Coloque una secuencia en Timeline y después marque una ENTRADA en el fotograma que quiere exportar. Si es posible, seleccione uno que tenga el menor movimiento posible. Ahora vaya al menú File y seleccione Export (Exportar). Aparecerá entonces el cuadro Export As... (Exportar como), como muestran las figuras 16.13 y 16.14.

Seleccione guardar su
trabajo en una unidad,
flash o escritorio

Escoja entre una lista de plantillas

Haga clic aquí para abrir
el cuadro de Opciones

Escriba
un nombre
para el
archivo

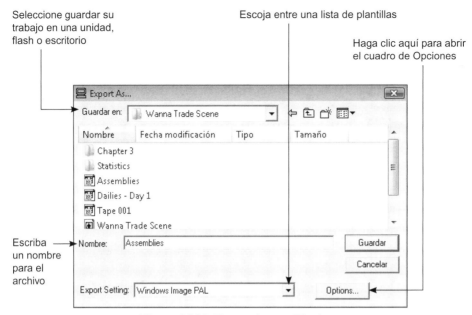

Figura 16.13. *Export As... en Windows.*

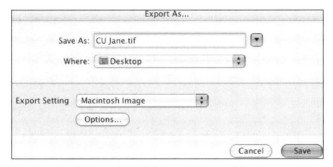

Figura 16.14. *Export As... en Mac.*

1. Vaya a la ventana Export As... y entonces seleccione Windows Image o Macintosh Image, dependiendo del equipo que utilice.

2. Escriba el nombre para el archivo.

3. Seleccione un destino (escritorio, unidad flash).

4. Haga clic en **Save**.

Así de fácil. Pero ahora hagamos un cambio a la configuración preestablecida de Avid. Repita los pasos anteriores y no haga clic en **Save** en el paso 4. En lugar de eso, haga clic en el botón **Options**.

Se abrirá la ventana Export Settings (Opciones de exportación), como la que muestra la figura 16.15. La única diferencia es que he cambiado WIDHT X HEIGHT a 720 x 540, y he seleccionado TIFF como formato de gráfico. Veamos por qué.

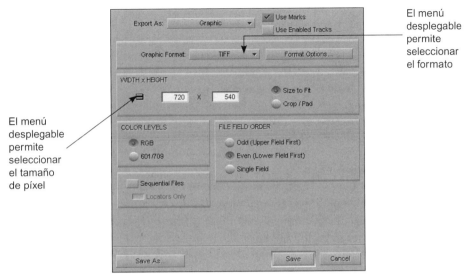

Figura 16.15. *Opciones de exportación para un fotograma.*

1. En el menú Export Settings, escogemos Graphic pues pedimos Windows Image o Macintosh Image y Avid sabe que es un archivo gráfico.

2. Como estamos exportando un fotograma concreto, seleccionamos Use Marks (Utilizar marcas). Recuerde que colocamos una marca de ENTRADA en Timeline sobre el fotograma que queremos importar.

3. En el cuadro Graphic Format seleccionamos TIFF.

4. Haga clic en el menú rápido WIDTH X HEIGHT y cambie a 720 x 540 (4x3 square pixel) Esto nos da un tamaño mayor de archivo. Si el proyecto fuese de alta definición, escogeríamos 1920 x 1080, que es la primera opción en la figura 16.16.

5. Seleccione Size to Fit (Ajustar tamaño).

6. Puesto que es un gráfico, seleccionaremos siempre RGB.

7. Seleccione Even (Lower Field First) para SD y Odd (Upper Field First) para HD.

8. Haga clic en Save.

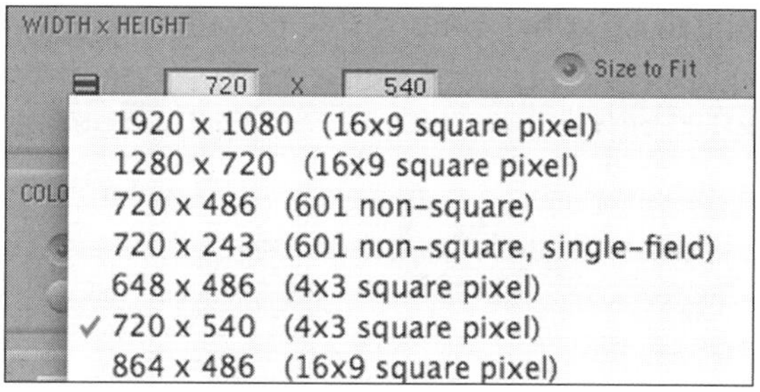

Figura 16.16. *Opciones de tamaño.*

Exportar vídeo

Cuando necesitamos exportar vídeo, QuickTime es normalmente la primera opción. Existen estos dos tipos de películas QuickTime: QuickTime Reference y QuickTime. Una película QuickTime Reference es como una concha. Las tripas de QuickTime (el material) están en nuestro disco duro. Cuando exportamos una película QuickTime Reference estamos utilizando los archivos de audio y vídeo que están en nuestra unidad para llenar la concha. La película QuickTime Reference sólo se reproduce si se encuentra en la misma unidad que los archivos de medios.

Una película QuickTime es lo auténtico. Puede enviarla a cualquier sitio y se reproducirá porque no es una concha, contiene todo el material. Las películas QuickTime Reference ocupan poco espacio de disco, son archivos pequeños. Sólo lleva unos segundos exportarlas. Las películas QuickTime ocupan mucho espacio y pueden tardar horas en exportarse.

¿Cuándo utilizar una y no otra? Si tiene aplicaciones como After Effects, iDVD, Avid DVD o Sorenson Squeeze en su ordenador, es mucho mejor utilizar una película QuickTime Reference.

No tiene que comprimir ni alterar nada y ahorra espacio y tiempo porque todos los archivos de medios están en su ordenador. No obstante, si va a enviar una secuencia de 90 segundos a un animador en 3D en Toronto, enviaremos una película QuickTime porque el animador no tiene acceso a nuestra unidad ni a los medios que hay en ella.

Exportar una película QuickTime

Exportar una película QuickTime lleva tiempo así que éste es mi consejo siempre que exporte. Marque su Timeline con una ENTRADA y una SALIDA que dure sólo unos segundos.

Seleccione las opciones y después exporte a su escritorio este corto segmento. Después, ábralo utilizando el Windows Media Player o QuickTime de Apple para ver que todo salió como esperaba. Si es correcto, exporte la secuencia completa o la duración deseada. De esa forma no malgastará horas esperando a que termine la exportación para darse cuenta de que no es lo que buscaba. En otras palabras, experimente; encuentre las opciones correctas y después haga el trabajo completo.

Exportar una película QuickTime de alta resolución

Si queremos la mayor calidad de exportación porque vamos a darle la película QuickTime a un animador en 3D que utiliza Maya o bien a un amigo experto en After Effects, entonces necesitamos exportar la secuencia a su resolución nativa, la misma que utilizamos para capturar o importar los archivos o cintas.

1. Seleccione la secuencia en la lata y luego elija Export en el menú File.

2. Haga clic en **Options**.

3. En Export Settings, haga clic en el botón **Same as Source** (Mismo origen). Una vez hecho esto, exportaremos el ancho y alto total y la resolución que utilizamos para capturar el material.

   Si nuestro proyecto se capturó en DV 25 y vamos a ir a un sistema que tiene el códec Avid DV, seleccionaremos la casilla Use Avid DV Codec. Cualquier sistema con Avid instalado tiene el códec DV. Si el ordenador al que irá no tiene Avid, deseleccione esta casilla (véase la figura 16.17).

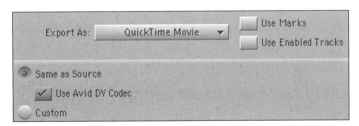

Figura 16.17. *Seleccione Same Source.*

Utilice las opciones preestablecidas a menos que no funcionen. Un área en la que suelo hacer cambios en Display Aspect Ratio (Relación de aspecto de pantalla).

En ocasiones la imagen que obtengo usando las dimensiones nativas parece apretada, pero cambiando la selección a 4:3 square pixel todo funciona bien. La figura 16.18 muestra las opciones para proyectos 4:3 y 16:9.

4. Ahora haga clic en **Save**. Cuando vuelva a la ventana Export As..., nombre el archivo (el nombre por defecto será el nombre de la secuencia).

5. Seleccione un destino (escritorio, unidad externa, grabadora de DVD).

6. Haga clic en **Save**.

 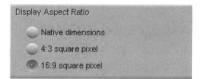

Figura 16.18. Opciones de relación de aspecto de pantalla.

Exportar una película QuickTime para YouTube, Google, iTunes o un sitio Web

A menudo queremos crear una versión QuickTime de nuestro proyecto que tenga una calidad menor. Puede querer mostrarlo en su página Web o subirlo a YouTube, pero si mantiene la resolución original el archivo será demasiado grande. YouTube limita el tamaño a 100MB y sugiere 480x360 en lugar de 720x486. YouTube acepta archivos en formatos `.avi`, `.mov`, `.wmv` y `.mpg`. Hay dos formas de exportar una película QuickTime. Una es enviar una película QuickTime Reference a Sorenson Squeeze, que viene incluido en el software Media Composer. Se envía el material sin comprimir a Sorenson para que comprima la secuencia. El segundo método es dejar que Avid haga la compresión y saltarse el paso de Sorenson. Yo recomiendo utilizar Sorenson Squeeze que es muy fácil de usar (como veremos). Este método se describe más adelante.

Utilizar Avid para crear un archivo MPEG

Creemos una versión comprimida pero que seguirá teniendo buen aspecto.

1. Coloque su secuencia en Timeline. Si no quiere la secuencia completa, marque una ENTRADA y una SALIDA. Asegúrese de que todas las pistas están seleccionadas.

2. Seleccione Export en el menú File.

3. En la ventana Export As... seleccione Fast-Export QuickTime NTSC/
   PAL en el menú desplegable Export Settings.

4. En el cuadro de diálogo Export haga clic en el botón **Options**.

5. Verá las opciones en el cuadro (véase la figura 16.19). Haga clic en el botón de opción Custom (Personalizado).

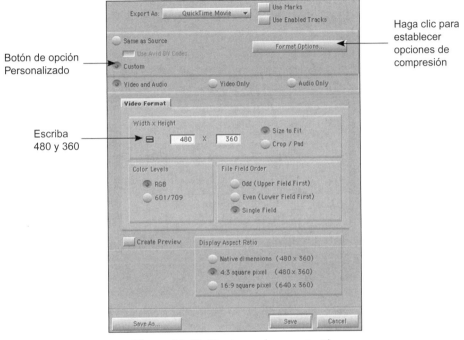

Figura 16.19. *Opciones de exportación.*

6. Si quiere la secuencia completa, deseleccione las casillas Use Marks y
   Use Enabled Track (Utilizar pista activada).

7. En Width x Height escriba **480** y **360**.

8. Seleccione RGB.

9. Seleccione Single Field (esto evitará artefactos de entrelazado).

10. Seleccione 4:3 square pixel (o 16:9).

11. Haga clic en **Format Options** (Opciones de formato) como muestra la fi-
    gura 16.19.

Al hacer clic sobre el botón **Format Options** pasamos a la ventana Ajustes
de la película, como se muestra en la figura 16.20.

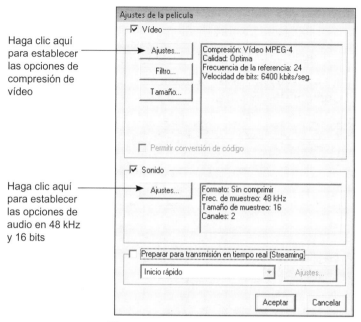

Haga clic aquí para establecer las opciones de compresión de vídeo

Haga clic aquí para establecer las opciones de audio en 48 kHz y 16 bits

Figura 16.20. *Cuadro de diálogo Movie Settings.*

En Vídeo, haga clic en **Ajustes** y después, cuando aparezca el cuadro de diálogo de la figura 16.21, haga clic en el menú Tipo de compresión. Yo utilizo la compresión MPEG-4 Video.

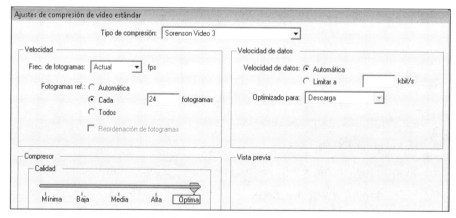

Figura 16.21. *Cuadro de diálogo de opciones de compresión.*

Utilice la barra de deslizamiento Calidad que encontrará en Compressor para escoger la mejor combinación entre tamaño de archivo y calidad. Si es un clip corto puede utilizar Óptima, pero un vídeo de 5 minutos puede crear un archivo demasiado grande, por lo que Media puede ser mejor. Mi película de 5 minutos, *Massacre at Murambi*, crea un archivo de 127 MB en calidad Óptima y uno más manejable de 88,5 MB en Media.

En el área Sonido, haga clic en **Ajustes** y luego cambie a 48 kHz, 16 bit, Stereo.

Utilice las opciones de las figuras 16.19, 16.20 y 16.21. Haga clic en **Aceptar** después de realizar la selección. Volverá al cuadro de diálogo Export As.... Nombre el archivo, haga clic en **Save** y envíelo a su escritorio.

Ahora que tenemos un archivo .mov en el escritorio haga clic en el botón de subir vídeo de cualquier página de YouTube, rellene la información y ya está.

Otra forma de hacer un archivo de película QuickTime más pequeño a la vez que mantenemos la máxima calidad de imagen es utilizar un tamaño de fotograma más pequeño (véase la figura 16.22). Vaya al menú desplegable y seleccione 320 x 240. Es otra buena opción para YouTube.

Figura 16.22. Tamaño más pequeño de fotograma.

Exportar una película QuickTime Reference

Digamos que quiere enviar la secuencia al escritorio para poder importarla a Sorenson Squeeze o After Effects. Puesto que tenemos el software en nuestro ordenador, podemos ahorrar tiempo y espacio utilizando una película QuickTime Reference. Podemos apuntar al material de nuestra unidad de medios Avid y no tendremos que crear nuevo material. Coloque la secuencia en Timeline. Si no quiere la secuencia completa, marque una ENTRADA y una SALIDA y seleccione Use Marks y Use Enabled Tracks. Asegúrese de que están seleccionadas todas las pistas que desea y todos los efectos están interpretados. Vemos los pasos necesarios para exportar una secuencia.

1. Seleccione Export en el menú File.

2. En la ventana Export As..., seleccione QuickTime Reference en el menú desplegable.

3. Pulse **Save**.

Eso ha sido fácil. Hagamos clic en **Options** para ver las opciones que se han elegido, en caso de que queramos hacer cambios. Se abrirá una ventana como la de la figura 16.23.

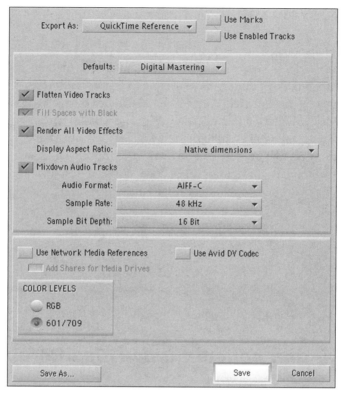

Figura 16.23. *Opciones preestablecidas para exportar una película QuickTime Reference.*

QuickTime Reference está seleccionado en Export As porque es la plantilla que hemos escogido. Las casillas Use Marks y Use Enabled Tracks están deseleccionadas porque queremos la secuencia completa. Si fuese un proyecto DV, deberíamos seleccionar Use Avid DV códec; si no, lo dejamos sin seleccionar.

El resto de opciones se explican por sí mismas. Si queremos que las pistas de audio formen parte de la exportación, las pistas se mezclarán en una sola pista. AIFF_C, 48 kHz y 16 bit son nuestras opciones de audio. Si está en una red Unity, seleccione Use Network Media References.

Encontrará dos archivos en su escritorio: uno para la imagen y otro para el sonido. Éstos son los archivos que importaremos a Sorenson Squeeze (véase la figura 16.24).

Fine Cut.aif Fine Cut.mov

Figura 16.24. *Archivos exportados, uno de audio y otro de vídeo.*

Ahora, haremos que Sorenson Squeeze comprima los archivos para que sean perfectos para colocarlos en nuestra página Web o bien en YouTube (véase la figura 16.25).

Figura 16.25. *Interfaz de Sorenson Squeeze.*

Éstos son los pasos que uso para importar la película QuickTime Reference a Sorenson Squeeze y obtener un archivo MPEG.

1. Primero, en la pantalla Input (Entrada) hago clic en Import File (Importar archivo).

2. Voy a los dos archivos del escritorio que Avid ha exportado y los selecciono. Después hago clic en **Open**.

3. Selecciono 16:9 como relación de aspecto.

4. En Audience Presets (Predeterminados de audiencia) selecciono Web> Streaming>MPEG4>1MB (o menor si quiero un archivo más pequeño). Hago clic en el botón **Apply** (Aplicar).

5. Selecciono Publish Preset (Publicar predeterminado) para enviarlo a mi escritorio y hago clic en el botón **Apply**.

6. Cuando aparece, pulso el botón **SQUEEZE IT**.

Pronto tendrá un archivo `.mov` en su escritorio. Haga clic en el botón **Subir vídeo** en la página de YouTube, rellene la información y ya está.

Exportar audio a una estación de trabajo Pro Tools

Aunque Avid tiene una capacidad para la manipulación de audio bastante sofisticada, no lo es tanto como Pro Tools. Pro Tools es un producto de Avid y líder de industria en la mezcla y manipulación de sonido. Pro Tools HD es un sistema de gama alta que la mayoría no pueden permitirse. Pro Tools LE combinado con el kit opcional DV Toolkit es una opción más asequible.

Ir a Pro Tools

Tanto Pro Tools como Pro Tools LE con el DV Toolkit para Pro Tools LE tienen lo que se conoce como DigiTranslator (Traductor digital). Este traductor le permite llevar audio y vídeo a Pro Tools para poder mezclar sonidos mientras ve el vídeo. No se trata sólo de pasar archivos de audio.

Primero, hacemos un duplicado de la secuencia final. Cree una nueva lata, etiquétela como `Pro Tools Sequence` y coloque el duplicado en la lata. Coloque la secuencia en **Record Monitor** (Monitor de grabación) y siga estos pasos:

1. Asegúrese de que todos los efectos de audio y vídeo se han interpretado y que están seleccionadas todas las pistas.

2. Asegúrese de que todo el audio se ha convertido a 48 kHz (o ratio de muestra que utilice).

3. Seleccione la secuencia en la lata.

4. Seleccione **Send To...** (Enviar a) en el menú **File**.

5. Seleccione **QuickTime-Embed Audio** (véase la figura 16.26).

6. Cuando se abra el cuadro de diálogo de la figura 16.27, seleccione la unidad externa como destino.

7. Haga clic en **OK**.

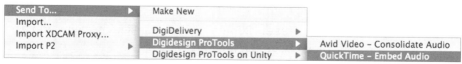

Figura 16.26. *Seleccione QuickTime-Embed Audio.*

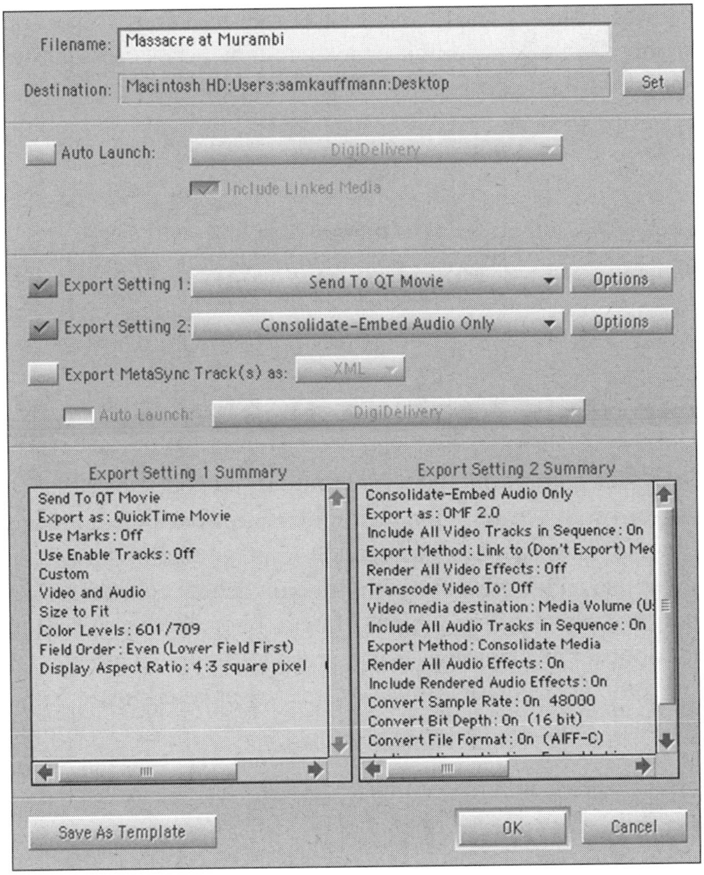

Figura 16.27. *Cuadro de diálogo QuickTime-Embed Audio.*

Como puede ver, tiene opciones separadas para el vídeo y el audio. Puede hacer los cambios que desee en las opciones mostradas en la lista del área de resumen haciendo clic en los botones **Options**.

En **Destination** (Destino), puede guardarlo en el escritorio y después moverlo a la unidad de medios externa o puede navegar hasta la unidad. Haga clic en **Set** y navegue hasta la unidad o escritorio.

Coloque el archivo .omf dentro de la carpeta Avid MediaFiles o carpeta OMFI MediaFiles de su unidad (o unidad externa FireWire).

Cuando abra Pro Tools, seleccione **New Session** (Nueva sesión), vaya hasta el archivo .omf de la carpeta Avid/OMFI MediaFiles y ábralo. Ese archivo .omf es su sesión de Pro Tools (véase la figura 16.28).

Si piensa que puede ir a un proveedor externo (como un mezclador profesional con un equipo Pro Tools), hable con el proveedor porque los pasos pueden ser algo distintos. Este resumen le dará un buen punto de partida para comenzar la conversación. Después puede hacer los cambios necesarios que le sugiera el proveedor en esta lista de pasos.

Figura 16.28. Un archivo .omf.

Exportar otros tipos de archivo

Exportar es más complicado que importar porque podría exportar a cientos de aplicaciones pero sólo se importa a una aplicación: Avid. Como hice con la importación, he intentado hacer la exportación lo más sencilla posible.

Para convertirse en un experto en exportación deberá conocer las aplicaciones a las que está exportando, como After Effects, Photoshop y Sorenson Squeeze. Cuantas más aplicaciones domine, más valioso será para su cliente o empleador. O, si está editando sus propios proyectos, menos proveedores o *freelancers* necesitará contratar.

Tareas recomendadas

1. Importe barras de color desde la carpeta `Avid Test Patterns`.

2. Importe una imagen desde una cámara digital.

3. Móntela en una secuencia.

4. Exporte un fotograma de una secuencia para utilizarla como foto fija de producción.

5. Marque una sección de 10 segundos en su secuencia con marcas de EN-TRADA y SALIDA y expórtela como una película QuickTime. Utilice las opciones Same as Source y Custom, pruebe distintas opciones de compresión de vídeo y de anchura y altura. Compare la calidad y el tamaño de archivo.

17. Trabajar en alta definición

Imagine mi decepción cuando finalmente me compré una televisión de 37 pulgadas LCD con pantalla de alta definición (HD). La mayoría del contenido que recibo es de definición estándar (SD). De los 800 canales, sólo unos 40 son canales en HD. Y, lo que realmente me sorprendió es cuántos anuncios de televisión están aún en definición estándar y no en alta definición, incluso en los canales llamados de alta definición. Pero mi vendedor de televisión por cable me prometió que, según pasaran los años, vería cada vez más contenido en HD y no en SD. Y él es un hombre de confianza, ¿no?

Mis dos últimas películas se han mostrado en unos 30 festivales y una de ellas, *Massacre at Murambi* fue emitida por la PBS. Ni una vez me pidieron una versión en HD. Todos querían definición estándar. Así que, ¿qué sentido tiene? ¿Quién necesita HD?

Una razón para utilizar HD es que puede convertir fácilmente material HD en material de definición estándar y tener un programa SD con mejor aspecto. Afrontémoslo, los programas de televisión de *prime-time* se han rodado en película durante décadas, aunque nadie tiene un proyecto de cine en su salón. Se rodaban en película de 35 o 16 mm porque se sabe que tiene mejor aspecto cuando se transfiere a una cinta de definición estándar. Si rueda en HD, tendrá lo mejor de ambos mundos: definición estándar para la mayoría de festivales de cine y emisiones de televisión y alta definición si su proyecto es elegido por uno de los festivales de cine o programas de televisión que piden HD. Y, según más y más programas se conviertan a HD, estará listo. Así pues, hagamos de este año el año en el que se introdujo en las turbias aguas del HD.

Aprenderemos cómo trabajar con material HD en este capítulo y como dar salida al HD en el capítulo 19.

HD Primer

Hay muchos formatos HD entre los que elegir, pero todos tienen algo en común: una relación de aspecto 16:9. Como ve en la figura 17.1, he colocado un fotograma de definición estándar 4:3 dentro de uno e 16:9. Obviamente, 16:9 está diseñado para ofrecer una experiencia más cercana al cine, lo cual, cuando se piensa en ello, es más parecido a la forma en la que nuestros ojos perciben el mundo.

Figura 17.1. *Imagen 4:3 dentro de imagen 16:9.*

Alta definición significaba una relación de aspecto de 16:9 con mucho más detalle de imagen, pero ahora HD ha evolucionado hasta el punto en que los productores pueden elegir entre diversos formatos HD, dependiendo del aspecto que deseen. Al principio sólo había dos reproductores HD, Sony y Panasonic, y resolvieron el problema con dos métodos diferentes. Panasonic desarrolló un sistema HD llamado 720p y Sony desarrolló 1080i. Las cadenas ABC y Fox escogieron el método de Panasonic, mientras que la NBC y la CBS escogieron el de Sony.

Ahora hay muchos sabores de HD dentro de estos dos métodos. La mayoría de los formatos HD de los Estados Unidos utilizan exploración progresiva, pero uno de ellos utiliza entrelazada. Además, hay muchos ratios de fotograma entre los que escoger, dependiendo del aspecto que se busque. Si quiere que un proyecto dramático tenga apariencia de película, seleccione un formato HD progresivo con un ratio de fotograma de 23.976 fps. Si quiere que su programa deportivo parezca vídeo, seleccione HD entrelazado a 59.94 fps. Si quiere que su *reality show* tenga una apariencia intermedia, seleccione un formato HD progresivo a 29.97 fps. De hecho, puede escoger entre casi 18 sabores de HD. Veamos algunas de las diferencias. En el mundo de la alta definición, las cosas se describen de forma algo distinta que en el de la definición estándar. Primero, los formatos HD se describen según las líneas horizontales que contienen; por tanto, tenemos sistemas con 720 líneas o 1.080 líneas horizontales. Los formatos HD también se describen por la forma en la que se exploran esas líneas, progresiva o entrelazada. Se añade una "p" o una "i" al número de líneas, como en 720p o 1080i, para identificarlo. Finalmente, el ratio de fotogramas por segundo se utiliza para diferenciar formatos HD similares.

Comencemos nuestra exploración de HD revisando lo que sabemos sobre la definición estándar pero utilizando terminología HD. Utilizaremos NTSC DV (miniDV y DVCAM) para comparar, partiendo de todo lo que hemos aprendido en capítulos anteriores.

DV

- Relación de aspecto: 4:3.

- Exploración entrelazada.

- Conteo de píxeles: 720 x 480.

- Ratio de fotogramas por segundo: 29,97.

- 345.600 píxeles por fotograma.

Utilizando la nomenclatura HD, nuestro formato DV se llamaría 480i/29.97, lo que significa que hay 480 líneas horizontales visibles, con exploración entrelazada a 29.97 fps. Ahora veamos las variables en el mundo HD.

720p

- Relación de aspecto: 16:9.

- Exploración progresiva.

- Conteo de píxeles: 1.280 x 720.

- Ratios de fotogramas por segundo: 59, 94, 23,976 o 29,97.

- 921.600 píxeles por fotograma.

Éste es formato de Panasonic y el adoptado por JVC. Puesto que 720p es un formato progresivo, es muy agradable a la vista y tiene una apariencia cinematográfica. Puesto que el flujo de datos es menor que en otros tipos de HD, suele ser la opción de muchos directores independientes. El software Media Composer puede capturar y dar salida a este formato a través de una conexión FireWire.

1080i

- Relación de aspecto: 16:9.
- Exploración progresiva.
- Conteo de píxeles: 1.920 x 1.080.
- Ratios de fotogramas por segundo: 23.976, 24, 25p, 29.97 o 59.94.
- 2.073.600 píxeles por fotograma.

Pertenece a Sony. Es el formato elegido por los productores cuando quieren que HD parezca vídeo o TV real. Produce un flujo de datos enorme, siete veces más que DV. Necesita un sistema Avid como Adrenaline HD o Nitris XD para capturar 1080i. Un Mojo DX puede hacerlo pero sólo si tiene un procesador robusto.

Durante muchos años, éstas fueron las dos opciones, pero Sony desarrolló recientemente una tercera opción para competir directamente con la película.

1080p

- Relación de aspecto: 16:9.
- Exploración progresiva.
- Conteo de píxeles: 1.280 x 720.
- Ratios de fotogramas por segundo: 59, 94, 23,976 o 29,97.
- 921.600 píxeles por fotograma.

Ésta es la última versión HD y la que se está popularizando más rápidamente. Una vez más, pertenece a Sony. Sus 2.073.600 píxeles por fotograma son casi siete veces más que un fotograma de definición estándar. Es el formato HD que más se acerca a la película de 35 mm en términos de apariencia y calidad de imagen. Cada año más programas y dramas de televisión se ruedan en este formato HD puesto que ofrece exploración progresiva, como la película, y ofrece un ratio de 24 fps. Una vez más, necesitará Adrenaline HD o Nitris DX para trabajar con este formato. Nitris DX puede hacerlo pero sólo si cuenta con un procesador realmente potente.

HDV

En los capítulos 6 y 7 tratamos los detalles prácticos de la captura o importación de medios HDV a Avid, pero examinemos este formato con algo más de detalle. HDV significa *High-Definition Video* (Vídeo de alta definición), y puede grabarse en una cinta DV estándar. HDV utiliza compresión MPEG-2 GOP (grupo de imágenes), lo que es similar a la compresión MPEG-2 de DVD. Las cámaras HDV de JVC graban en formato 720p (véase la figura 17.2), mientras que las cámaras Sony y Canon utilizan el formato 1080i. Éstas son señales HD reales que pueden meterse, mediante compresión, en una cinta miniDV. Lo que hace difícil capturar HDV y editarlo es su complejo sistema de codificación.

Figura 17.2. *Cámara JVX GY-HD250U HDV (cortesía de JVC).*

Para comparar, veamos cualquier cámara DV estándar. La cámara comprime la señal utilizando una compresión de 5:1 según graba en la cinta DV. Cuando capturamos la cinta DV en Avid, Avid trata con lo que se le ha dado, fotogramas ya comprimidos. Pero en HDV, algunos de los fotogramas contienen toda la información de imagen, lo llamamos "fotogramas grandes", mientras que otros contienen sólo la información que ha cambiado desde el fotograma grande anterior (esta explicación es algo simplista y utiliza mi propia terminología).

El primer fotograma es un Fotograma Grande, pero los siguientes 13 son "conchas". Sólo contienen lo que ha cambiado. El siguiente fotograma (el décimo quinto del grupo) también es un fotograma grande y está relacionado con las 13 conchas anteriores. Quince fotogramas forman un grupo de imágenes (GOP), relacionadas entre sí.

El fotograma decimosexto es parte del siguiente grupo y comienza el proceso de nuevo. Si el sujeto que se está filmando es estático, los 13 fotogramas intermedios no contienen mucha información nueva, por lo que están casi vacíos. Pero, si la toma es un *panning* o un sujeto con mucho movimiento, los fotogramas intermedios van muy llenos. (Lo que yo llamo fotograma grande se llama en realidad Fotograma-I y los que llamo conchas se llaman fotogramas P y B.)

Las cámaras Sony y Canon HDV usan un GOP de 15 fotogramas (las versiones PAL tienen GOP de 12 fotogramas), mientras que la cámara JVC utiliza un GOP de 6 fotogramas. En ocasiones, la imagen no se ve muy bien si tiene mucho movimiento. Este sistema GOP es algo duro en máquinas de edición de sobremesa o portátiles porque cuando se pulsa **Play** Avid tiene que rellenar las conchas con todo el material.

La capacidad para seleccionar HDV como tipo de rasterización cuando se captura hace HDV mucho más fácil en Avid.

Todos esos latosos ratios de fotogramas-por-segundo (fps)

Como habrá observado, algunos de los formatos HD, DVCPro HD y HDv ofrecen diferentes ratios de fotogramas por segundo. Todo es muy confuso, incluso para los que tratan con ello a diario. Tomemos el formato HD 720p. Dentro de la cámara este formato siempre se graba en un ratio de 59.94 fps, pero puede seleccionar 23.976 fps para un aspecto de película.

La cámara marca fotogramas mientras graba a 59.94 fps. Cuando selecciona 720p/23.976 en el menú de formato de Avid, Avid toma los fotogramas marcados y no los otros, ofreciéndole 23.976 fps.

Otra confusión llega cuando distintos fabricantes utilizan 23.98 o 23.97, cuando lo que realmente quieren decir es 23.976- Redondean hacia arriba o hacia abajo, y eso sólo confunde más. O peor, dicen 24, cuando quieren decir 23.976. Lo que Sony llama 23.98, Panasonic lo llama 24pN y Avid 23.976. Afrontémoslo, el mundo del HD podría haber llegado antes si todos esos técnicos hablasen más claramente.

Veamos algunos consejos prácticos sobre los ratios de fotogramas por segundo para los que viven en el mundo NTSC.

1. El vídeo de definición estándar funciona a 29.97 fps, pero a menudo se le llama 30i.

2. Las películas rodadas en película funcionan a 24 fps.

3. Cuando una película se transfiere a cinta de vídeo, se ralentiza de forma que vaya a 23.976 fps. Es el ratio que emula el vídeo que parece película. La cámara de vídeo puede decir 24p o 24pN, pero en realidad es 23.976.

4. 720p funciona a 59.94 fps, pero puede marcarse para que vaya a 23.976 para que parezca película.

5. 59.94 a menudo es lo mismo que 29.97. Duplique 29.97 y entonces obtendrá 59.94.

6. Es más fácil pasar a cinta si los fps del formato es 29.97 o 59.94, y es más fácil hacer un DV si el ratio es 23.976.

7. 24p NTSC y 10870p/24 sólo se utilizan para películas que se proyectarán en cines.

En el capítulo 20, veremos los puntos 2, 3 y 7 más en detalle. En el mundo del PAL es más simple porque 25 fps siempre ha sido el estándar y 50 fps es básicamente lo mismo. Las películas se producen utilizando 24p/PAL.

HD con Mojo DX, Adrenaline o Nitris DX

Por suerte para nosotros, Avid es el nombre más fiable en la alta definición. Pregunte a los productores de cualquier programa de televisión, desde *CSI* hasta *Operación Triunfo*. Todos ellos montan con el sistema Avid. Media Composer puede capturar y dar salida a un amplio rango de cintas DVC Pro HD y HDV. Esto quiere decir que puede capturar cintas grabadas con VariCam de Panasonic, GY-HD250U de JVC o XL-H1 de Sony utilizando tan sólo una cámara, el Media Composer y una conexión FireWire. Como vimos en el capítulo 7, también puede pasar archivos HD desde una tarjeta P2, como la de la Panasonic HVX200.

Puede editar formatos HD 1080 en rasterización completa en Media Composer, pero deberá capturar el material usando Media Composer conectado a un dispositivo Adrenaline HD, Mojo DX o Nitris DX. Estas cajas de hardware, como Mojo DX de la figura 17.3, tienen una interfaz de conexión de entrada/salida digital HD de serie (SDI) para poder capturar y enviar señales HD digital.

Avid ha desarrollado un códec HD eficaz, llamado DNxHD, que permite que Nitris DX o Adrenaline HD capturan flujos de datos HD mayores para comprimirlos en distintos niveles de compresión, todos ellos estupendos. Debido a la eficacia de la compresión puede capturar estos enormes archivos HD en su portátil o unidad FireWire. Estos códecs son tan sofisticados que el ojo no detecta ninguna pérdida de detalle. Muchos programas de televisión, como *Operación Triunfo*, utilizan Avid para capturar cintas HD y comprimir archivos grandes en archivos más pequeños y utilizables, todo sin ninguna pérdida de calidad detectable.

Figura 17.3. *Avid Mojo Dx (cortesía de Avid Technology).*

Hay varios códecs Avid DNxHD para cada sabor de HD. La siguiente tabla ofrece ejemplos de códecs de resolución en línea que pueden capturarse y guardarse en un FireWire o portátil para una edición fácil.

Tabla 17.1. *Lista de códecs.*

1080i/59.94	DNxHD 145	145 megabits por segundo.
1080p/23.976	DNxHD 175	175 megabits por segundo.
720p/59.94	DNxHD 145	145 megabits por segundo.
720p/23.976	DNxHD 90	90 megabits por segundo.
1080i/50 (PAL)	DNxHD 185	185 megabits por segundo.

Conectar la pletina HD a la caja HD Avid

Nitris DX, Mojo DX y Adrenaline HD tiene entradas y salidas HD SDI. Un único cable lleva la señal HD digital desde la pletina HD hasta el hardware HD de Avid, que a su vez está conectado al ordenador. Estos cables HD SDI llevan vídeo digital HD sin comprimir. A diferencia de FireWire, que maneja señales de entrada y salida con la misma conexión, se necesita una entrada HD SDI y una salida HD SDI independientes.

También hay conexiones para pletinas digitales y analógicas de definición estándar, como DigiBeta, Beta SP o pletinas VHS. En Nitris DX, encontrará conexiones SDI, componente (Y, Pb, Pr), S-Video y compuestas.

Puede enviarse el audio a y desde la pletina HD a través de diversas conexiones de audio digital como SPDIF o AES. El audio analógico se captura a través de cables L-R estándar o equilibrados.

He incluido un diagrama de la parte trasera de Nitris DX (véase la figura 17.4) para examinar las distintas conexiones que acabo de mencionar.

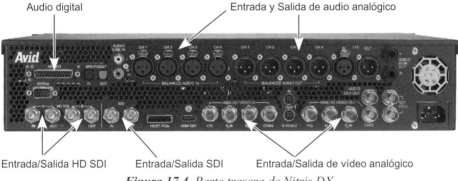

Figura 17.4. *Parte trasera de Nitris DX.*

Capturar HD con Adrenaline HD, Mojo DX o Nitris DX

Pasemos ahora una cinta HD utilizando nuestro hardware Mojo DX, Nitris DX o Adrenaline HD. Primero, deberá configurar la pletina. Siga los pasos marcados en el capítulo 6. Los pasos varían ligeramente dependiendo de la pletina HD que utilice. Para este ejemplo, capturaremos una cinta de Sony HDCAM grabada en formato 1080i/59.94 HD.

1. Encienda la pletina. Asegúrese de que el interruptor Local-Remote se encuentra en Remote.

2. Encienda el ordenador. Mojo DX y Nitris DX se encienden y apagan al encender y apagar el ordenador; no obstante, para Adrenaline HD deberá pulsar el botón de encendido del dispositivo.

3. Abra el software Avid Media Composer.

4. Cuando aparezca la ventana **Select Project** (Seleccionar proyecto), haga clic en **New Project** (Nuevo proyecto) y dele un nombre (como **Finding Sarah HD**).

5. En el menú desplegable **Format** (Formato), seleccione el formato HD de su cinta (véase la figura 17.5); para el último software, seleccione un **Raster Dimension** (Dimensión de rasterización).

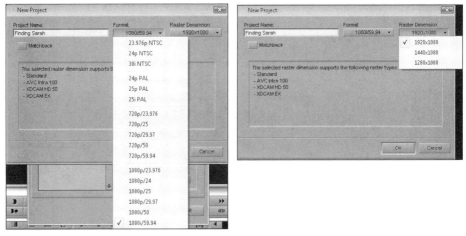

Figura 17.5. *Seleccione Format y Raster Dimension.*

6. Una vez está en el proyecto, nombre una lata y luego asegúrese de que está abierta.

7. Vaya a **Settings** (Opciones) en la ventana **Project**. Haga ahora doble clic en **Media Creation** (Creación de medios). Seleccione la pestaña **Capture** (Captura), seleccione el códec DNxHD apropiado y después seleccione **Apply to All** (Aplicar a todos) (véase la figura 17.6). Observe la tabla 17.1 para el códec sugerido.

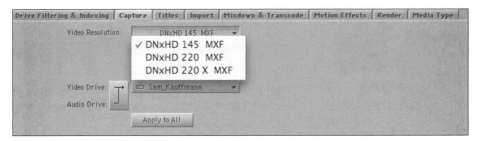

Figura 17.6. *Seleccione el códec adecuado.*

8. Vaya al menú Toolset (Herramientas) y seleccione Capture.

9. En la herramienta **Capture**, asegúrese de que los botones de pista V1, A1, A2 y TC están seleccionados.

10. Seleccione Video (HD-SDI) y Audio (XLR, RCA o la entrada digital que esté utilizando) (véase la figura 17.7).

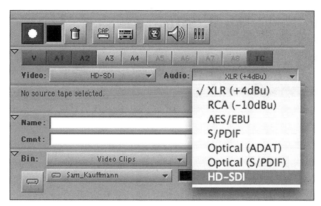

Figura 17.7. *Seleccione la entrada de audio adecuada.*

11. En el menú Resolution (Resolución), asegúrese de que el códec DNxHD correcto está seleccionado.

12. Seleccione una unidad externa para el almacenamiento.

13. En el menú desplegable Decks (Pletinas), asegúrese de que está activada la pletina correcta.

14. Inserte la cinta HD en la pletina.

15. Cuando aparezca el aviso de la cinta, nómbrela 001 (002, 003, etcétera). Selecciónela y haga clic en **OK**.

16. Para refrescar la memoria, ya hablamos del tipo de rasterización en el capítulo 6. En nuestro ejemplo actual, rodamos en 1080i HD que tiene un tamaño de fotograma o bien ráster de 1.920 x 1.080, que es el estándar. No grabamos en un formato HD de tamaño de rasterización pequeño, como HDV que es 1.440 x 1.080 o DVC Pro HD que es 1.280 x 1.080, ni en disco óptico XDCAN HD, así que seleccionamos Standard.

Estos pasos pueden diferir ligeramente, dependiendo de cómo conecte los cables, pero deberían ponerle en marcha. Si necesita recordar cómo capturar desde cinta, vaya al capítulo 6.

Rendimiento de reproducción

El rendimiento de reproducción puede mejorarse haciendo clic en el icono **Video Quality** (Calidad de vídeo) que hay cerca de Timeline (Línea de tiempo) (véase la figura 17.8). Amarillo entero significa el mejor rendimiento, que se utiliza si se tienen muchos efectos que hacen que Avid vaya más lento. Mitad amarillo mitad verde es calidad borrador; la mayoría de los efectos se reproducirán sin necesidad de interpretarlos. Verde completo es la mejor calidad, cómo se verá la imagen cuando la pase a cinta. Cuando se edita, se utiliza cuando quiere comprobarse el enfoque y ver todo el detalle de imagen, o cuando se está haciendo una proyección para inversores. Normalmente es necesario estar en el modo verde para pasar a cinta.

Figura 17.8. *Icono Video Quality en mitad amarillo/mitad verde.*

Crear títulos HD e importar gráficos HD

Si estoy trabajando en una resolución de formato en línea HD específica, como DNxHD 145, me gusta crear los títulos e importar los gráficos en la misma resolución. Vaya a Settings, haga doble clic en Media Creation, seleccione la pestaña Titles (Títulos) o Import (Importar) y seleccione DNxHD 145 en el menú desplegable Video Resolution.

No obstante, esto no es necesario si, cuando seleccionó la resolución al capturar la primera cinta, hizo clic en **Apply to All** (véase la figura 17.9). Esto significa que cada título que cree o cada gráfico que importe estarán en DNxHD 145. En la ventana Media Creation también puede seleccionar la unidad en la que se guardará todo.

Figura 17.9. *Ventana Media Creation y botón Apply to All.*

Mezclar SD y HD en Timeline

Puede capturar material SD en un proyecto HD y reproducir todo en Timeline. Lo único que se necesita es que pertenezcan a la misma familia de fotogramas-por-segundo. Puede tener metraje de *stock* en un documental que esté en una cinta Beta SP, un formato SD analógico común. Vaya a la pestaña Format y seleccione 30i. Esto le dará las opciones de resolución SD en la herramienta **Capture**. Una vez capturado el material, vuelva a la pestaña Format y vuelva a ponerlo en 1080i/59.94 o 720p/29.97. Los ratios 23.976 se reproducirán a la vez. Los ratios 59.94 y 30i se reproducirán a la vez.

Utilizar Transcode para hacer una versión SD

La mayoría de la gente querrá una versión HD y una SD de sus proyectos HD. Las últimas versiones de Media Composer tienen un comando en el menú Clip llamado **Consolidate/Transcode** (Consolidar/transcodificar). **Consolidate** ayuda a pasar los medios a otras unidades. Con **Transcode** puede mover los medios pero su objetivo principal es convertirlos a otros formatos y resoluciones. Podemos coger material HD, DVC Pro HD o HDV y convertirlo a definición estándar. **Transcode** es una herramienta estupenda para aquellos que quieren trabajar en alta definición pero saben que necesitamos convertir nuestros proyectos HD a definición estándar para su presentación en la mayoría de festivales de cine, televisión y otros dispositivos que aún no manejan HD. Tenemos una amplia selección de formatos y resoluciones HD entre las que escoger, incluyendo DV 25 y DV 50 o dos opciones no comprimidas 1:1.

Primero veremos cómo utilizar **Transcode** para convertir nuestros clips a definición estándar y después veremos cómo hacerlo con las secuencias.

Convertir clips maestros HD a SD

Podemos convertir fácilmente clips HD, DVC Pro HD o HDV a SD. Digamos que captura HD en Media Composer. Necesita una versión en SD y otra en HD. Una opción es convertir los clips en SD, editar en SD y dar salida a una cinta SD y SD DVD. Después puede re-enlazar su secuencia final SD al medio HD que capturó (lleva unos segundos) y dar salida a una cinta HD o a un disco Blue-Ray. A esto se le llama flujo de trabajo fuera de línea/en línea, y es muy sencillo.

1. En la ventana **Project**, haga clic sobre la pestaña **Format**. Dependiendo del ratio de fotogramas HD, seleccione 30i o 23.976p NTSC (véase la figura 17.10) o 25i PAL.

Figura 17.10. Seleccione el tipo de proyecto según el ratio de fotogramas.

2. Abra la lata que contiene los clips HD. Seleccione los clips deseados.

3. Vaya al menú **Clip** y seleccione **Consolidate/Transcode**.

4. Cuando se abra el cuadro de diálogo **Consolidate/Transcode**, seleccione **Transcode** (véase la figura 17.11).

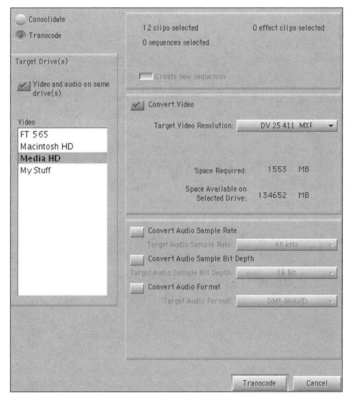

Figura 17.11. Transcodificar clips.

5. Seleccione una unidad de destino para contener los nuevos medios.

6. Seleccione una resolución de vídeo en Target Video Resolution (DV 25 411 o 1:1 MXF).

7. Haga clic en el botón **Transcode**.

En la lata, verá los clips con el sufijo `.new`. Edite su proyecto utilizando estos clips de forma normal. Puesto que está editando clips SD, el ordenador no tendrá problemas al reproducir el material HD. Cuando haya terminado, pase la secuencia editada a DVD y cinta SD. Probablemente necesite una versión 4:3 (una que se vea en una televisión estándar) y veremos cómo hacerlo más adelante.

Ahora es momento de re-enlazar la secuencia final con los medios HD que capturó cuando comenzó la edición.

Re-enlazar los medios HD

Ésta es una herramienta realmente importante que se encuentra en el menú Clip. En ocasiones, los medios se saldrán de línea y tendrá que utilizarlo para volver a ponerlos en línea. Pero, también es útil cuando ha utilizado Transcode para convertir medios y quiere volver a los originales. Así es cómo se hace:

1. Primero, haga un duplicado de la secuencia SD y colóquela en una nueva lata llamada HD Sequences.

2. Haga clic en la pestaña Format en la ventana Project y luego seleccione el formato HD original, como 720p/29.97 o 1080i/59.94.

3. Haga clic en la secuencia SD de la lata HD Sequences que creó en el paso 1 para que esté resaltada.

4. En el menú Clip, seleccione Relink (Re-enlazar). Se abrirá Relink.

5. Seleccione Highest Quality (Calidad más alta) en el menú desplegable Relink Method (Método de re-enlace) (véase la figura 17.12).

6. Deseleccione las casillas que se muestran en la figura 17.12.

7. La secuencia vuelve a HD.

Algunos editores que trabajan en portátiles capturan los medios HD en una unidad externa y después usan Transcode para pasar los clips a SD en una interna. Pueden llevarse el portátil a cualquier sitio y, cuando han terminado de editar, se conectan a la unidad externa, re-enlazan los medios HD y dan salida al HD.

Utilice esto con sus tarjetas P2, medios DVC Pro HD, cintas HDV capturadas o HD de alta gama.

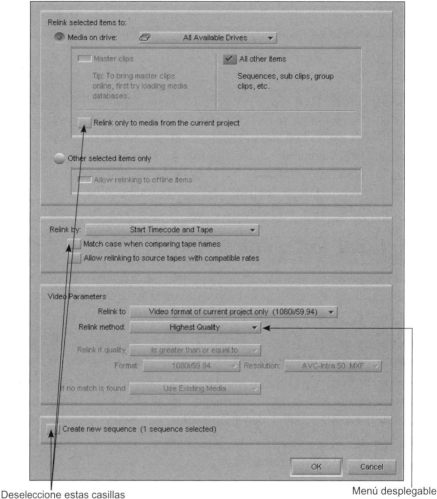

Deseleccione estas casillas   Menú desplegable

***Figura 17.12.** Re-enlazar.*

Convertir una secuencia HD a SD

Algunos editores que trabajan en un potente ordenador conectado a Nitris DX capturan y editan su material HD sin molestarse en convertirlo a SD. Sus sistemas ni siquiera parpadean al manejar enormes archivos HD. Simplemente convierten la secuencia terminada cuando han acabado de editar. El primer paso en este flujo de trabajo es hacer un duplicado de la secuencia final para tener una versión HD y una SD. Normalmente creo una nueva lata, la nombro `SD Sequence` y después arrastro la secuencia HD duplicada hasta ella.

1. En la ventana **Project**, haga clic en la pestaña **Format** y seleccione el menú desplegable.

2. Dependiendo de su ratio de fotogramas HD, seleccione 30i o bien 23.976p NTSC (véase la figura 17.13) o 25i PAL.

3. Abra ahora la lata `SD Sequence` que contiene la secuencia que quiere convertir.

4. Vaya al menú **Clip** y seleccione **Consolidate/Transcode**.

5. Cuando se abra el cuadro de diálogo **Consolidate/Transcode**, seleccione **Transcode** (véase la figura 17.14).

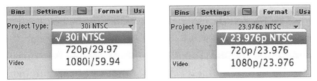

Figura 17.13. Opciones de ratio de fotogramas HD.

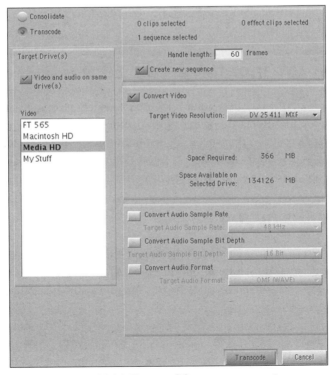

Figura 17.14. Transcodificar una secuencia.

6. Seleccione una unidad de destino para albergar el nuevo material.

7. Seleccione una resolución de vídeo SD, como DV 25 411 o 1:1 MXF.

8. Haga clic en **Create New Sequence** (Crear nueva secuencia) y **Convert Video** (Convertir vídeo).

9. Seleccione una longitud de manejo (yo prefiero 60 o más fotogramas) en **Handle Length**.

10. Haga clic en el botón **Transcode**.

Apretado

Cuando se convierten a SD clips y secuencias, tienen una relación de aspecto 16:9. Puede pasar esto a una cinta o DVD como una versión 16:9 como hacen muchos, porque una televisión o proyector digital pueden mostrar la imagen 16:9. No obstante, cuando se ve en una televisión normal, la imagen parecerá delgada. La gente estará apretada. Probablemente quiera crear una versión 4:3 que pueda reproducirse en una televisión o monitor SD. Tiene dos opciones. Puede hacer un buzón o una versión Pan and Scan. Primero cambiemos nuestros monitores de alta definición a definición estándar.

Cambiar los monitores de 16:9 a 4:3

Ya que el material HD tiene una relación de aspecto 16:9, Avid pone automáticamente los monitores de origen y grabación en modo 16:9. No obstante, puede cambiar la relación de aspecto de los monitores a 4:3 para ver el material SD. Haga clic con el botón derecho del ratón (Windows) o **Control-Mayús-clic** (Mac) en el monitor de grabación y deseleccione el vídeo 16:9.

4:3 versión buzón

Crear una versión buzón es increíblemente fácil y puede hacerse en unos minutos. Con este método, se mantiene la composición de pantalla panorámica, pero para hacerlo se colocan bandas negras encima y debajo de la información de imagen.

1. Cambie de 16:9 a 4:2 los monitores **Source** y **Record**.

2. Cree una pista V2. Asegúrese de que no hay nada en ella (si lo hay, cree una pista V3).

3. Haga clic en el cuadro de monitor de pista para que el icono pase a V2.

4. Vaya a **Effect Palette** (Paleta de efectos), haga clic en la categoría de efectos **Reformat** (Cambiar formato) y arrastre el icono **16:9 Letterbox** (16:9 buzón) a la pista V2 (véase la figura 17.15).

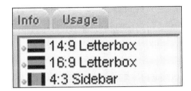

Figura 17.15. Seleccione 16:9 Letterbox.

Ahora verá la secuencia con proporciones 4:3 normales pero manteniendo la composición panorámica gracias al buzón (véase la figura 17.16).

Figura 17.16. Secuencia en 4:3 con buzón.

Efecto Pan and Scan

Media Composer y las nuevas versiones de Xpress Pro tienen una categoría de efectos **Reformat** que permiten cambiar el formato de las distintas relaciones de aspecto, así como **Pan and Scan**. Primero, deje los monitores de origen y grabación en modo 16:9. A diferencia del buzón, necesitamos ver la versión 16:9. Ahora siga estos pasos.

1. Cree una pista de vídeo V2 que esté sobre los clips de V1. Asegúrese de que ambas pistas están seleccionadas.

2. Vaya a Effect Palette y haga clic en Reformat.

3. Arrastre el icono de efecto **Pan and Scan** sobre la pista de vídeo superior (la que está vacía).

4. Después de colocar el indicador de posición azul sobre el icono de efecto en Timeline, abra el editor de efectos (véase la figura 17.17).

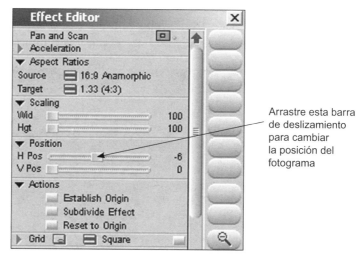

Figura 17.17. Editor de efectos para Pan and Scan.

5. Haga clic en el triángulo Aspect Ratios (Relaciones de aspecto) para que se abra. En el menú Source (Origen), seleccione 16.9 Anamorphic (16:9 Anamórfico). En el menú Target (Destino), seleccione 1.33 (4:3).

   Ahora verá un fotograma blanco dentro del Effect Preview Monitor (Monitor de vista previa de efecto). Pan and Scan selecciona el centro del fotograma como opción por defecto.

6. Abra el triángulo Actions (Acciones).

7. Haga clic en Subdivide Effect (Subdividir efecto).

Verá que el efecto se divide en dos secciones que concuerdan con la duración de cada clip en Timeline, como muestra la figura 17.18.

Figura 17.18. Pan and Scan.

Ahora necesita colocar el indicador de posición de cada clip que necesite recomponer. Abra **Effect Editor** y bien arrastre el fotograma o utilice la barra de deslizamiento **H Pos** en el triángulo **Position** para establecer el desplazamiento, como se ve en la figura 17.17. Si necesita ajustar la imagen a izquierda o derecha durante el clip porque los actores se mueven, inserte fotogramas clave para controlar de forma precisa la colocación del fotograma a lo largo del clip.

Si en cualquier momento desea volver al punto de partida, haga clic en **Reset to Origin** (Restaurar a origen) en la sección **Actions** y volverá a la composición original básica.

Para verlo reproducir correctamente, debe volver a la relación de aspecto 4:3. Haga clic con el botón derecho del ratón (Windows) o bien **Control-Mayús-clic** (Mac) en **Record Monitor** y deseleccione 16:9. Ahora puede ver la secuencia 4:3 como la ha enmarcado.

Conversión cruzada HDV a HD

Si conecta Media Composer a Mojo DX o bien Nitris DX puede dar salida a la secuencia HDV en cinta HD a través de la conexión SDI de Mojo o Nitris, sin tener que transcodificarla. Veremos cómo dar salida en cinta en el capítulo 19. Por tanto, si grabó en HDV puede tener lista una cinta HDCAM para emitir en la televisión por red o cable.

No obstante, si está utilizando un sistema Adrenaline HD, siga estos pasos para convertir HDV en HD:

1. Primero seleccione el formato correcto en la pestaña **Format** (véase la figura 17.19):

    - Elija **1080i/59.94** si el formato de cámara era 1080i/59.94 HDV.

    - Elija **720p/29.97** si el formato de cámara era 720p/29.97 HDV.

    - Elija **1080i/50** si el formato de cámara era 1080i/50 HDV.

2. En el menú **Raster Dimension** seleccione la opción que incluya **Standard** (véase la figura 17.20).

3. Abra la lata que contiene la secuencia HDV.

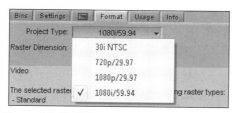

Figura 17.19. *Seleccione el formato correcto.*

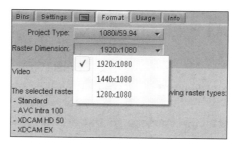

Figura 17.20. *Seleccione el tipo de rasterización.*

4. Vaya al menú Clip y seleccione Consolidate/Transcode.

5. Cuando se abra el cuadro de diálogo, seleccione Transcode.

6. Seleccione una unidad de destino para el nuevo material.

7. En el menú Target Video Resolution:

   - Si en el paso 1 seleccionó 1080i/59.94, seleccione DNxHD 145.

   - Si en el paso 1 seleccionó 720p/29.97, seleccione DNxHD 110 o bien DVCPro HD.

   - Si en el paso 1 seleccionó 1080i/50, seleccione DNxHD 120.

   - Pulse el botón **Transcode**.

Un año HD

Con la capacidad de Avid para capturar y editar todo tipo de HD y HDV y su capacidad de transcodificar a uno de los muchos formatos y resoluciones SD, podemos crear proyectos de alta definición y definición estándar. Por último, los obstáculos que evitan que rodemos en HD se eliminan.

Como editores, es importante para nosotros estar a la cabeza de las curvas técnicas que se ponen en nuestro camino para poder aconsejar a productores y directores que se nos acercan buscando información sobre en qué formatos rodar distintos proyectos. Con la aparición de HD y HDV esto es más cierto que nunca.

De hecho, puesto que hay tantos formatos entre los que escoger y las cuestiones de post-producción se están complicando cada vez más, creo que los editores estarán entre los primeros miembros del equipo en ser contratados para futuros proyectos. Por tanto, éste es el año en que debemos seguir formándonos sobre HD y HDV. Use la información de este capítulo como base para sus conocimientos HD y siga desde ahí.

Según los formatos HD van ganando aceptación, cada vez más gente elegirá rodar sus proyectos en HD o HDV. En unos cuantos años, nos habremos olvidado de que alguna vez rodamos en definición estándar y lo que hoy parece complicado será pronto el procedimiento estándar. No tenga miedo de decirles a los clientes que es mejor que rueden en definición estándar si es lo que cree. No haga HD porque sí, pero si es lo correcto, estará listo para mostrarles el camino.

18. Integración del guión

La integración del guión (Script Integration) está tanto en Media Composer como en Xpress. Pienso que es la función más emocionante y dinámica que hay en cualquier sistema de edición no lineal. Aún así, a pesar de sus puntos fuertes, Script Integration quizá sea la función menos utilizada de Avid. ¿Por qué? Primero, hay que tener el guión. Para muchas películas y vídeos, desde experimentales a reales, no hay guión por lo que no se puede integrar. Incluso aquellos directores que trabajan desde un guión arguyen que Script Integration es demasiado trabajo. Aunque esto era cierto en el pasado, el último software Media Composer (versiones 2.7 y superiores) tiene una nueva herramienta llamada **ScriptSync** (Sincronización de guión) que utiliza tecnología de reconocimiento de voz para hacer gran parte del trabajo. Ya no hay razón para saltarse la integración del guión. Una vez le pille el truco, se preguntará cómo pudo vivir sin ello.

Edición al estilo de Hollywood

La integración de guión está basada en el estilo de edición usado normalmente para las películas. Durante la producción, la información sobre la forma en que se rodó cada escena la escribe en el guión el supervisor de guión. Dibuja líneas en el guión, indicando la cantidad de escena que cubre cada ángulo de cámara. Al final de la producción, el editor recibe una copia de este guión alineado. Con él en mano, el editor sabe qué metraje hay disponible para cada línea de acción y diálogo. El supervisor de guión también hace notas detalladas sobre cuántas veces se repite la configuración de cámara y cuáles son las tomas preferidas. Si va al final de este capítulo, verá el guión con el que trabajaremos.

Avid con integración de guión sigue el sistema del guión alineado pero añade sus propias y potentes herramientas de edición digital. Se importa el guión directamente a Avid. Se selecciona la parte del guión que cubre un clip particular y después se arrastra el clip a esa sección del guión. Cada configuración de cámara está representada por una pizarra, que muestra un fotograma de ese clip (véase la figura 18.1). Las distintas tomas se indican mediante pestañas en la parte inferior de la pizarra. Una vez se han enlazado todos los clips en las secciones correctas del guión, puede hacer clic en una línea de diálogo y hacer que las tomas se reproduzcan automáticamente para poder compararlas. Cuando esté listo para comenzar a editar una escena, puede ir rápidamente al guión, hacer clic en las tomas preferidas y crear un borrador de montaje en unos minutos. Avid puede manejar guiones documentales tan fácilmente como guiones narrativos y los procedimientos son los mismos.

Figura 18.1. *Un guión con pizarras y clips.*

Un ejemplo

Las capturas de pantalla de este capítulo pertenecen a una escena llamada *Gaffer's Delight* que hice con la ayuda de alumnos y personal de la universidad de Boston. Puede encontrar una copia de los archivos de proyecto, archivos de medios y el guión en el DVD que acompaña al libro. Al final del capítulo se ofrece una copia en papel del guión. La escena se cubrió con un plano general, mostrando a ambos actores y después se rodó desde varios ángulos para cubrir a los actores según se movían por el plató. Cada configuración de cámara se repite varias veces, como Take 1, Take 2, etc. Siga las instrucciones del DVD del final del libro para montar el proyecto y los archivos de medios en Avid. Explicaré cómo pasar el guión en breve. Puede que necesite cambiar el monitor a la relación de aspecto 16:9. Haga clic con el botón derecho del ratón (Windows) o **Control-Mayús-clic** (Mac) en el monitor de grabación y seleccione 16:9 Video o vaya a Settings>Composer y seleccione la pestaña Windows. Seleccione la casilla 16:9.

Si tiene un proyecto con un guión y clips que desee utilizar, siga las instrucciones sustituyendo el guión y clips de *Gaffer's Delight* por los suyos.

Utilizar dos monitores

Éste es un modo de edición en el que es útil tener dos monitores. Un monitor contiene todas las latas, incluyendo el guión y un segundo monitor contiene los monitores de origen y grabación y Timeline (Línea de tiempo). Puede hacerlo con un monitor porque el guión puede cambiarse de tamaño y moverse por la pantalla, pero es mucho más fácil con dos. Configurar un segundo monitor es bastante fácil. Lea la guía de su ordenador para averiguar cómo conectar un segundo monitor y configurar su resolución. La configuración será en pantalla dual, no en espejo. En pantalla dual el segundo monitor amplía el espacio de Avid para poder arrastrar la ventana del guión al segundo monitor. Si utiliza dos monitores, querrá salir del modo SuperBin. Vaya a Settings>Bin y deseleccione el botón **Enable SuperBin** (Activar SuperBin).

Nombrar clips

En el futuro, cuando capture su propio material para editarlo con integración de guión, debería pensar en cómo llamar los clips. Los nombres largos son fáciles de leer en la lata, pero no en las pizarras, que son el núcleo de la integración de guión. Pruebe a utilizar nombres de clip como 2D Tk1 para indicar la escena, configuración de cámara y toma, porque caben más fácilmente en la página del guión. Si los nombres de clip son demasiado largos, Avid los recortará pero al hacerlo puede que oculte información importante. Para este libro, he utilizado nombres de clip que describen la acción para que sea más fácil seguirla. En el DVD, para los que editarán la escena, he utilizado nombres de escena cortos y números de toma como `1D Tk1`.

Pasar el guión a Avid

Yo utilizo Final Draft, el popular software de escritura de guiones, como muchos de mis alumnos. Puesto que Avid y Final Draft han colaborado en la integración del guión, es fácil pasar un guión Final Draft a Avid. Si no tiene Final Draft, puede guardar su guión en formato de texto ASCII. Seleccione **Sólo texto con saltos de línea**. Así se guarda un guión Final Draft:

1. Abra el guión en Final Draft y, una vez abierto, seleccione **Save As** (Guardar como) en el menú **File** (Archivo).

2. En el cuadro de diálogo, vaya al cuadro **Format** (Formato), seleccione **Avid Script Based Editing** (Edición Avid basada en guión) y haga clic en **Save** (Guardar) (véase la figura 18.2).

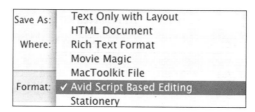

Figura 18.2. *Guardar un guión en Final Draft.*

Guárdelo en el escritorio o en una unidad flash y páselo al ordenador Avid. Abra el sistema Avid. Como tenemos un script con el que practicar, inserte el DVD que acompaña al libro y siga estos pasos. Si no lo ha hecho aún, abra Avid y abra el proyecto llamado *Gaffer's Delight*.

1. Haga clic en la ventana **Project** para activarla.

2. Desde el menú **File**, seleccione **New Script** (Nuevo guión).

3. Busque en el cuadro de diálogo del directorio que aparece y luego busque `Gaffer's Delight Script.TXT` en el DVD.

4. Seleccione el archivo y haga clic en el botón **Open** (Abrir).

El guión aparecerá en el monitor, como muestra la figura 18.3.

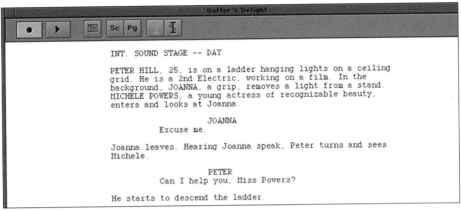

Figura 18.3. *El guión, tal y como aparece en Avid.*

Avid creará también una lata de guión especial. Cuando cierre el guión, éste irá a la lata de guión, como muestra la figura 18.4.

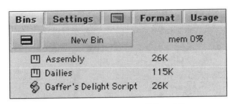

Figura 18.4. *Lata del guión.*

Puede hacer algunos cambios en el guión una vez está en Avid. Puede eliminar líneas de acción o diálogo (la tecla **Supr** no funcionará, utilice el comando **Cortar** para eliminar texto), y puede mover segmentos o escenas, pero no puede cambiar palabras individuales. Recuerde: es software de edición, no de escritura de guiones.

Enlazar clips al guión

Abra la lata que contiene los clips de la escena y el guión haciendo doble clic en el icono de guión. Si está utilizando un solo monitor, coloque el guión de forma que no cubra Source Monitor o SuperBin.

No necesitará Timeline durante esta etapa, por lo que puede usar esa parte de la pantalla para el guión. Reproduzca el primer clip en Source Monitor y, leyendo mientras ve, averigüe a qué parte del guión corresponde. En *Gaffer's Delight*, el primer clip es el plano general. Comienza cuando el personaje de Peter baja la escalera para saludar a Michele y dura hasta el final de la escena.

La forma en la que seleccionar las líneas o secciones del guión es bastante estándar. O bien se enlazan las líneas con el cursor o se hace clic sobre una línea y después **Mayús-clic** para incluir más líneas. Verá que enlazar texto es la mejor forma.

Ahora sigamos estos sencillos pasos:

1. Seleccione la parte del guión que cubre el primer clip enlazando las líneas del guión con el cursor. Se resaltará esa parte del guión (gris).

2. Vaya a la lata de los clips, seleccione el primer clip y arrastre su icono desde la lata al área resaltada del guión (véase la figura 18.5).

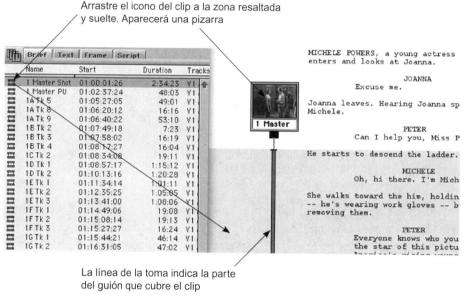

Figura 18.5. Enlazar el clip al guión.

Añadir tomas

El proceso de añadir tomas a una pizarra existente es algo distinto. En lugar de resaltar el guión, simplemente arrastramos la siguiente toma sobre la pizarra. Esta toma siguiente añade un cuadro pequeño en la parte inferior.

Si quiere ver aparecer el número de toma en la parte inferior de la pizarra (y queremos) debemos crear una columna para las tomas.

Los clips de la lata `Dailies` tiene tomas numeradas como parte del nombre del clip, por lo que puede utilizar dicha información en la columna de toma que cree.

Las tomas no aparecen en **Brief View** (Vista breve), por lo que deberá cambiar a **Text View** (Vista texto).

1. Vaya al menú **Bin** (lata) y seleccione **Headings** (Encabezados).

2. En la lista de encabezados, busque **Take** (Toma) y después haga clic para seleccionarlo.

3. Haga clic en **OK**.

4. En la lata, desplácese hacia la derecha y luego busque la columna **Take**. Haga clic para que se resalte la columna completa y después arrástrela hacia la izquierda del todo, junto a la columna **Name** (Nombre).

Ahora, introduzca la información de la toma haciendo clic en la columna (véase la figura 18.6).

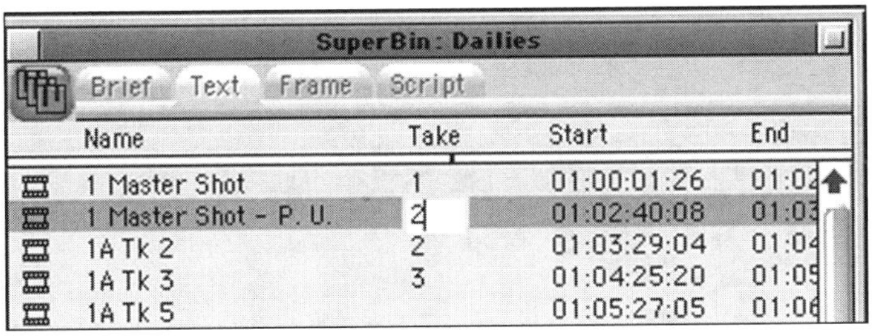

Name	Take	Start	End
1 Master Shot	1	01:00:01:26	01:02
1 Master Shot - P. U.	2	01:02:40:08	01:03
1A Tk 2	2	01:03:29:04	01:04
1A Tk 3	3	01:04:25:20	01:05
1A Tk 5		01:05:27:05	01:06

SuperBin: Dailies — Brief / Text / Frame / Script

Figura 18.6. *Columna de Toma en vista Texto.*

Agreguemos tomas a la pizarra:

1. En la lata `Dailies`, busque la toma llamada `1 Master Shot PY`, que es la toma 2 del plano general. Es una toma "pick up" (PU), lo que significa que no comienza desde el inicio de `Master Shot Take 1` sino que empieza algo más tarde.

2. Haga clic y arrastre el icono del clip que representa la segunda toma y arrástrelo sobre la pizarra que ya hay en el guión.

Ahora puede ver que la pizarra tiene dos cuadros que cuelgan de ella, uno para cada toma (véase la figura 18.7). Los llamaremos pestañas de toma. Al hacer clic en cada uno, seleccionaremos dicha toma. El fotograma de la pizarra cambiará dependiendo de la toma seleccionada.

Figura 18.7. *Pestañas de toma.*

Hay una forma más rápida de crear pizarras y tomas para esa pizarra. Supongamos que tiene una escena con cinco tomas. Simplemente enlace la parte del guión que cubre la toma para que se ponga gris. Ahora, en la lata `Dailies`, haga clic mientras pulsa **Mayús** sobre las cinco tomas y arrástrelas al área resaltada del guión.

En la figura 18.8 vemos que he arrastrado varios clips, algunos con múltiples tomas, al guión.

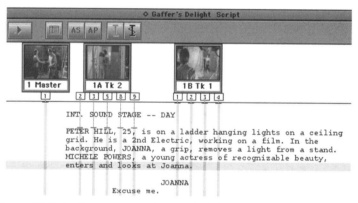

Figura 18.8. *La línea muestra la cantidad de guión que cubre esa toma.*

Cambiar la apariencia de la pizarra

Puede hacer los mismos cambios a la pizarra que a un fotograma en Frame View (Vista fotograma). Para cambiar el tamaño, seleccione Enlarge (Ampliar) o Reduce (Reducir) en el menú Edit (Editar). Para cambiar el fotograma que aparece en la pizarra:

1. Haga clic en la pestaña de toma o línea de toma que quiere cambiar.

2. En el teclado, pulse la tecla **2** (para pasar 10 fotogramas), como se muestra en la figura 18.9. Pulse varias veces para moverse más rápido. Utilice la tecla **1** para moverse hacia atrás.

Figura 18.9. *Teclas para pasar 10 fotogramas.*

No utilice las teclas **J-K-L** para esto porque no funcionará.

Ajustar las líneas de toma

Las líneas verticales muestran qué cantidad de guión cubre una sola toma y se llaman líneas de toma. Dónde comienza y acaba una línea se muestra mediante un guión horizontal, llamado marca de comienzo o final. Digamos que ha resaltado demasiado guión y la línea vertical que Avid dibuja va más allá de donde termina la toma o empieza después de lo indicado.

Es fácil corregir dónde empiezan y acaban estas líneas (véase la figura 18.10). Puede hacerlo con el clip 1 Master PU – Take 2.

1. Vaya a la marca de inicio o a la marca de fin y mantenga pulsada la tecla **Control** (Windows) o **Comando** (Mac). El icono cambiará de forma.

2. Arrastre la marca a la línea correcta del guión y suelte.

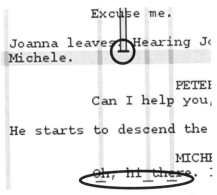

Figura 18.10. *Marcas de inicio y fin.*

Mover pizarras

Puede que se dé cuenta de que una pizarra tapa parte del diálogo y quiere moverla a otro lugar de la página del guión. Haga clic en la pizarra con el ratón y arrastre hacia la izquierda, derecha, arriba o abajo.

Eliminar tomas y pizarras

Puede cometer un error y colocar la toma incorrecta en una pizarra o el clip incorrecto en el guión. Para eliminar una pizarra o una toma, haga clic sobre ella y pulse la tecla **Supr**.

El cuadro de diálogo resultante parece intimidatorio (véase la figura 18.11). Pulse **OK**. Las tomas seguirán en la lata, pero la pizarra, aquí compuesta por dos tomas, se eliminará del guión.

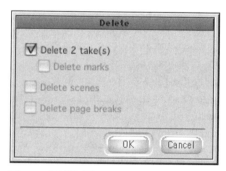

Figura 18.11. *Eliminar tomas y pizarras.*

Abrir y reproducir tomas

Todavía tenemos más trabajo por hacer antes de que el guión esté completamente integrado y podamos aprovechar todo lo que Script Integration tiene que ofrecernos. Antes de pasar al siguiente paso, juguemos un poco para obtener algo de satisfacción por todo nuestro trabajo. Si hacemos doble clic sobre una línea de toma, el clip se abrirá en Source Monitor. Si quiere seleccionar todas las tomas de una secuencia, enlace las líneas de toma y se seleccionarán todas. Ahora haga doble clic en cualquier toma y pasarán a Source Monitor.

Puede reproducir de dos formas. Puede utilizar las teclas de reproducción **J-K-L** una vez los clips están en Source Monitor, como haría con otros clips.

Una mejor forma es enlazar las líneas de tomas o bien hacer clic mientras pulsa **Mayús** y pulsar el botón **Play** de la parte superior de la ventana de guión (véase la figura 18.12). Observe que los clips seleccionados se reproducen uno tras otro en un bucle continuo. La barra de espacio funciona como la tecla de reproducción así que también puede pulsarla.

Figura 18.12. *Tecla de reproducción de la ventana Script.*

La tecla tabulador

La tecla **Tab** del teclado puede ser muy útil cuando se utiliza esta tecla de reproducción especial. Después de seleccionar las tomas que quiere ver, pulse la tecla **Play** de la figura 18.12 o la barra espaciadora para cargar los clips en Source Monitor y comenzar a reproducirlos en orden. Si quiere ver la toma siguiente sin esperar a que termine la actual, pulse la tecla **Tab**. Esta tecla le ofrece control sobre lo que ve. A menudo no querrá ver el resto de la toma. Querrá saltar a la siguiente y esta tecla le ofrece esa posibilidad. Esto funciona con pizarras también. Si enlaza una sección del guión, que incluye una o más pizarras, todas las tomas de todos los planos se abrirán y reproducirán. Practiquemos.

1. Seleccione una o más tomas:

    • Enlazando parte del guión que cubre varias tomas.

    • Haciendo clic mientras mantiene pulsado **Mayús** sobre varias líneas de tomas.

    Verá que las pestañas se oscurecen (seleccionadas).

2. Pulse la tecla **Play** de la parte superior de la ventana Script.

3. Pulse la tecla **Tab** para saltar a la siguiente toma.

Marcas de guión

Para controlar la potencia de Script Integration necesitamos un paso más. Necesitamos colocar marcas de guión. Estas marcas, cuando se colocan en el guión, le permitirán ver todo el material que cubre cualquier parte del guión que desee, y sólo esa parte. Por ejemplo, si tiene marcas de guión en las tres tomas de una línea de diálogo (como en la figura 18.13), también puede enlazar esas marcas, pulsar la tecla **Play** o la barra espaciadora y ver las tres tomas de esa línea de diálogo, una tras otra, para encontrar fácilmente la mejor. No necesita la tecla **Tab**.

Figura 18.13. *Tres marcas de guión, una en cada toma.*

Colocar marcas de guión manualmente

ScriptSync colocará las marcas de guión automáticamente, pero para comprender cómo funciona primero tenemos que aprender a hacerlo manualmente. Para ello, necesitaremos el comando que coloca marcas de guión en el guión. Vaya al menú Tools (Herramientas) y abra Command Palette (Paleta de comandos).

Vaya a la pestaña Other (Otros) y verá **Add Script Mark** (Añadir marca de guión) (véase la figura 18.14). Con el cuadro Button to Button reassignment (Reasignación botón a botón) activado, haga clic y arrastre el botón **Add Script Mark** a cualquier fila de botones de Source Monitor, tal y como muestra la figura 18.15.

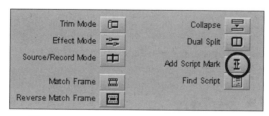

Figura 18.14. *Comando Add Script Mark.*

Figura 18.15. *Monitor de origen con botón Add Script Mark.*

Ahora, vaya al guión y busque la toma que quiere marcar. Digamos que quiere colocar una marca de guión en la toma 1 del plano general, donde Peter dice: "*Everyone knows who you are*". Haga doble clic en cualquier parte de esa línea. La toma 1 se seleccionará y se abrirá en Source Monitor.

Ahora mismo, se abrirá la toma entera desde el comienzo del clip. Debe reproducir el clip en Source Monitor de forma normal, utilizando las teclas **J-K-L** (no la barra espaciadora). Cuando llegue a la parte del clip en la que Peter está a punto de decir la frase, pulse **K** para pararla. Ahora, utilizando el ratón, haga un solo clic en la línea de toma donde hace intersección con esa línea de diálogo de forma que la línea se resalte como en la figura 18.16.

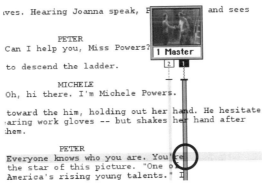

Figura 18.16. *Haga clic en la línea de toma en la intersección con la línea de diálogo.*

Pulse el botón **Add Script Mark**. Aparecerá una flecha de dos puntas en ese punto del guión. Ahora ese punto está enlazado a ese punto del clip (véase la figura 18.17).

Figura 18.17. *La marca de guión ahora está enlazada a este punto de la toma 1.*

Continuemos añadiendo marcas de guión al resto de la toma 1.

1. Reproduzca el clip hasta que llegue a la siguiente línea en la que Michele dice: "*No, I came here looking for you*". Reproduzca hacia atrás justo hasta antes de que hable.

2. Haga un solo clic sobre la línea de toma en la intersección con esa línea de diálogo.

3. Pulse el botón **Add Script Mark**. Ahora habrá dos marcas (véase la figura 18.18).

4. Continúe añadiendo marcas de guión en cada nuevo hablante hasta que la toma entera tenga marcas de guión.

Si hace clic en la marca de guión en la línea "*Everyone knows who you are*" y pulsa el botón **Play** especial o la barra espaciadora, la toma se carga en Source Monitor, comienza a reproducirse desde ahí y después vuelve al comienzo de la línea, no reproducirá la línea de Michele.

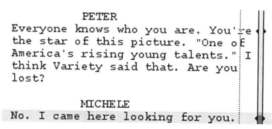

Figura 18.18. *Nueva marca de guión.*

La forma más rápida: ScriptSync

Ahora vamos a ver ScriptSync, el software que utiliza el reconocimiento de voz para colocar las marcas de guión automáticamente. Es increíblemente rápido y si fuese apostador, apostaría a que se convierte en un devoto usuario de Script Integration.

Coloque las pizarras y las tomas en el guión como antes. Esa parte del proceso no cambia, pero una vez están en su sitio, ScriptSync coloca las marcas.

1. Seleccione la toma (o tomas) que quiere en el guión haciendo clic sobre las líneas de toma o pestañas. Aquí he seleccionado 1 G Tk1 (véase la figura 18.19).

2. Vaya al menú Script (Guión) y elija ScriptSync (véase la figura 18.20).

3. Se abrirá un cuadro de diálogo (véase la figura 18.21). Puede escoger entre nueve idiomas: holandés, alemán, japonés, coreano, español, árabe, chino mandarín, inglés norteamericano e inglés británico (una sutil distinción). Seleccione sus pistas.

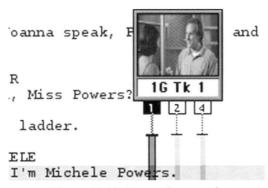

Figura 18.19. *Toma seleccionada.*

Figura 18.20. *Seleccione ScriptSync.*

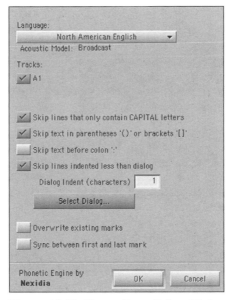

Figura 18.21. *Haga clic en Select Dialog.*

4.   Para ayudar al software a encontrar las líneas de diálogo hablado e ignorar los nombres de personajes, información entre paréntesis y acción, seleccione las opciones mostradas en la figura 18.21.

5. Ahora haga clic en **Select Dialog** (Seleccionar diálogo). Una sección del guión aparecerá como en la figura 18.22. Haga clic en una línea de diálogo para que Avid pueda contar cuántos espacios sangrados hay.

6. El software contará los espacios sangrados y colocará dicho número en el cuadro **Dialog Indent**. Haga clic en **OK**.

7. Cuando vuelva al cuadro de diálogo, haga clic en **OK**.

Después de analizar el clip, el software colocará marcas de guión en cada línea de diálogo. Una vez está funcionando, haga clic mientras pulsa **Mayús** en las otras tomas o pizarras y repita los pasos 1 a 4, como en la figura 18.23.

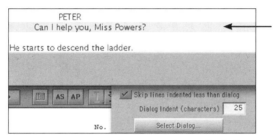

Figura 18.22. *Haga clic en una línea de diálogo.*

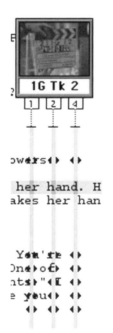

Figura 18.23. *Seleccione el resto de tomas y repita los pasos.*

Al colocar las marcas manualmente siempre marcaría el inicio de las líneas de los actores y no añadiría otra marca hasta que hablase el siguiente actor. Pero ScriptSync coloca una marca de guión en cada línea. No es realmente lo que queremos, pero verá que no es un problema.

Reproducir tomas marcadas

Vamos a ver cómo funciona todo esto. Quiero revisar las tres tomas de Peter diciéndole a Michele: "*I know who you are. You're one of America's rising Young talents. I think Variety said that. Are you lost?*". Necesito escoger una, pero ¿cuál de las tres funciona mejor?

Con el cursor, enlazo todas las marcas de guión en las tres líneas de toma que cubren esas frases, como muestra la figura 18.24. Después pulso la tecla **Play** especial o la barra espaciadora.

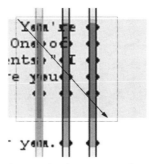

Figura 18.24. *Enlace todas las marcas de guión de las líneas de diálogo que quiere revisar.*

La línea de toma para `Take 1` se pone verde y el clip se abre en **Source Monitor** y comienza a reproducirse, comenzando en la línea "*I know who you are.*" Cuando llega a la última línea de Peter "*Are you lost?*" termina y salta a la siguiente toma y después a la siguiente. Sólo escucho las líneas que quiero, analizo las diferencias en la interpretación. Rápidamente puedo determinar cuál funciona mejor.

Piense en ello un segundo. Imagine tener 120 páginas de guión y decenas de latas que contienen cientos de clips cada una. En lugar de buscar todas esas latas para encontrar un clip, simplemente enlazamos la marca de guión, pulsamos la barra espaciadora y ya está. O pruebe a hacer doble clic en una marca de guión, uniendo esa sección del clip en la secuencia y pasando a la siguiente marca para montar rápidamente un boceto de montaje.

Observar la cobertura

Este sistema no sólo le ayuda a montar rápidamente una toma y la siguiente sino que también está diseñado para ayudarle a juzgar todas las opciones para una parte específica del guión. Enlace todas las marcas de guión para una línea de diálogo concreta incluyendo toda la cobertura. Como vemos en la figura 18.25, he enlazado un plano general y un plano medio de Peter. Ahora, al pulsar la barra espaciadora, veo a Peter decir su frase en el plano general y en cuanto termina, en rápida sucesión, veo las tomas 1, 2 y 3 del plano medio.

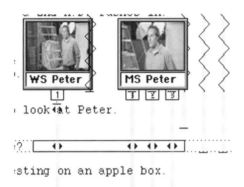

Figura 18.25. *Varias tomas y planos enlazados.*

Números de página y escena

Aunque su guión tiene números de escena y página, Avid no los reconoce. Deberá añadir nuevos. Los pasos para añadir números de escena y página son los mismos:

1. Vaya a la primera línea de la nueva página o escena y haga clic en ella.

2. Haga clic sobre **Add Scene AS** (Añadir escena) o **Add Page AP** (Añadir página) en la ventana Script (véase la figura 18.26), y aparecerá un cuadro de diálogo.

3. Escriba el número de escena/página y haga clic en **OK**.

Lo bueno de añadir números de escena y página es que ahora puede utilizar los comandos **Go to Scene** (Ir a escena) o **Go to Page** (Ir a página), que se encuentran en el menú Script para saltar de escena o página. Sin los números, sería difícil manejar un guión de 120 páginas. Para cambiar el número, repita el proceso.

El cuadro de diálogo será Change Scene or Page Number (Cambiar número de escena o página). Para eliminar un número, seleccione la línea que contiene el número y pulse **Supr**.

Figura 18.26. *Botones Añadir número de escena y Añadir número de página.*

Buscar guión

El botón **Find Script** (Buscar guión) es otro comando práctico que ayuda a tener el control del guión. Coloque esta tecla de comando en una de las filas de botones de Source Monitor o menú rápido. Deberá ir a Command Palette y la pestaña Other para encontrarlo. Digamos que tiene un clip abierto en Source Monitor y que no está seguro de qué parte del guión viene. Haga clic en el botón **Find Script** (véase la figura 18.27) y Avid se desplazará hasta el lugar en el que el clip está enlazado y resaltará esa sección.

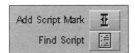

Figura 18.27. *Botón Find Script.*

Diálogo en off

Cuando se rueda una escena con dos actores, a menudo, el director la rodará varias veces desde distintos ángulos de cámara. En su forma más sencilla de cobertura, hay un plano general de ambos actores y después primeros planos de los dos. Cuando se ruedan los primeros planos, un actor está en cámara y el otro fuera de cámara pero diciendo sus líneas de diálogo para que el actor que está en cámara pueda interactuar con él. Durante el rodaje, el supervisor de guión dibuja líneas serradas sobre el guión para indicar diálogo fuera de cámara (véase la figura 18.28). Puede añadirlas fácilmente en Avid.

1. Enlace la parte del guión en la que desea poner marcas de fuera de cámara. Asegúrese de enlazar sólo las líneas que representan el diálogo en off.

2. Haga clic en **Off-Screen** (Fuera de cámara) (véase la figura 18.29).

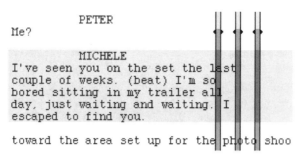

Figura 18.28. *Parte de diálogo fuera de cámara.*

Figura 18.29. *Botón Off-Screen.*

El guión ahora tendrá unas líneas serradas que indican las líneas de diálogo que se dicen fuera de cámara (véase la figura 18.30).

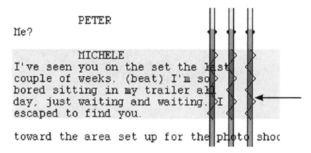

Figura 18.30. *Indicadores de fuera de cámara.*

Sólo una línea de toma

En ocasiones, cuando se tienen muchos planos para una toma concreta, todas esas líneas pueden confundir y dificultar ver el guión. Para mostrar tan sólo una línea, vaya al menú Script y después seleccione Show All Takes (Mostrar todas las tomas).

Solamente aparecerá una línea en la página y el resto desaparecerá; no obstante, si selecciona una pizarra haciendo clic, todas las líneas de esa pizarra aparecerán. Si va al menú Script y vuelve a seleccionar Show All Takes, invertirá la acción y las líneas volverán a aparecer.

Color de líneas

Por último, pero no por ello menos importante, puede colocar uno de seis colores en las líneas de toma para indicar la toma preferida o un problema o lo que quiera resaltar. Vaya al menú Script (véase la figura 18.31) y seleccione Color; aparecerán seis opciones. Seleccione una. Ahora siga estos pasos:

1. Enlace la parte de línea de toma (o la toma entera) a la que quiere aplicar el color.

2. Haga clic en el comando **Set Color** (Establecer color) de la parte superior de la ventana Script (véase la figura 18.32).

Enlace la sección coloreada y vuelva a pulsar el comando **Set Color** para eliminar el color.

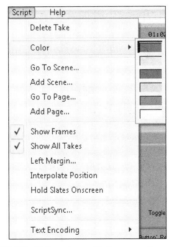

Figura 18.31. *Seleccione Color en el menú Script.*

Figura 18.32. *Comando Set Color.*

Identificar la toma preferida

La capacidad para marcar la toma preferida con un color es parte del proceso de organización que tiene lugar antes de que el editor entre por la puerta. A menudo, en una película, el director indicará la toma preferida durante el visionado de los diarios. Utilizando las notas suministradas al departamento de edición, un asistente enlaza todas las tomas al guión y resalta las preferidas en rojo. Una vez hecho eso, el editor puede sentarse y hacer un montaje previo de la escena en unos minutos.

Otros elementos del menú

Hay otros elementos del menú Script que puede encontrar útiles, le permiten afinar la apariencia del guión o facilitarle la navegación:

- Left Margin (Margen izquierdo): Puede arrastrar el cuadro situado en la esquina inferior derecha del guión para cambiar el tamaño del margen derecho pero no el del izquierdo. Left Margin le permite hacer este ajuste.

- Interpolate Position (Interpolar posición): Con este comando puede hacer clic en una línea de toma dentro del guión y la imagen de Source Monitor se actualiza a la posición aproximada de la toma sobre la que hizo clic. Si deselecciona esta opción, Source Monitor no interpola cuando hace clic en una línea de toma.

- Hold Slates Onscreen (Mantener pizarras en pantalla): Con este comando seleccionado, cuando se desplaza por el guión la pizarra se quedará a la vista hasta que pase el punto cubierto por dicha pizarra.

- Text Encoding (Codificación de texto): Si el guión se creó en un PC o Mac y usó lo que se conoce como grupo de caracteres Latin-1 y los caracteres no se muestran correctamente, vaya a Text Encoding y seleccione Mac o PC. Si utilizó caracteres UNICODE UTF-8, seleccione UTF-8.

Unos pocos selectos

Usted es ahora una de las pocas personas que sabe cómo utilizar Script Integration. Creo que estaremos de acuerdo en que Script Integration no tiene sentido para todos los proyectos, pero para aquéllos basados en un guión que impliquen mucha cobertura de cámara con muchas tomas merece la pena el esfuerzo. Y si tiene un asistente para que haga el trabajo pesado, piense en lo rápido que puede ir al corazón de la escena. Si usted es la persona contratada para hacer el trabajo pesado, quizá Script Integration no le parezca tan especial pero, bueno, al menos tiene un trabajo. Los directores de documentales con horas de entrevistas también se enamorarán de Script Integration. Enlazar clips con entrevistas en cámara a la transcripción de esas entrevistas puede ahorrar muchísimo tiempo.

Guión de Gaffer's delight

En la figura 18.33 se muestra el guión de *Gaffer's delight*.

1.   INT. SOUND STAGE -- DAY
                  1A   1B

PETER HILL, 25, is on a ladder hanging lights on a ceiling grid. He is a 2nd Electric working on a film. In the background, JOANNA removes a light from a stand. MICHELE POWERS, a young actress of recognizable beauty, enters and looks at Joanna.

                         JOANNA
          Excuse me.

                                    1F

Joanna leaves. Hearing Joanna speak, Peter turns and sees Michele.

                         PETER
          Can I help you, Miss Powers?

He starts to descend the ladder.

                         MICHELE
          Oh, hi there. I'm Michele Powers.
                                    1G

She walks toward the him, holding out her hand. He hesitates -- he's wearing work gloves -- but shakes her hand after removing them.

                         PETER
          Everyone knows who you are. You're the star of this picture. "One of America's rising young talents." I think Variety said that. Are you lost?

                         MICHELE
          No. I came here looking for you.

                         PETER
          Me?

                         MICHELE
          I've seen you on the set the last couple of weeks. (beat) I get so bored sitting in my trailer all day, just waiting and waiting. So I escaped to find you.

She walks toward the area set up for the photo shoot.

                         PETER
          I've worked on ten pictures and, well, this is a first.
                                        1M

                         MICHELE
          What are you doing?

2.

1   1M

Peter walks up and stands near her.

                     PETER
          Talking to a movie star.

Michele smiles.

                     PETER (CONT'D)
          I'm pre-rigging lights for
          tomorrow. The fashion model scene.

                     MICHELE
          Right.   1K

She walks to the ladder and starts to climb up.

                     PETER
          Whoa! Not so fast.

He chases after her and reaches the foot of the ladder.
                             1E
                     MICHELE
          It's fun up here.

                     PETER
          You fall and get hurt, I'm
          unemployed.

She descends to two steps above him. She spreads her arms as
if to fly and purposely falls forward.

                     MICHELE
          Catch me!   1L
                 1D
He steps quickly in front of the ladder. She lands in his
arms. He starts to release her but she holds on.

                     MICHELE (CONT'D)
          Wait. This feels nice. You're
          strong.

                     PETER
          I must be dreaming.

                     MICHELE
          Will you kiss me?

Peter looks into her eyes and is encouraged by the warmth he
sees. He kisses her gently, softly. Finally, she breaks off.

                     MICHELE
          Oh my God! Can you kiss!

3.

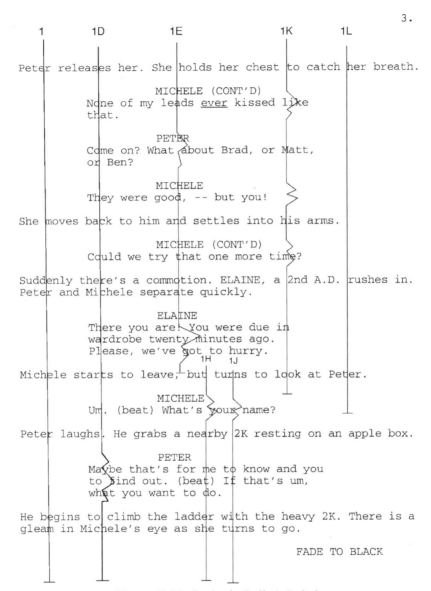

Figura 18.33. Guión de Gaffer's Delight.

19. Toques finales

Creo que los productores y realizadores de cine y vídeo son personas orientadas al producto. Asumámoslo, mucha gente empieza películas y vídeos pero sólo los realmente dedicados las terminan. Es fácil darse por vencido, quedarse sin fuerzas o tomarse un descanso eterno de un proyecto. Hacer una película o un vídeo es mucho trabajo duro y a menudo se hace por una pequeña recompensa. Creo que la razón por la que algunos terminan sus proyectos mientras que otros los abandonan es que aquéllos aman tener un producto. No pueden parar hasta que tienen algo en sus manos, ya sea una cinta de vídeo o un DVD.

"Aquí está mi proyecto", dicen. "Ven a verlo."

Primero aprendamos cómo hacer una cinta de vídeo desde nuestra secuencia final y después cómo crear un DVD.

¿En línea o fuera de línea?

Si capturó y editó su proyecto en una baja resolución como 15:1 en SD o bien DNxHD 36 en HD, y ahora necesita aumentar la resolución del proyecto fuera de línea a una resolución en línea antes de pasarlo a cinta, tendrá que ir primero a la sección sobre este tema. No obstante, la mayoría de ustedes ya están listos para pasarlo a cinta, así que empecemos.

Comprobar el audio

Antes de dar salida a la secuencia final a cinta, examinemos el sonido por última vez. Coja un par de auriculares que eviten que escuche otra cosa que no sea lo que viene de ello. ¿Están centradas las pistas de diálogo? Deberían. Abra la herramienta **Audio Mixer** (Mezclador de audio) y ajuste cualquier diálogo o narración que esté desplazado a izquierda o derecha. Compruebe los niveles una vez más.

Pasar a cinta

Ahora la secuencia está como queremos. Se ve y escucha perfectamente. Estamos deseando pasarla a cinta, pero antes hay unas cuantas cosas que debemos preparar. Deberá importar SMPTE_Bars.pct y montarlo al principio de la secuencia. Esto es útil cuando se visualiza la imagen en un monitor o pantalla para asegurarse de que los colores, brillo y contraste son correctos. El capítulo 16 explica este proceso. Asegúrese de que importa el archivo de la carpeta correcta (720, 1080, SD NTSC) y que genera 60 segundos. Monte los 60 segundos completos del clip en su secuencia. Si hace un bloqueo de sincronización en todas las pistas antes de montar las barras, todo se mantendrá sincronizado.

Ahora monte un tono de referencia a 1000 Hz para que vaya con las barras SMPTE. Para crear este tono:

1. Primero, abra **Audio Tool** (Herramienta de audio) en el menú Tools (Herramientas).

2. Haga clic y mantenga pulsado el cuadro PH en Audio Tool. Se abrirá entonces un menú. Seleccione la última opción del menú: Create Tone Media (Crear tono).

3. En el cuadro de diálogo (véase la figura 19.1), seleccione la duración del tono en segundos. Necesita una duración que concuerde con la de las barras SMPTE (60 segundos). La configuración preestablecida es un tono de -14 dB. Los proyectos HD normalmente están a -20 dB. Ajuste los decibelios a los que ha estado trabajando durante el proceso de edición. Genere dos pistas.

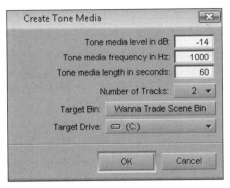

Figura 19.1. *Crear tono.*

4. Haga clic en **OK**.

5. El tono de 1000 Hz aparece en la lata como un clip. Móntelo en la secuencia utilizando **Overwrite** (Sobrescribir) en las pistas de audio 1 y 2 para que se alinee con las barras. Ahora tiene barras y tono.

La mayoría de la gente crea un título identificativo que tiene el título del proyecto, el tiempo total de duración (como RT 15 min.) e información de contacto. Luego montan este título en **Timeline** (Línea de tiempo) justo después de las barras y el tono. Cree este título y monte 5 segundos en **Timeline**.

La última pieza de material de encabezado consiste en una cuenta atrás de 10 segundos (8, 7, 6, 5, 4, 3, 2, y dos segundos de negro después del 2). Lo que viene después de la cuenta atrás es la secuencia, ya sea el primer título o el primer plano. El proyectista o ingeniero de televisión utiliza esta cuenta atrás para posicionar la cinta justo después del número 2 y, cuando esté listo, pulsar el botón **Play** de la cinta.

He incluido una cuenta atrás para importar. Es una película QuickTime y en el capítulo 16 la importamos desde el DVD que acompaña al libro. Si aún no la ha importado, siga las instrucciones de dicho capítulo. Una vez importada, móntela en la secuencia, después de las barras y el tono y los 5 segundos del título identificativo. La duración total de este material es de 1 minuto y 15 segundos: 1 minuto de barras y tono, 5 segundos de título identificativo y la cuenta atrás de 10 segundos. Su **Timeline** debería parecerse a la de la figura 19.2.

Ahora abra **Audio Mixer Tool**. Con la herramienta abierta, reproduzca las barras y el tono y compruebe que el tono de 1000 Hz está en la línea de -14 dB o -20 dB. Si los niveles no son exactos, utilice **Audio Mixer** para establecer el desplazamiento de A1 a **L100** y A2 a **R100**, no en **MID**. Compruébelo de nuevo. Debería funcionar (véase la figura 19.3).

Barras y tono, título identificativo y cuenta atrás

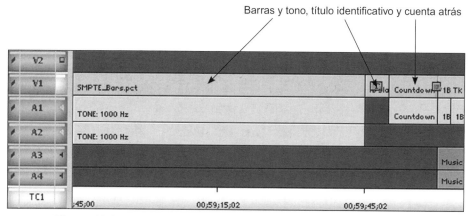

Figura 19.2. *Material de encabezado montado en la Línea de tiempos.*

Figura 19.3. *Desplazamiento de pistas A1 y A2.*

Conectar y encender una pletina o cámara

Guarde todo y después cierre Avid. Si está utilizando FireWire no necesita conectar nada porque el mismo cable funciona en ambos sentidos. Si está utilizando cables con Mojo DX, Nitris DX o Adrenaline HD, asegúrese de que los cables salen de la conexión de salida del hardware a los conectores de entrada de las pletinas. Ahora, encienda la pletina y vuelva a abrir Avid.

Grabación forzosa a cinta

El método más sencillo para grabar una cinta se llama *crash recording* o grabación forzada. No necesita ser un ingeniero para hacerlo funcionar. Hay dos formas de hacerlo:

1. Ajuste la pletina o cámara para la grabación, pulse el botón **Record** de la cámara o pletina y después reproduzca la secuencia.

2. Utilice la herramienta de Avid **Digital Cut** para hacer la grabación.

Comenzaremos por la primera opción.

1. Seleccione todas las pistas y después marque una ENTRADA al comienzo de la secuencia y una SALIDA al final. A continuación seleccione Render In to Out (Renderizar Entrada/Salida) en el menú Clip para renderizar los efectos y títulos. Ahora elimine las marcas de ENTRADA y SALIDA.

2. En la barra de herramientas inferior de Timeline, haga clic sobre el botón **Video Quality** (Calidad de vídeo) y después seleccione todo verde para la mejor calidad.

3. Coloque una nueva cinta en la cámara o pletina.

4. Coloque el indicador de posición al comienzo de la secuencia.

5. En una pletina, ponga el interruptor Remote/Local en Local.

6. En una cámara, coloque el interruptor Camera/VTR en VTR.

7. Pulse el botón **Record** (**Play/Record**) de la cámara o pletina.

8. Espere unos segundos y reproduzca su secuencia en Avid.

9. Cuando la secuencia haya terminado, pulse **Stop**.

Figura 19.4. Botón de selección de calidad de vídeo.

Utilizar Digital Cut para grabar

Hacer una grabación con Digital Cut es bastante sencillo. Para facilitar aún más el proceso, sugiero que grabe unos 10 segundos de cualquier cosa (o de nada) en la cinta. Esto colocará un código de tiempo en la cinta y hará más fácil el proceso. Si tiene una pletina, colóquela en modo Local y pulse el botón **Record**. Si tiene una cámara, grabe algo con la tapa del objetivo puesta. Después de diez segundos, puede pulsar **Stop** y rebobinar la cinta. Ahora siga estas instrucciones:

1. Conecte la pletina o cámara al sistema Avid, enciéndala y después inicie el software.

2. Coloque el interruptor Remote/Local de la pletina en Remote (ignore este paso si utiliza una cámara).

3. Con la secuencia en Timeline, vaya al menú Output (Salida) y seleccione Digital Cut.

4. Cuando se abra la herramienta, seleccione las siguientes casillas (véase la figura 19.5): Entire Sequence (Secuencia completa), Stop on Dropped Frames (Detenerse en fotogramas caídos) y Add Black at Tail (Añadir negro a cola).

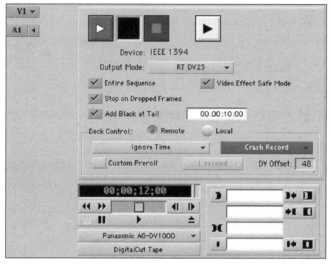

Figura 19.5. *Grabación forzada.*

5. Escriba ahora **00:00:10:00** para indicar que quiere 10 segundos de negro al final.

6. Seleccione **Ignore Time** (Ignorar tiempo) y **Crash Record**. No puede cambiar la casilla DV Offset.

7. Ahora haga clic en el botón rojo de grabación.

8. Cuando salga el aviso, inserte la cinta. Si ya está en la pletina, haga clic en **Mounted** (Insertada).

Utilizar Digital Cut para grabar código de tiempo de secuencia

Ésta es la forma sofisticada de grabar en cinta. Le ofrece una grabación precisa de fotogramas utilizando código de tiempo, pero es bastante más complicada que la grabación forzada. Avid actúa como controlador de edición para la pletina de vídeo. Éste es el método preferido para proyectos que se transmitirán por televisión.

Para conseguirlo, necesita una cinta de vídeo que se haya grabado en negro y rayas con un código de tiempo predeterminado que concuerde con el código de la secuencia. La ventaja de este método, comparado con el anterior, es que puede hacer cambios en la cinta terminada sin tener que grabar de nuevo la secuencia completa. Puede volver después y hacer una inserción.

Puede pedir la cinta ya preparada a un proveedor. Evidentemente, es más cara que una cinta en blanco. O bien puede establecer su código de tiempo de la pletina y hacerlo usted mismo. Las pletinas DV menos caras pueden no ser capaces de hacer esto.

Por ejemplo, mi Sony DSR-11 no tiene esta función, mientras que la Sony DSR-25, más cara, sí la tiene. Todas las pletinas HD pueden hacer esto. Cuando se ponen las barras a la cinta, configuramos la pletina para que grabe el código de tiempo de forma que los números comiencen en 00:58:30:00.

Asegúrese de establecer el tipo de código de tiempo que corresponda con su proyecto. Si su proyecto tiene un código de tiempo que utiliza puntos y comas, establezca la pletina en Drop-Frame.

Si usa dos puntos, establezca non-drop-frame. (Los tipos de código de tiempo se explican con detalle más adelante.)

Cambiar el código de tiempo de la secuencia

Dependiendo del Avid que tenga, el código de tiempo de inicio preestablecido de la secuencia comenzará entre 00;30;00;00 y 01;00;00;00. (Utilizo punto y coma para este ejemplo de código de tiempo.) La mayoría de estaciones de televisión quieren que el primer fotograma del programa comience en el código de tiempo 01;00;00;00.

Pero, si su secuencia comienza en 01;00;00;00 y añade 60 segundos de barras y tono antes del comienzo del programa, un título identificativo de 5 segundos y una cuenta atrás de 10 segundos antes del primer fotograma, como debería hacer, entonces el primer fotograma será 1:01;15;00.

Queremos que el primer fotograma del programa comience en 01;00;00;00. Para hacerlo, debemos cambiar el código de tiempo preestablecido en nuestra Timeline de forma que diga 00;58;45;00.

Con la secuencia final abierta en Record Monitor, haga clic sobre él para activarlo. Vaya al menú File y seleccione Get Sequence Info (Obtener información de la secuencia). En el cuadro que aparece, escriba **00;58;45;00** para Starting TC (Código de tiempo de inicio), como muestra la figura 19.6.

Cuando haga clic en **OK**, la secuencia tendrá un nuevo código de tiempo que se ajusta al estándar de la industria.

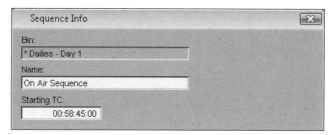

Figura 19.6. *Cambiar el código de tiempo.*

Abrir la herramienta Digital Cut

Vaya al menú Output y seleccione Digital Cut (véase la figura 19.7).

1. Coloque el interruptor Remote/Local de la pletina en Remote.

2. Inicie Avid.

3. Si está conectado mediante FireWire, seleccione entonces 1394 (véase la figura 19.8). Si está conectado a través de Mojo, Mojo SDI o Adrenaline, haga clic en el botón conmutador **DNA/1394** en la línea de botones de Timeline. Si está conectado a través de Mojo DX o Nitris DX no hay botón conmutador.

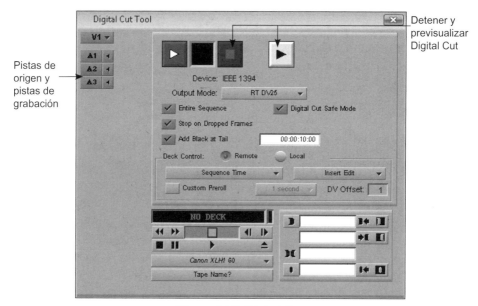

Figura 19.7. *Digital Cut.*

Figura 19.8. *Seleccione DNA o 1394.*

4. En la barra de herramientas inferior de Timeline, haga clic en el botón **Video Quality** y a continuación seleccione todo verde para obtener la mejor calidad.

5. Si está conectado mediante un dispositivo de hardware Avid y va a pasar a una pletina analógica o a través de conexiones de salida analógicas, seleccione Tools>Video Output Tool (Herramientas>Herramienta de salida de vídeo) y seleccione la pestaña SD o HD, dependiendo del formato de su proyecto. Seleccione entre las opciones del menú desplegable Output (véase la figura 19.9): SD, para Component, Composite o S-Video; HD para Component YPbPr o HD Component RGB.

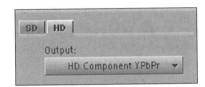

Figura 19.9. *Menú desplegable Output.*

6. Abra la herramienta **Digital Cut** desde el menú Output.

7. En el menú desplegable Output Mode (Modo de salida), seleccione la opción apropiada (véase la figura 19.10). Las opciones dependen de si está conectado a través de un dispositivo Avid (DNA) o directamente a través de una conexión FireWire (1394). RT tiene que ver con si tiene los efectos renderizados o no. (Recomiendo que los renderice.) Algunos ejemplos:

   - RT DV25 o bien DV25 si se tiene una pletina conectada a través de FireWire.

   - RT DNA o bien DNxHD si se tiene la pletina conectada al dispositivo Avid (Mojo DX, Adrenaline HD o Nitris DX).

8. Seleccione ahora la casilla Entire Sequence y la casilla Stop on Dropped Frames.

9. Seleccione entonces Add Black at Tail y después introduzca un número, como **00:00:10:00**, para 10 segundos de negro.

10. Seleccione Sequence Time en la ventana del menú.

Figura 19.10. *Conexiones FireWire o Avid.*

11.   Pulse el botón **Record** (Grabar).

12.   Cuando aparezca el aviso, introduzca la cinta y haga clic en **Mounted**.

Avid posiciona la cinta y comienza a grabar la secuencia. Si necesita parar en cualquier momento, pulse el botón azul **Stop**.

Secuencia HDV a cinta HDV

Es fácil archivar la secuencia final HDV en una cinta HDV. Conecte la cámara o pletina a través de FireWire. Seleccione la secuencia en la lata y después vaya al menú Output. Elija Export to Device>HDV (Exportar a dispositivo>HDV) (véase la figura 19.11).

Figura 19.11. *Exportar a HDV.*

Aumentar la resolución
de la secuencia fuera de línea

Si capturó el material en una resolución menor de la que pretende darle salida, ahora querrá recapturar la secuencia final en una resolución mayor. Tenga en cuenta que no recapturará el audio.

Se queda como está. Sólo se recaptura la imagen. Todas las pistas de sonido permanecerán igual. Supongamos:

- Que editó el proyecto utilizando una resolución HD fuera de línea (resolución menor) como DNxHD 36, o una resolución fuera de línea SD, como 15:1 s, y ahora quiere recapturar la secuencia en una resolución en línea (o mayor), como DNxHD 220 o DV 25.

- Rodó en película y realizó un paso rápido de telecine a cinta de vídeo. Ahora quiere sustituir el vídeo que se ve bien por un vídeo que se vea estupendamente.

Este proceso a menudo se llama pasar a resolución en línea. Uno de los problemas que encontrará es que necesita espacio en el disco para este proceso de recaptura.

Puede ver fácilmente cuánto espacio tiene en sus unidades de medios seleccionando **Hardware Tool** (Herramienta Hardware) en el menú Tools. En la figura 19.12, se puede observar que la unidad de medios que hemos utilizado para almacenar un documental está casi llena, pero necesitamos espacio para aumentar la resolución.

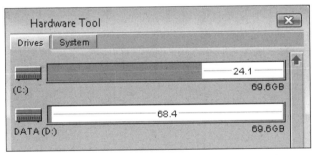

Figura 19.12. Espacio libre en la unidad de medios.

Una forma sencilla de conseguir el espacio necesario es deshacerse de los pre-cómputos no referenciados.

Eliminar pre-cómputos no referenciados

Un pre-cómputo es el material nuevo que crea el ordenador cuando se renderiza un efecto o título. Si, mientras edita la secuencia, modifica, vuelve a renderizar o bien elimina alguno de los títulos o efectos, esos antiguos pre-cómputos no se eliminan. Permanecen en la unidad de medios, ocupando un valioso espacio. Estos acaparadores ocultos se llaman pre-cómputos no referenciados. Son los jerséis de mohair del mundo digital; ocupan mucho espacio y nunca se utilizan. Es increíble cuántos de ellos encontrará y lo satisfactorio que es eliminarlos.

Para esta misión utilizaremos **Media Tool** (Herramienta medios) (véase la figura 19.13). Vaya a la lata que contiene todas sus secuencias. Asegúrese que en ella se encuentran las secuencias que le interesan.

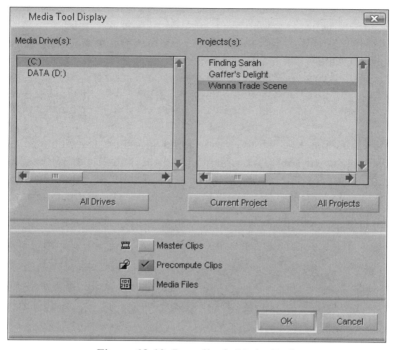

Figura 19.13. *Pantalla de Media Tool.*

1. En el menú Tools, abra **Media Tool**.

2. En la pantalla de **Media Tool**, haga clic en All Drives (Todas las unidades) y Current Project (Proyecto actual).

3. Seleccione Precompute Clips. Deseleccione el resto de opciones. Haga clic en **OK**.

4. Ahora, vuelva a la lata que contiene sus secuencias. Asegúrese de que las secuencias que le interesan están resaltadas. Si no, haga clic mientras pulsa **Mayús** para seleccionarlas. Vaya al menú rápido de lata y seleccione Select Media Relatives (Seleccionar parientes de medios) (véase la figura 19.14).

5. Vaya a la ventana Media Tool y haga clic en la barra de título para activar la ventana. Todos los pre-cómputos relacionados con las secuencias seleccionadas estarán resaltados. Son los que queremos conservar.

Figura 19.14. *Menú rápido de lata.*

6. Utilizando el menú rápido de Media Tool, seleccione entonces Reverse Selection (Invertir selección). Ahora se muestran los pre-cómputos no referenciados.

7. Pulse la tecla **Supr**. En el cuadro de diálogo Delete Media (Eliminar medios) que aparece, asegúrese de que tan sólo están seleccionados los pre-cómputos (véasela figura 19.15). Haga clic en **OK**.

Hay cientos de pre-cómputos no referenciados para este proyecto. Deseleccione los archivos de audio porque no ocupan espacio, así que ¿para qué borrarlos? Los pre-cómputos de imagen son otra historia. Haga clic en **OK** y desaparecerán. Ahora tenemos espacio para trabajar.

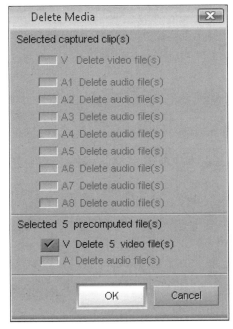

Figura 19.15. *Cuadro de diálogo Eliminar medios.*

Preparación para la recaptura de la secuencia

Hay varios pasos que dar antes de comenzar a recapturar:

1. Asegúrese de que tiene todas las cintas de vídeo de origen.

2. Cree una nueva lata y llámela `Online` (En línea).

3. Duplique la secuencia final (selecciónela y pulse **Control-D** (**Comando-D**)) en su lata original y arrastre el duplicado a la nueva lata `Online`.

4. Nombre la secuencia duplicada `Online Sequence`.

5. Elimine todas las pistas de audio del duplicado. Para hacer esto, coloque `Online Sequence` en Record Monitor para que las pistas aparezcan en Timeline. Seleccione las pistas de audio y deseleccione las pistas de vídeo. Pulse la tecla **Supr**.

6. Cierre todas las latas excepto la recién creada `Online`.

El proceso de recaptura

Para recapturar la secuencia, deberá conectar la pletina de vídeo. Consulte el capítulo 6 para ver las formas de hacerlo. Si está trabajando con cintas HD, el capítulo 18 también puede ser de ayuda.

Decompose

Una de las mejores funciones de Media Composer tiene el nombre más truculento: Decompose (Descomponer). Cuando uno descompone la secuencia final, ésta se divide en los clips que la conforman. Una vez dividida, puede organizar los clips de la forma que desee, seleccionarlos en la lata y hacer la captura en lote. Sin Decompose, Avid controla el proceso de recaptura y no hay forma de cambiarlo o detenerlo. Con Decompose, podemos recapturar unos cuantos clips hoy, salir del programa y continuar mañana.

Comencemos:

1. Seleccione la secuencia en la lata `Online` (debería ser la única).

2. Seleccione Decompose en el menú Clip (véase la figura 19.16).

3. Deseleccione ahora Offline media only (Sólo medios fuera de línea).

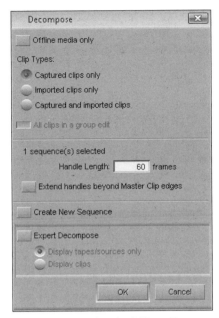

Figura 19.16. Cuadro de diálogo Decompose.

4. Seleccione una duración de manejo en **Handle Length**. Por defecto son 60 fotogramas y deberá funcionar.

5. Haga clic en **OK**.

Aparecerán en la lata clips con el sufijo `.new`. Éstos son los clips que forman la secuencia final, pero están todos fuera de línea, esperando a ser seleccionados y recapturados.

Cuando recapture, cada clip tendrá 60 fotogramas extra en cada extremo, el manejo. Esto le da flexibilidad en caso de que quiera cambiar algún plano en unos cuantos fotogramas.

6. Abra **Capture Tool** (Herramienta de captura) en el menú **Tools** (véase la figura 19.17).

7. Seleccione **V** y **TC**. Deseleccione todas las pistas de audio.

Figura 19.17. Herramienta de captura.

8. En el menú desplegable Video, seleccione HD-SDI, SDI, Composite, SVideo, Component o DV.

9. Seleccione la resolución final: DV 25, 1:1, DV 50, DNxHD 220X, etc. (véase la figura 19.18).

Figura 19.18. *Seleccione la resolución final.*

10. Seleccione la unidad de destino (la unidad de medios).

11. En la lata `Online`, seleccione los clips nuevos. Sugiero que los organice por cinta. Utilice Text View (Vista texto) para saber a qué cinta corresponde cada clip. Seleccione todos los clips de la cinta 001.

12. Ahora, seleccione Batch Capture en el menú Bin. Avid le pedirá la cinta 001 por su nombre. Inserte la cinta en la pletina y haga clic en **OK**. Cuando todos los clips de 001 hayan sido capturados, organice los clips de la cinta 002. Selecciónelos y después vaya a Batch Capture.

13. Continúe hasta que haya capturado todos los clips.

Rupturas de código de tiempo

En ocasiones durante el proceso de captura en lote, cuando Avid está buscando el siguiente clip a capturar, verá un mensaje de error diciendo que Avid no puede realizar el pre-rebobinado. No se preocupe. Avid está intentando conseguir el código de tiempo del siguiente clip pero se encuentra con una ruptura en el código de tiempo. Aborte la captura en lote y pase hacia adelante hasta que encuentre el código de tiempo que Avid busca. Estamos saltando la ruptura de código. Seleccione los clips que quedan y seleccione Batch Capture. Ahora Avid encontrará el código de tiempo y seguirá con la captura en lote.

Sustituir las pistas de audio

Cuando haya completado el proceso de recaptura, verá que debe restaurar las pistas de audio que eliminó anteriormente.

1. Para conseguir las pistas de audio, abra la lata que contiene la secuencia final (en baja resolución).

2. Haga clic y arrastre el icono de secuencia a Source Monitor (no a Record Monitor).

3. En Source Monitor, vaya al primer fotograma de la secuencia fuera de línea. Marque una ENTRADA. Vaya al último fotograma y marque una SALIDA.

4. Ahora, active Timeline y después vaya al primer fotograma de Online Sequence. Marque una ENTRADA.

5. Está listo para montar las pistas de sonido en Timeline. Para hacerlo, debe crear nuevas pistas de audio, tantas como pistas de origen (**Control-U** o **Comando-U**).

6. En Timeline, seleccione las pistas de audio y deseleccione las de vídeo. Ahora, pulse el botón **Splice** (Unir). El audio se montará en Timeline.

Recrear títulos

Si recapturó a una resolución mayor, puede necesitar recrear los títulos porque fueron creados en una resolución menor:

1. Seleccione todos los títulos seleccionando las pistas de vídeo y marcando una ENTRADA y una SALIDA en Online Timeline.

2. Vaya al menú Clip y elija Create Unrendered Title Media (Crear títulos no renderizados). Los títulos se recrearán en la nueva resolución.

Ahora que tiene la secuencia lista para pasarla a cinta, vuelva a la sección anterior que trata sobre ello.

Salida a DVD

Si tiene una grabadora de DVD y software de creación de DVD, puede grabar su secuencia en un DVD. La mayoría de la gente utiliza Avid DVD en un PC o iDVD en un Mac. Sea cual sea su sistema, recuerde que el proceso puede ser lento; en ocasiones varias horas. También puede ser frustrante. Sugiero que comience grabando una secuencia muy corta, de no más de un minuto, para ver las dificultades. ¡Ah! y deberá tener más de un DVD-R disponible.

A diferencia de una cinta de vídeo, no queremos ni barras ni tono, ni cuenta atrás ni nada antes del inicio del proyecto. Simplemente un segundo de negro (utilice Add Filler Start en el menú Clip) y después la secuencia.

1. Inicie Avid.

2. Abra la secuencia que va a grabar. Asegúrese de que todos los efectos están renderizados y todas las pistas seleccionadas.

3. A continuación, haga clic sobre la secuencia dentro de la lata para que esté resaltada.

4. Desde el menú File, seleccione Send To...>DVD>QuickTime Reference (Enviar a...>DVD>QuickTime Reference) (véase la figura 19.19). Cuando se abra el cuadro de diálogo Send To: QuickTime Reference (véase la figura 19.20) lo guardaremos en el escritorio. En Destination (Destino) haga clic en **Set** (Establecer) y navegue hasta el escritorio.

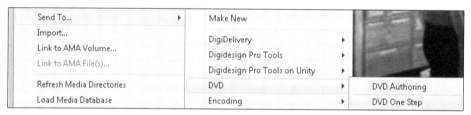

Figura 19.19. *Enviar a DVD.*

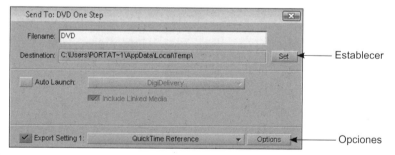

Figura 19.20. *Cuadro de diálogo Send to: QuickTime Reference.*

5. Compruebe que la lista de opciones en Export Setting Summary (Resumen de opciones de exportación) se parece a la lista de la figura 19.21. Si no, haga clic sobre **Options** (Opciones) y cambie las opciones en el cuadro de diálogo Export Settings (Opciones de exportación). Excepción: Si tiene un proyecto DV24, seleccione Use Avid DV Codec (Utilizar códec Avid DV).

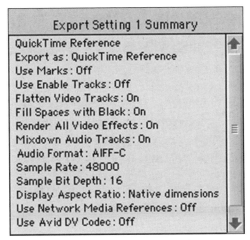

Figura 19.21. Resumen de opciones de exportación.

6. Haga clic ahora en **Save** (Guardar). Cuando vuelva a la ventana Send To: QuickTime Reference, haga clic en **OK**.

Encontrará la película de prueba QuickTime Reference en el escritorio, así como un archivo de audio .aif (véase la figura 19.22). Tendrán el mismo nombre que la secuencia.

Haga doble clic y reproduzca el archivo .mov para asegurarse de que todo es correcto.

En algunas ocasiones, tengo que volver y cambiar la opción Display Aspect Ratio (Relación de aspecto de pantalla) a 4:3 o 16:9 porque las dimensiones nativas no funcionaron. Una vez la prueba se ve bien, elimínela y envíe la secuencia completa.

Figura 19.22. Archivos creados en el escritorio.

En este punto, iniciaremos el software de creación de DVD y crearemos un nuevo proyecto.

Encontrará los archivos en el escritorio y, en la mayoría de ocasiones sólo tiene que arrastrar el archivo .mov a la ventana de proyecto del software de creación de DVD.

Utilizar Sorensen Squeeze para crear un DVD Progresivo o un disco Blue-Ray

Para aplicaciones más sofisticadas, utilizaremos Sorensen Squeeze para preparar los archivos para codificarlos antes de abrirlos en el software de creación. Avid incluye Sorensen Squeeze como parte de los extras de la compra de Media Composer y es un software estupendo. Lo utilizamos en el capítulo 16 para crear un MPEG para exportarlo a YouTube. Ahora lo utilizaremos para crear un DVD progresivo.

En los capítulos 17 y 18 discutimos las ventajas de rodar los proyectos en modo progresivo en lugar de entrelazado. La principal de las ventajas es que podemos crear un DVD progresivo.

Michael Phillips explica muy bien el proceso en su sitio Web www.24p.com. Me baso principalmente en su artículo que se titula 24p NTSC DVD Creation Using Sorenson Squeeze.

Con los archivos de QuickTime Reference en el escritorio o unidad, abra Sorenson Squeeze.

En el cuadro Input (Entrada), haga clic en **Import** (Importar) y después seleccione los dos archivos QuickTime Reference del escritorio o unidad (véase la figura 19.23).

1. En Audience Presets (Preconfiguración de Audiencia) seleccione DVD y después el formato (DVD_NTSC_16 x 9_Lg). Ahora, haga doble clic en esa opción y se abrirá el cuadro de diálogo de opciones de compresión.

2. Haga clic en el botón **Advanced** (Avanzadas) de la parte inferior izquierda para abrir más opciones.

3. Seleccione entonces Elementary (Elemental) como Stream Type (Tipo de transferencia).

4. Seleccione ahora Progressive como Field Encoding (Codificación de campo).

5. Seleccione 29.97 como Frame Rate (Ratio de fotogramas) aunque tenga un proyecto 23.976 o 24p.

6. En GOP Structure (Estructura de grupo de imágenes), introduzca **6** en el cuadro I Frames.

Una vez haga clic sobre **OK**, vaya a Filter Presets (Preconfiguración de filtro). Aunque no es muy intuitivo, en el filtro Auto Crop Deinterlace (Recorte automático de desentrelazado), deseleccione Deinterlace. Esto se debe a que ya nos ocupamos de esto cuando seleccionamos Progressive en el paso 4. Ahora, establezca Publish Presets (Preconfiguración de publicación) para enviarlo al escritorio. Asegúrese de que ha hecho clic en **Apply** en cada sección y después pulse el botón **SQUEEZE IT**.

Cuando haya codificado los archivos, puede iniciar su aplicación de creación de DVD.

Figura 19.23. *Cuadro de diálogo Input de Sorensen Squeeze.*

Crear un disco Blue-Ray

También hay opciones Sorenson para un disco Blue-Ray. El menú Audience Presets enumera las opciones (véase la figura 19.24). Seleccione la adecuada para su proyecto, según sea un proyecto 720 o 1080.

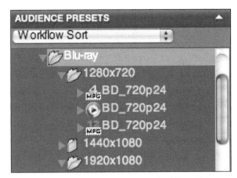

Figura 19.24. *Opciones de Blue-Ray.*

Después, configure Filter Preset y haga clic en **Apply**. Configure Publish Preset y pulse **Apply**. Pulse **SQUEEZE IT** y pronto estará...

Hecho

Bien. Ha sido: fácil, divertido, interesante, frustrante, !x@#&#*! ¡Hey! Ya hemos terminado ¿no? Y eso es un logro digno de elogio.

20. Rodar en película, montar en Avid

En la Universidad de Boston, nuestros alumnos ruedan gran cantidad de película. Comenzamos con la estándar de 16mm, cuando están aprendiendo y después en Super-16mm para proyectos avanzados y tesis. Empleamos técnicas de grabación de doble sistema, donde la cámara de película graba la imagen y un dispositivo de sonido independiente graba el diálogo y otros sonidos. Nuestros alumnos editan después sus proyectos en salas de Avid, utilizando las técnicas resumidas en este capítulo.

Aprenderemos cómo trabajar con un laboratorio de película y una empresa de telecine para transferir la película a cinta de vídeo y también trataremos las cuestiones de audio implícitas en el rodaje de doble sistema así como los pasos para sincronizar imagen y sonido.

¿Por qué en película?

La película es más cara que el vídeo pero, gracias a generosos antiguos alumnos como Gary Fleder, Scott Rosenberg y Lauren Shuler-Donner, algunos de estos costes se han recortado gracias a contribuciones de antiguos alumnos. Aun así, hay una ventaja al alto coste de la película comparada con el vídeo; es ese mismo gasto lo que ayuda a nuestros alumnos a concentrarse realmente en el proceso cinematográfico.

Nuestros alumnos pasan mucho tiempo planificando y ensayando sus producciones para reducir al mínimo el material sobrante. No ruedan gran cantidad de metraje y esperan encontrar la historia en la sala de edición. Y, a pesar de los muchos avances en tecnología digital, no hay nada como el aspecto de una película. Para obtener la misma calidad de imagen que consiguen mis alumnos de cine con nuestras cámaras de Super-16mm, habría que alquilar una cámara HD 1080p a 1.500 euros al día.

Josh Safdie, uno de mis antiguos alumnos, hizo recientemente su primera película, *The Pleasure of Being Robbed*, seleccionada para proyectarse en Cannes, donde los derechos de distribución fueron comprados por Independent Film Channel. Rodó con una cámara Super-16mm que alquiló por poco dinero. En tributo al talento de la familia Safdie, el hermano menor de Josh, Bennie, realizó un cortometraje en mi clase de Producción II el año pasado (*The Acquaintances of a Lonely John*) y también fue seleccionado para proyectarse en Cannes. Una vez más, se rodó en película de 16mm.

La cuestión es que la película transferida a vídeo puede tener mucho mejor aspecto que los proyectos rodados en vídeo. Ruede con una cámara Super-16mm y transfiera la película a HD y tendrá un proyecto mejor y habrá ahorrado una fortuna en alquiler de cámaras HD.

Transferir de película a cinta

Una vez rodado el metraje, se lleva la película a un laboratorio para su procesado. Cuando la película está procesada, tiene una imagen, ya sea positiva o bien negativa.

Entonces se lleva la película procesada a una instalación de telecine (muchos laboratorios la tienen) para una transferencia de película a cinta. Los fotogramas individuales de la película se proyectan o escanean a cinta de vídeo. La mayoría de los sistemas de telecine en uso hoy en día utilizan un escáner capaz de increíbles manipulaciones de imagen. Muchos de estos sistemas cuestan más de medio millón de dólares.

La película se transporta mediante rodillos que nunca tocan la superficie de la imagen por lo que no se rayará o dañará. Un escáner de este tipo también puede transponer una imagen negativa en una positiva. Así pues, si rodó en película de negativo, como la mayoría, no tiene que hacer un positivado de la película para poder transferirla.

El arrastre estándar 2:3

La película pensada para proyección en cine se rueda a 24 fotogramas por segundo. En los Estados Unidos, aún se referencia al estándar NTSC de 20 fps, incluso en HD. ¿Cómo transferimos 24 fotogramas de película a 30 fotogramas de vídeo? Cada fotograma de cinta entrelazada está formado por dos campos. Cada campo contiene la mitad del total de líneas del fotograma, que se examina horizontalmente; las líneas impares se examinan primero y después las pares para conseguir la imagen total.

Durante el proceso de transferencia, la máquina de telecine coloca cuatro fotogramas de película en cinco fotogramas de vídeo, usando los dos campos para que salga la cuenta.

Examinemos ahora la figura 20.1. El primer fotograma de película, llamado fotograma-A, va al primero de los dos campos de la cinta de vídeo. El segundo fotograma de la película, llamado fotograma-B, va a tres campos. El tercer fotograma de película, el fotograma-C, pasa a dos campos, y el cuarto, el fotograma-D, pasa a tres campos. Dos campos, después tres campos, dos campos, después tres campos, etc. En este caso tenemos un arrastre 2:3:2:3.

Fotogramas de película

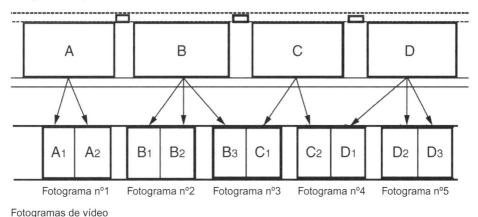

Fotogramas de vídeo

Figura 20.1. *Transferencia de fotogramas de película a vídeo.*

Como puede ver en la figura 20.1, cuatro fotogramas de película se transfieren a cinco fotogramas de vídeo.

Si se hace esto seis veces (6 x 4 fotogramas de película = 24, o un segundo; y 6 x 5 fotogramas de vídeo = 30, o un segundo), obtenemos un segundo de película y un segundo de vídeo.

La película transferida a vídeo funciona a 23.976

Son muchos los que se rascan la cabeza cuando observan los distintos ratios de fotogramas HD. ¿Por qué hay tantos números extraños? Buen, el problema comenzó en los años 50 cuando se ralentizó el vídeo NTSC de 30 fps a 29.97 fps para acomodar la señal de color. La película siempre había funcionado a 24 fps, por lo que era fácil ajustarla al vídeo de 30 fps, como hemos visto.

Pero una vez que el vídeo se ralentizó un 1 por 100 para dar cabida a la señal de color, la película transferida a vídeo debía ralentizarse también en 1 por 100. Si hace la cuenta, una velocidad de un 1 por 100 menor que 24 es 23.976. Así pues, la película se transfiere a vídeo a 23.976 fps.

¿Qué hay de los formatos HD progresivos? ¿Por qué funcionan a 23.976 fps? La respuesta es que quieren que la imagen de vídeo se parezca lo más posible a la película, por lo que se reproduce el vídeo a la velocidad de película (23.976 fps), el ratio en el que funciona la película cuando se transfiere a vídeo.

Ya que la película se transfiere a cinta de vídeo de todas formas (véase la figura 20.2), ¿por qué se sigue rodando en película a 24 fps? ¿Por qué no a 23.976? La razón es sencilla. La mayoría de películas van a terminar proyectándose en una pantalla de cine y el proyector de cine funciona a 24 fps, en cualquier lugar del mundo.

Figura 20.2. *Transferencia de película a vídeo en una instalación de telecine.*

Tipos de código de tiempo

Sabemos que cada fotograma de vídeo tiene una dirección única: su número de código de tiempo. En realidad hay dos tipos de código de tiempo: *non-drop-frame* y *drop-frame*.

Non-drop-frame (fotogramas caídos) se utiliza principalmente cuando se transfiere la película a vídeo, por eso he esperado hasta este capítulo para explicarlo. De hecho, mucha gente que trabaja exclusivamente en vídeo sabe poco sobre las diferencias entre ambos.

Como ya hemos visto, el vídeo NTSC se ralentizó de 30 fps a 29.97 fps en los años 50 y los ingenieros de vídeo vieron inmediatamente que eso era un problema. Debido a esa ligera diferencia, una hora en código de tiempo no era igual a una hora de tiempo real.

Hagamos un sencillo cálculo. Si multiplicamos 30 fps por 60 segundos obtenemos 1.800 fotogramas por minuto. Ahora, multiplicamos 1.800 por 60 minutos y obtenemos 108.000 fotogramas por hora. Si le damos a cada fotograma una dirección, comenzando en 00:00:00:00, después de una hora de reproducción el código de tiempo dice 01:00:00:00. Así es cómo era.

Pero los ingenieros descubrieron que si reproduce la cinta a 29.97 fps en lugar de a 30 fps durante exactamente una hora (recuerde que la cinta va un poco más lenta), obtenemos un código de tiempo de 01:00:03:18. Otra forma de decirlo es que si detenemos la cinta cuando el código de tiempo llega a 01:00:00:00 y miramos el cronómetro éste marcará 59 minutos y 56 segundos aproximadamente. Eso son casi 4 segundos menos y 4 segundos pueden ser críticos cuando se están reproduciendo anuncios, programas planificados, etc. Para solucionar este problema, se introdujo el código de tiempo *drop-frame* (DF). En realidad no se desecha ningún fotograma pero se descartan dos números de fotograma cada minuto de forma que, cuando ha pasado una hora de tiempo real el código de tiempo marca 01:00:00:00 y no 01:00:03:18.

La televisión adoptó enseguida este código de tiempo pero la industria cinematográfica siempre ha utilizado el NDF porque no se descartan números de fotograma. Sin duda, la hora del reloj y el código de tiempo no concuerdan, pero para la persona que monta una película todos esos números de fotograma son claves. No puede descartar ninguno.

Recuerde que Avid utiliza el código de tiempo para llevar la cuenta de todos los cortes. Si, después de editar, va a volver al negativo de película original y montar esas tiras de negativo para hacer un positivado para la proyección en cine, no querrá que falte ninguno de esos números, o estará cortando el negativo en el lugar equivocado.

Hoy en día, la mayoría de los que ruedan en película no vuelven al negativo original, aunque sí se hace en las películas para cine. Aun así, si está trabajando en un proyecto de película, pida a su instalación de telecine que le dé una cinta de vídeo con código NDF, por si acaso.

¿Cómo saber la diferencia? Avid puede decírselo en cuanto meta la cinta en la pletina durante la captura. El código NDF mostrará dos puntos (00:23:54:21) mientras que el código DF mostrará puntos y comas (00;23;54;21).

Orden de trabajo para el laboratorio y telecine

Los puntos principales que quiere resaltar en su orden de trabajo para el laboratorio e instalación de telecine se ofrecen a continuación. Éste es el formulario que les doy a mis alumnos de la Universidad de Boston, y a ellos les funciona. Observe que doy *stock* de cámara de 16mm y metraje para que sea más fácil de seguir. Puede hacer transferir la película a definición estándar (SD) o alta definición (HD). En la Universidad de Boston rodamos en 16mm en Producción I y transferimos a definición estándar, normalmente DVCAM. Nuestros alumnos de último curso ruedan en Super-16mm y transfieren a HD. Super-16mm tiene básicamente la misma relación de aspecto que HD y como tenemos una pletina Panasonic AJHD 1400 HD transferimos a 720p HD. Si tuviéramos una pletina Sony HD, transferiríamos a 1080i. La pletina HD que utilice para capturar en Avid influirá en el formato HD que debe pedir a la empresa de telecine.

Instrucciones para el laboratorio

1. Se adjuntan 5 rollos de 400 pies de Kodak Vision 200T 7217 de película negativa de 16mm.

2. El título del proyecto es *Joe's Last Day* (esto es importante, debe tener un título).

3. Revelar todos los rollos en modo **Normal** (o **Push/Pull**).

4. Preparar negativo para transferencia a vídeo (combinar en plancha de laboratorio, negativo limpio, perforado).

5. Por favor, enviar negativo preparado a [su dirección] mediante FedEx, UPS, etc. o conservar para recogida.

6. Llame a [su nombre] en el [número de teléfono] para cualquier consulta.

Instrucciones para la instalación de transferencia para una transferencia no supervisada

Dependiendo de su presupuesto, puede obtener una transferencia supervisada, en la que se sentará en la sala de transferencia con el colorista y ofrecerá directrices (más caro) o puede ahorrar dinero dejando que el colorista tome las decisiones sin estar usted presente. Estas instrucciones son para una transferencia no supervisada y tienen como propósito ayudar al colorista si usted no va a estar ahí. Si va a estar presente, entonces éstas son las cosas que debe discutir en persona con el colorista.

Animamos a nuestros alumnos a rodar unos cuantos metros de guía de encuadre al inicio del primer rollo de cámara. Se trata de una hoja de papel que tiene guías de encuadre negras en la relación de aspecto de la cámara que están utilizando. Los alumnos la pegan a una pared y mueven la cámara o hacen zoom con el objetivo para que el borde de las líneas negras del papel toque justo los bordes de las líneas del visor de la cámara. De esta forma, el colorista puede dar el encuadre perfecto, de acuerdo a lo que vieron cuando rodaron. También animamos a los alumnos a que graben una tarjeta gris al inicio de cada rollo de cámara para que el colorista sepa la exposición y la temperatura de color de la luz con la que rodaron. Siempre que hay opciones, los alumnos hacen un círculo en la que es la adecuada para el proyecto.

He aquí las instrucciones que utilizamos:

1. La película fue grabada a 24 fps. La relación de aspecto era 4:3 o 16:9 (seleccionar una).

2. Transferir todos los rollos a SD (DVCAM, miniDV, o DigiBeta) o bien HD (720p/59.94 o 1080i/59.94).

3. Utilizar guía de encuadre de cámara del inicio del rollo de cámara 1 para asegurar un encuadre correcto de la transferencia.

4. Mejor luz o Corrección escena a escena o Tiempo a tarjeta gris (seleccionar uno).

5. Comenzar primera cinta con Código de tiempo 01:00:00:00 y cambiar la hora para cada cinta adicional.

6. Limpiar cintas: código de tiempo no visible.

7. Utilizar código de tiempo NDF.

8. Por favor, enviar las cintas y rollos de película a [su dirección] mediante FedEx, UPS, etc. o esperar a su recogida.

9. Llame a [su nombre] en el [número de teléfono] para cualquier consulta.

Formato de proyecto Avid

Para su información, no vamos a volver a película. Vamos a transferir nuestra película a cinta y después vamos a terminarla en cinta o DVD. Por tanto, cuando comencemos nuestro nuevo proyecto, el formato de proyecto que escojamos dependerá del tipo de cinta de vídeo o pletina al que transfiramos (véase la figura 20.3). Si es de definición estándar, como DigiBeta, DVCAM o miniDV, seleccionaremos 30i NTSC. Si es una cinta HD, seleccionaremos 720p/59.94 para una pletina Panasonic o 1080i/59.94 para una pletina Sony. El HD de rasterización será Standard.

Figura 20.3. *Opciones de transferencia.*

Por extraño que pueda parecer, no seleccionaremos 24p NTSC o 1080p/24. Estos dos formatos están diseñados para proyectos cinematográficos de alto presupuesto que pretenden realizar positivados en película para su distribución en salas de cine. En breve explicaré por qué. Pero, por favor, no lo seleccione aunque parezca que la intuición dicta lo contrario.

Ahora, capture las cintas en el nuevo proyecto. Para un repaso sobre el proceso de captura consulte el capítulo 6. Para un proyecto HD y si está utilizando Mojo DX, Adrenaline HD o Nitris DX, puede querer repasar también el capítulo 17.

El único truco está en configurar la herramienta **Capture** de forma que estén seleccionadas V1 y TV, pero las pistas de audio no estén seleccionadas (A1, A2, etcétera). Recuerde: el sonido no está en la cinta de vídeo, sólo la imagen.

Avid y el sonido

Cuando se rueda en película, el audio no se captura mediante la cámara de película sino mediante un grabador de audio independiente, como Nagra, DAT o un grabador digital. Sea cual sea el dispositivo de grabación que utilice, configure siempre el dispositivo para grabar en sincronización con una cámara de película que ruede a 24 fps (o 25 fps en un país PAL) porque es la velocidad de sincronización de sonido en la que funcionan todas las cámaras. Un grabador Nagra se configurará a 60 Hz y un DAT a 30 fps. Y, de nuevo, utilice NDF como código de tiempo en el dispositivo de grabación.

Recuerde que la película se ralentizará en el telecine de 24 a 23.976 fps. Se ralentizará en un 1 por 100. Por lo tanto, el audio también debe ralentizarse. Durante la post-producción, el audio debe capturarse a una velocidad un 1 por 100 inferior a la que fue grabado; si no, no estará sincronizado con la imagen ralentizada durante la transferencia.

Para hacerlo, deberá ralentizar Nagra en un 1 por 100 y transferir el sonido a Avid utilizando un dispositivo que ralentice Nagra de 60 Hz a 59.94 Hz. Compré uno de estos dispositivos en Equipment Emporium en Mission Hills, California (`www.equipmentemporium.com`). Lo llaman TX-8 59.94 Crystal y es fácil de usar. Si grabó con un DAT, deberá introducir una señal de vídeo de 29.97 mientras lo captura en Avid. Esto lo ralentizará en un 1 por 100.

En la Universidad de Boston, usamos un grabador digital Sound Design 702T que graba audio en tarjetas de memoria Compactflash. En lugar de grabar el sonido a velocidad normal y después ralentizarla, como con Nagra o DAT, grabamos a una velocidad de muestreo ligeramente superior a 48.048 kHz. Eso es un 1 por 100 más rápido que 48 kHz. Cuando importamos los archivos de audio a Avid, Avid los pasa a 48 kHz. Esto ralentiza los archivos en la cantidad correcta. Nada podría ser más fácil.

1. Inserte la tarjeta de memoria flash en el lector de tarjetas.

2. Vaya a File>Import y navegue hasta la tarjeta.

3. Verá cierto número de carpetas; abra la que contiene sus archivos WAV. Seleccione todos los archivos.

4. Haga clic en **Open**.

5. Si ve un cuadro de diálogo como el de la figura 20.4, elija Non-Drop y 30FPS y después haga clic en **OK to All** (OK a todo).

Los apuros de la sincronización

Bien, hemos capturado las cintas que nos mandaron del telecine y ha importado o capturado el audio. Ahora lo que falta antes de poder empezar a editar es sincronizar la imagen y el sonido. Es una tarea que lleva tiempo. Normalmente se tienen muchas tomas y cada una debe sincronizarse a mano. Los proyectos cinematográficos a menudo contratan ayudantes de edición para hacer la sincronización. Si tiene 30 rollos de película transferidos a cintas de 10 horas de duración y ha tenido suficiente después de una cinta, puede pensar en buscar un ayudante. Recuerde el truco de Tom Sawyer para pintar la valla, haga que parezca divertido y pille a algún principiante que esté deseando aprender.

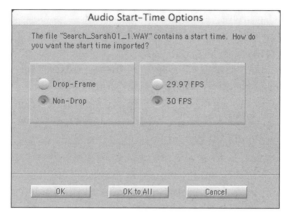

Figura 20.4. Cuadro de diálogo Opciones de tiempo de inicio de audio.

Avid cuenta con una función AutoSync (Sincronización automática) que utilizaremos para sincronizar el metraje. El nombre es algo desafortunado puesto que no tiene nada de automático.

1. Cree una lata y llámela `Synched Takes` (Tomas sincronizadas). Ahora cree una segunda nueva lata y llámela `Synched Subclips` (Subclips sincronizados). Haga doble clic en ambos iconos de lata para abrirlas fuera de SuperBin para que estén ambas visibles como muestra la figura 20.5, justo debajo de los monitores Source/Record (Monitores de origen y grabación).

2. Abra la lata con los clips de imagen (`Dailies-Day One`).

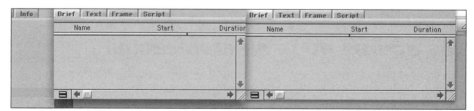

Figura 20.5. Abra ambas latas fuera de SuperBin.

3. Abra el primer clip a sincronizar en **Source Monitor**. Aquí es `Scene 1A Take 1` (Escena 1A, Toma 1).

4. Busque el primer fotograma en el que se cierra la claqueta. Si había sonido, aquí habrá un "crujido". Marque el fotograma con una ENTRADA. Vaya al final de la toma y marque una SALIDA.

5. Cree un subclip de esto manteniendo pulsada la tecla **Alt** (**Opción**), haciendo clic en la imagen del monitor (el cursor se convierte en una mano) y arrastrando la imagen a la lata `Sync Subclips`, como muestra la figura 20.6.

Figura 20.6. *Crear un subclip.*

6. Localice el clip de audio que corresponde a la primera toma (`Scene 1A Tk1`). Ábralo en **Source Monitor**.

7. Pulse la tecla **Bloq Mayús** en el teclado para poder usar el desplazamiento digital para escuchar el sonido.

8. En **Source Monitor**, reproduzca el sonido adelante y atrás hasta que encuentre el "crujido" del primer fotograma. Utilice el botón fotograma-a-fotograma para localizarlo de forma precisa. Marque una ENTRADA en este fotograma. Vaya al final de la toma y marque una SALIDA.

9. Cree un subclip de este audio manteniendo pulsada la tecla **Alt** (**Opción**) y arrastrando el audio a la lata `Sync Subclips` (debería ver el símbolo de subclip).

10. Ahora tiene dos subclips en la lata. Haga clic mientras pulsa **Mayús** sobre ambos para seleccionar los dos subclips (véase la figura 20.7).

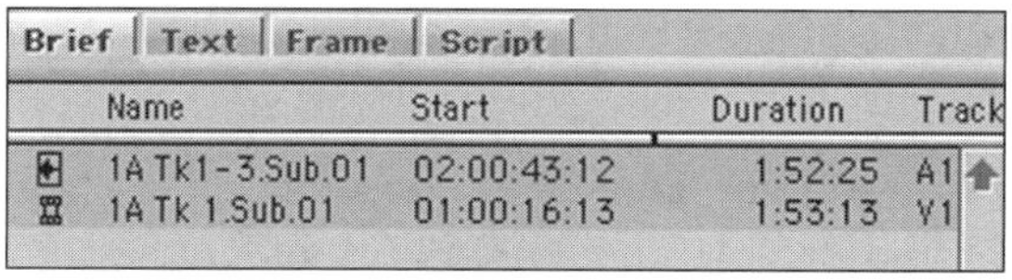

Brief
Text
Frame
Script
Name
Start
Duration
Track
1A Tk1-3.Sub.01
02:00:43:12
1:52:25
A1
1A Tk 1.Sub.01
01:00:16:13
1:53:13
V1

Figura 20.7. Seleccione ambos subclips.

11. Vaya al menú Bin y seleccione AutoSync.
12. Aparecerá una ventana de diálogo. Elija el cuadro Inpoints (Puntos de entrada) y haga clic en **OK**. Un cuadro de diálogo le dirá que uno o más clips carecen de puntos de entrada. Haga clic en **OK** (véase la figura 20.8).
13. Aparecerá un tercer subclip en la lata, que combina imagen y sonido bloqueados en sincronización. El nuevo siempre aparece en la parte superior (véase la figura 20.9).

AutoSync(tm)
Sync Clips Using:
Film TC/ Sound TC
Inpoints
Outpoints
Source Timecode
Auxiliary TC1
OK
Cancel
Avid Media Composer
One or more clips do not have inpoints marked.
Use start of clip as inpoint?
OK
Cancel

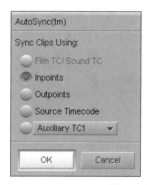

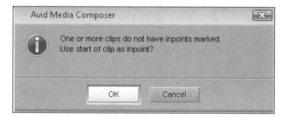

Figura 20.8. Seleccione AutoSync.

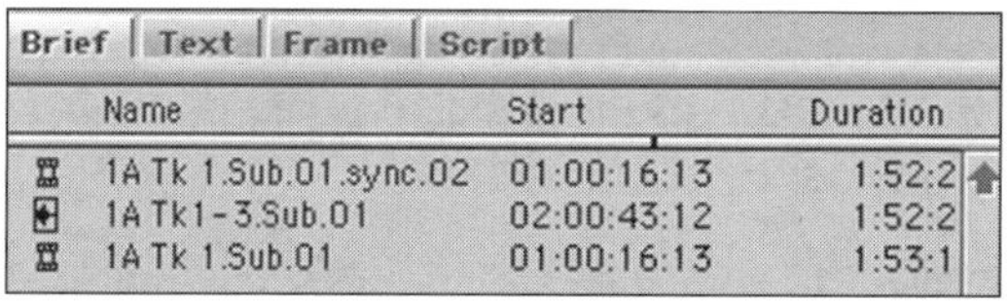

Brief
Text
Frame
Script
Name
Start
Duration
1A Tk 1.Sub.01.sync.02
01:00:16:13
1:52:2
1A Tk1-3.Sub.01
02:00:43:12
1:52:2
1A Tk 1.Sub.01
01:00:16:13
1:53:1

Figura 20.9. El nuevo subclip aparece en la parte superior.

14. Pulse **Control-S** (**Comando-S**) para guardar lo que ha hecho.
15. Haga doble clic en el icono de subclip para colocarlo en Source Monitor y reprodúzcalo para comprobarlo. Si está sincronizado, arrástrelo a la lata `Synched Takes`. Normalmente me deshago de la información de subclip para que aparezca limpio (véase la figura 20.10).
16. Ahora sincronice la siguiente toma de la misma forma.

Brief	Text	Frame	Script	
Name		Start		Duratio
🖫 1A Tk 1		01:00:16:13		1:52

Figura 20.10. Lleve la toma sincronizada a la lata Synched Takes.

Consejos de sincronización

Encontrar el fotograma de vídeo en el que se cierra la claqueta en Source Monitor, como en la figura 20.6 es fácil. Pero identificar en Source Monitor qué fotograma de audio tiene el primer fotograma del "crujido" es más difícil porque no puede verse nada. Para facilitar la identificación de ese primer fotograma puede usar los diagramas de ondas. Estamos acostumbrados a mirar a Timeline y ver lo que hay en Record Monitor, pero puede hacer que Timeline muestre lo que hay en Source Monitor. Haga clic en el botón conmutador **Source/Record** (véase la figura 20.11).

Parecen dos pantallas de ordenador. Vaya a Audio Data (Datos de audio) en el menú rápido de Timeline y seleccione Sample Plot (Mapa de muestra). Ahora puede ver fácilmente dónde se juntan las claquetas. Para que Timeline vuelva a mostrar lo que hay en Record Monitor, vuelva a hacer clic en el botón conmutador **Source/Record**.

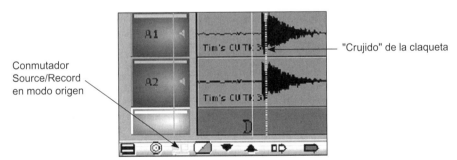

Conmutador Source/Record en modo origen

"Crujido" de la claqueta

Figura 20.11. Botón conmutador Source/Record.

Otro truco rápido implica el comando **AutoSync**. Puede llevar su tiempo ir al menú Bin, desplazarse por la lista hasta encontrar AutoSync y seleccionarlo. Como recordará del capítulo 10, podemos colocar cualquier comando de menú en una tecla del teclado o en un botón de comando. Así pues, coloquemos el comando **AutoSync** en un botón vacío de Timeline o en una tecla del teclado (por ejemplo, **F6**). Eso depende de usted.

1. Abra Command Palette (Paleta de comandos) desde el menú Tools (Herramientas).

2. Seleccione el botón **Menu to Button Reassignment** (Reasignación Menú a botón) en Command Palette. Observe que el cursor parece ahora un menú en blanco (véase la figura 20.12).

Figura 20.12. *Reasignación Menú a botón.*

3. Haga clic en cualquier botón de comando vacío de Timeline o abra el teclado desde la pestaña Settings y haga clic, por ejemplo, en **F6**. Allí donde haga clic se oscurecerá para mostrar que está preparado.

4. Ahora lleve el cursor al menú Bin y seleccione AutoSync. Verá que aparece la abreviatura Au en el área de botones de comando de Timeline (o en **F6** en el teclado) (véase la figura 20.13).

5. Cierre Command Palette.

Figura 20.13. *Botón AutoSync en Timeline.*

Ahora, después de hacer **Mayús-clic** en los dos subclips, como se explicó en el paso 10 anterior, pulse el botón **Au** y aparecerá la ventana de la herramienta **AutoSync**.

Cuando haya terminado de sincronizar, cierre la lata de subclips sincronizados, ya hemos terminado con ella y después haga clic en el icono de lata `Synched Takes` en la ventana Project (Proyecto); se abrirá en el área SuperBin y estará preparado para comenzar a editar. Por último, pulse la tecla **Bloq Mayús** para desactivar el desplazamiento digital. Ralentiza Avid cuando se deja activado.

Acabado de vuelta a película

La mayoría de películas se montan en Avid y así ha sido durante muchos años. Esto se debe a la capacidad que tiene Avid de volver al ratio de fotogramas por segundo a 24 fps dentro de Timeline. Editamos precisamente a 24 fps, el ratio al que la cámara grabó la película y el ratio al que la película se proyectará. Como sabemos, cuando la película se transfiere a vídeo, se ralentiza a 23.976 fps en NTSC o 59.94 fps en HD. No obstante, cuando seleccionamos el formato 24p NTSC o 1080p/24 en la ventana New Project (Nuevo proyecto), convertimos Avid de Media Composer a Film Composer, que funciona a 24 fps.

Hay dos ventajas en esto. Primero, no hay necesidad de ralentizar el audio y, segundo, Avid puede imprimir una lista precisa de fotogramas en los que se ha montado la película, llamada lista de corte. Esto se debe a que cada edición que realiza se corresponde de forma exacta al lugar en que cortaría la película. Como puede imaginar, la opción 1080p/24 es el estándar para películas con buenos presupuestos.

La desventaja es que es muy difícil crear una copia en cinta de vídeo, porque no existe un ratio de vídeo de 24 fps. Seleccione estas opciones sólo si está pensando contratar a un montador de negativo para que haga corresponder el negativo (muy caro) basándose en la lista de corte generada por Avid y después pagar por la positivación de esa película. Por tanto le insto a que utilice 30i NTSC o HD 59.94, a menos que tenga un presupuesto millonario.

Si alguna vez necesita positivar película, los laboratorios de servicio completo pueden tomar su cinta de vídeo y transferirla a película. Puesto que se rodó en película, parecerá película y no vídeo. Eso es lo que Josh y Bennie Sadfie hicieron con su películas premiadas. Las terminaron en Avid, les dieron salida en cinta y después transfirieron la cinta a película.

Flujo de trabajo de película de cine

Para aquellos interesados, el flujo de trabajo en cine ha evolucionado en los últimos años. Hasta hace poco, los editores cogían la película expuesta (el negativo) y la transferían a cinta de vídeo como hemos descrito. La principal diferencia es la energía empleada en seguir la pista de los números clave de la película. Mientras que los fotogramas de cinta de vídeo están marcados por código de tiempo, la película usa un sistema en el que los números secuenciales están impresos en un borde de la película. Estos números clave aparecen cada medio pie. También hay una versión de código de barras. Cuando la película se transfiere a cinta, estos números clave se transfieren en forma de registro de toma, a menudo llamado archivo flex. Los editores importan el registro de toma a Avid para que cada vez que se hace un corte Avid pueda tener constancia del número clave original de la película así como del código de tiempo del vídeo. Al final de la edición, puede generarse una lista de corte de estos números que muestra dónde debe cortarse la película original. El cortador de negativo, armado con su lista de corte y la película original, puede montar la película según la secuencia final de Avid.

Hoy en día, la película ya no se transfiere a cinta de vídeo sino directamente a un sistema de almacenamiento RAID o disco duro en lo que se conoce como flujo de trabajo sin cinta. El editor de Avid obtiene la unidad, la conecta a Avid y comienza a editar. Al final de la edición, se genera una lista de corte de forma que el cortador pueda identificar las partes del negativo original que se utilizaron en la secuencia final.

El supervisor de post-producción organiza el escaneo de las tomas elegidas del negativo de la película para hacer un digital intermedio de 4K (DI). Es un archivo digital muy grande de alta calidad (unas dos veces el tamaño de 1080 HD) de cada fotograma de película presente en el montaje final. La corrección de color y manipulación de imagen tienen lugar en este nivel 4K DI. Por último, un dispositivo láser escanea la imagen del DI a película de forma que puedan hacerse positivados de 35 mm para su proyección en salas de cine.

Ahora hay unos cuantos miles de salas digitales donde, en lugar de película, puede enviarse una señal digital encriptada vía satélite para su proyección digital. Según pase el tiempo, estos cines digitales sustituirán a las proyecciones de película.

Siguiente parada: Cannes

Es duro discutir con el éxito y cuando tus alumnos pasean por la alfombra roja en Cannes es fácil ver las razones para rodar en película y montar en Avid.

Bonne chance.

21. Presente y futuro

Y desde aquí, ¿a dónde vamos?

Si quiere hacer vídeos y películas, entonces haga vídeos y películas. Ya sabe lo suficiente sobre Avid para editar sus propios proyectos, y lo que no sabe puede averiguarlo. Pero espero que este libro sea un comienzo, no un final. Seré el primero en admitir que este libro no trata todos los comandos ni examina todas las capacidades de Avid. He intentado ofrecer toda la información que necesita para editar sus proyectos de forma eficaz, pero sin duda hay más por aprender. Hay varios libros excelentes que le insto a leer. El libro de Greg Staten y Steve Bayers cubre con gran detalle muchas áreas que yo he tratado ligeramente. Es para usuarios avanzados pero usted se está convirtiendo rápidamente en uno. Aunque no es un libro sobre edición no lineal, también le recomiendo el de Steven Ascher y Edward Pincus. Este libro trata casi todos los aspectos de la producción de vídeo y películas y contestará cualquier pregunta que pueda tener sobre cinematografía.

También merece la pena leer los libros de Karel Reisz y Gavin Millar; el de Edward Dmytruk y el de Walter Murch. Los dos primeros se publicaron hace décadas pero son valiosos por sus reflexiones y la perspectiva histórica que ofrecen.

El libro de Murch es el más reciente y contiene algunas observaciones interesantes sobre los escollos de la edición digital.

Por último, recomiendo los diversos manuales que Avid ofrece con sus sistemas. Gran parte de mis conocimientos sobre los productos Avid provienen de estos materiales que a menudo están escritos de forma clara. El problema de los manuales es que todo lo tratado tiene la misma importancia, cuando claramente unas cosas merecen más atención que otras. También hay que comprar un sistema Avid para conseguir el manual, una de las razones por las que escribí este libro. Puede parecer caro, pero no tendrá que desembolsar cientos de euros para obtenerlo.

Información en Internet

Como todas las empresas modernas, Avid cuenta también con un sitio Web (`www.avid.com`). Encontrará cantidad de promoción así como información sobre nuevos productos y actualizaciones. La sección Community es especialmente útil, ya que encontrará foros, consejos y tutoriales, y enlaces a grupos de usuarios de Avid en todos los Estados Unidos, los grandes mercados y algunos pequeños. Yo pertenezco al grupo de usuarios de Avid de Boston y me encanta asistir a reuniones y compartir ideas con editores que viven y trabajan cerca de mí. También hay grupos de usuarios Avid de Argentina, Australia, Francia, Alemania, España, Noruega, Japón, Inglaterra y muchos otros.

Varios grupos de usuarios ofrecen consejos y trucos Avid. Uno de los más útiles que he encontrado se llama Avid-L2. La mayoría de los suscriptores de Avid-L2 son editores experimentados que han encontrado problemas similares y ofrecen sugerencias, atajos y soluciones rápidas. Puede aprender mucho siguiendo las entradas en el tiempo. Ahora está albergado por Yahoo. Puede encontrar fácilmente el sitio Web introduciendo las siguientes palabras en el buscador: *movies groups yahoo Avid*. Una vez allí, encontrará un enlace al archivo Avid-L, que comprende varios años de valiosos trucos y consejos.

Creative Cow tiene un foro de Avid que muchos recién llegados a Avid encuentran útil; vaya a `www.creativecow.net`. La revista *DV* contiene muchos artículos relacionados con Avid y la edición general y también tiene una página Web útil (`www.dv.com`). Otro sitio Web dedicado a la edición digital de vídeo es `www.digitalvideoediting.com`, que ofrece columnas y reseñas de productos. La revista *StudentFilmmakers Magazine* y su sitio Web también tienen artículos útiles.

Por último, puede encontrar mucha información sobre temas HD y 24p en `www.24p.com`, dirigido por el gurú de Avid Michael Phillips.

Conseguir un trabajo como editor Avid

Si quiere ser un editor Avid, le aconsejo que encuentre un puesto o interinidad de nivel básico en una empresa de edición que utilice Avid y trabaje en el tipo de proyectos que le interesan. El grupo de usuarios Avid de su zona puede ser un buen lugar por donde empezar. Sé que no está bien generalizar, pero mi experiencia ha sido que los editores son los que más tienen los pies en la tierra de la industria del cine y la televisión, y muchos de ellos disfrutan compartiendo sus conocimientos.

Una vez entre por la puerta, busque un mentor y pídale que le enseñe lo que sabe a cambio de su leal asistencia. Pregúntele si puede usar la máquina fuera de horas de trabajo y probar a montar el trabajo del día. El movimiento de empleados en algunas empresas puede ser increíblemente rápido y puede encontrarse ascendiendo rápidamente. Deberá demostrar cuatro cosas: su fiabilidad, su competencia con el equipo, su habilidad para satisfacer al cliente y su creatividad. Verá que el orden de importancia varía de empresa a empresa.

Otros productos Avid

Avid nos ofrece una gama completa de productos para plataformas Windows y Macintosh. Nos hemos concentrado en la familia Media Composer, incluyendo hardware Mojo y Nitris DX. El siguiente producto superior al sistema Media Composer es Symphony Nitris DX, que ofrece todas las capacidades del Media Composer además de opciones HD y SD en tiempo real.

La nave nodriza de este flujo de post-producción es Avid DS Nitris, que permite la edición en flujo múltiple, 10-bits y HD sin comprimir. Incluso puede coger los flujos de datos HD que son demasiado grandes para el formato de cinta HD y pasarlos a archivos 2K/4K.

El grupo Avid Storage ofrece diversos productos de almacenamiento, muchos de los cuales funcionan con su software de almacenamiento compartido. Avid Unity MediaNetwork funciona hasta con 46 estaciones clientes y hasta 40 TB de almacenamiento, mientras que el sistema Avid Unity ISIS puede conectar hasta 330 clientes. Cualquiera de ellos permite que grupos de estaciones Media Composer, Symphony y Avid DS Nitris compartan almacenamiento y capacidades de edición. Podría capturar su proyecto HD en un Avid DS Nitris, montarlo en un sistema Media Composer y terminarlo en Symphony Nitris, todo ello enviando archivos mediante cable. La mayoría de los programas que vemos en televisión están editados con Avid conectados mediante un sistema Avid Unity.

Avid ha captado el campo del periodismo con sus sofisticadas capacidades de almacenamiento, trabajo en red y HD. Avid Newscutter utiliza el guión como núcleo de la interfaz. Y por último, pero no por ello menos importante, Digidesign, subsidiaria de Avid, ofrece Pro Tools, la estación de trabajo de audio digital estándar de la industria.

El futuro de Avid

Avid fue en su momento el Goliat de los sistemas NLE, con muchos David rondándole. Ahora las tornas han cambiado un poco. Aunque hay otros sistemas, la mayor parte de la escena NLE está dividida en dos campos: Avid y Final Cut de Apple. Es difícil decir qué campo tiene el David y cuál el Goliat. Hoy en día, Apple es un gigante corporativo que se comporta y se parece más a Microsoft que a una empresa informática advenediza. El Mac no es el ordenador para todos, demasiado caro para eso. Si la Universidad de Boston no hubiera comprado mi Mac, tendría un PC. En 2004, pasé 7 meses en Uganda ayudando a montar un programa de producción de vídeo en la Universidad de Makerere en Kampala y en 2006 hice lo mismo en la Universidad Nacional de Ruanda en Butare. No hay Apple en África, la gente de allí tiene cosas más importantes que hacer con su dinero. Gracias al software de Avid y algunos PC baratos, pude montar una sala de edición de cuatro equipos en cada universidad.

Muchos usuarios de Mac preguntan por qué Avid es tan lento para cualificar su último software para Mac, suponiendo que es culpa de Avid. De hecho, Apple quiere apretar un poco a Avid y es lento a la hora de ofrecer acceso al código de Apple.

¿Qué les sucedió a las empresas que compraron licencias para hacer clones de Mac? A mediados de los noventa, Power Computer hacía mejores Mac que Apple y cobraba menos por ellos. Muchos perdieron sus trabajos cuando Steve Jobs volvió a Apple y cerró el grifo para los vendedores de clones de Mac, poniendo así freno a los Mac de bajo precio.

Así que ¿quién es Goliat? Lanzo esta pregunta porque algunos usuarios de Final Cut parecen creer que Apple Computer es un caballero Jedi, mientras que todos los demás se encuentran en el Lado Oscuro. No hay buenos y malos, simplemente empresas que cotizan en bolsa. La competencia entre Avid y Final Cut ha hecho que bajen los precios y aumenten las prestaciones. Espero que la gente escoja su sistema basándose en sus necesidades y objetivos de edición.

Para mis alumnos y para mí eso quiere decir Avid. La universidad atrae a alumnos de todos los países, muchos de los cuales no tienen ordenadores Apple. Avid tiene una presencia global de la que carece Final Cut.

Quiero formar a mis alumnos en el software líder de la industria. Las grandes producciones, anuncios, vídeos musicales, programas de televisión: ahí es donde se utiliza Avid. Al precio que está hoy la enseñanza, estaría haciéndoles un flaco favor a mis alumnos si les formase en Final Cut. Y creo que Avid tiene las de ganar. Las decisiones que toma, los precios que establece y la atención que nos ofrece a los consumidores, ofrece una mejor comprensión de las necesidades del editor que jamás antes existió.

Pero no importa el software que utilicemos, sino los proyectos que produzcamos. Sigamos esforzándonos para hacer proyectos que importan. Vivimos en un mundo que necesita más compasión, mayor compresión y mejor comunicación.

Apéndice A.
Menús

Los menús desplegables son el corazón de la interfaz Windows y Macintosh. En Avid, muchas de las opciones y comandos están ubicados en menús (véase la figura A.1). En ocasiones un elemento no está resaltado, lo que significa que no está disponible. Deberá seleccionar o bien hacer algo para que dicho elemento entre en juego.

Figura A.1. *Barra de menú.*

Como verá, algunos de los comandos tienen equivalentes en el teclado. Desplace hacia abajo el menú y seleccione un elemento o memorice el equivalente del teclado y escríbalo. En Windows, el principal modificador de teclado es la tecla **Control**, mientras que en Mac es **Comando**.

La figura A.2 es un menú de Mac y sólo utilizaremos dos de los elementos de este menú. El primero es Hide Avid Media Composer (Ocultar Avid Media Composer). Este elemento de menú actúa como Minimizar en Windows, y lo utilizaremos siempre que necesitemos ver el escritorio. También utilizaremos el comando Quit Avid Media Composer (Salir de Avid Media Composer) cuando queramos salir del programa Avid.

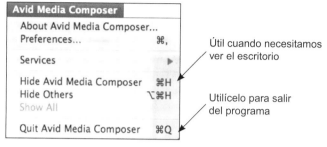

Útil cuando necesitamos ver el escritorio

Utilícelo para salir del programa

Figura A.2. *Menú en Mac.*

Menú File

Si ha utilizado cualquier software en un Windows o Mac, ya estará familiarizado con los comandos de la figura A.3. Open (Abrir), Close (Cerrar), Save (Guardar), Print (Imprimir), son todos estándar. El resto son muy específicos de Avid.

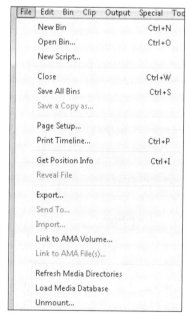

Figura A.3. *Menú File.*

- **New Bin** (Nueva Lata): Crea una nueva lata. En el pasado, hacíamos clic en el botón **New Bin** en la ventana Project (Proyecto). Avid ofrece muchas formas de hacer lo mismo.

- **Open Bin** (Abrir lata): Este comando hace algo más que abrir una lata. Cuando se selecciona este comando del menú, se abre un cuadro de diálogo. El cuadro de diálogo aprovecha todas las latas de todos los proyectos de Avid. Digamos que quiere coger un clip de música de otro proyecto y usarlo en el proyecto actual. Seleccione Open Bin y vaya a través de los menús jerárquicos del ordenador hasta encontrar la lata que quiere. Ábrala y podrá abrir un clip de música de otro proyecto y colocarlo en el actual.

- **New Script** (Nuevo guión): Este comando funciona con la función Script Integration (Integración de guión) que vimos en el capítulo 18.

- **Close Bin** (Cerrar lata): Este comando cierra la lata activa; no obstante, solemos hacer clic en el cuadro Cerrar de la ventana de la lata.

- **Save Bin** (Guardar lata): Guarda cualquier lata seleccionada. Avid tiene una función de autoguardado que guarda automáticamente el trabajo, pero si quiere asegurarse de guardar lo que acaba de hacer, entonces pulse **Control-S** (**Comando-S**) o seleccione este elemento del menú.

- **Save Bin Copy As...** (Guardar copia de lata como...): Guarda una copia de la lata abierta.

- **Page Setup** (Configuración de página): Si tiene una impresora conectada al ordenador, puede imprimir muchos elementos e información. Este comando abre un cuadro de diálogo para determinar la configuración de página.

- **Print Bin** (Imprimir lata): Abre un cuadro de diálogo que le permite seleccionar lo que desea imprimir; una lata activa, un fotograma de un clip o Timeline (Línea de tiempo).

- **Get Bin Info** (Obtener información de lata): Nos dice el nombre y código de tiempo de inicio del clip seleccionado e información sobre el número y duración de clips de la lata. Para ser sincero, casi nunca lo utilizo porque también coloca elementos en Console (Consola) y procuro evitarla, ya que está diseñada para programadores Avid.

- **Reveal File** (Revelar archivo): Si selecciona un clip maestro, puede usar este comando para ir al nivel del explorador del ordenador y localizar el archivo de medios asociado a ese clip maestro. Es útil para seguir la pista de los medios y localizar elementos que puede querer eliminar o mover.

- **Export...** (Exportar): Puesto que Avid trata con información digital (unos y ceros), puede traerse o llevarse casi cualquier archivo digital. Cuando se exporta, se envía información digital creada en Avid. El capítulo 16 trata todos los aspectos de la exportación.

- **Send To...** (Enviar a...): Es como **Export**, sólo que trata del envío de secuencias o archivos de medios a programas específicos. Este elemento del menú (véase la figura A.4) se abre para mostrar las siguientes opciones:

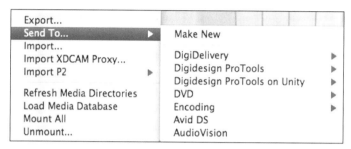

Figura A.4. *Opciones de Send To.*

- **Make New** (Crear nuevo): Esta opción permite diseñar su propia configuración de exportación de forma que cuando quiera exportar todas las opciones están guardadas y listas para usar.

- **Digidesign ProTools**: ProTools es el software mezclador de audio que se utiliza en toda la industria. Vimos cómo enviar secuencias a ProTools en el capítulo 16.

- **Digidesign ProTools on Unity**: Unity conecta varias estaciones Avid entre sí en una red.

- **DVD**: Este elemento del menú crea una película QuickTime Reference para utilizarla con software de creación de DVD. Lo vimos en el capítulo 19.

- **Encoding** (Codificación): Este elemento enviará la secuencia al software de codificación de su ordenador, como Sorenson Squeeze.

- **Avid DS**: Es el sistema más sofisticado de Avid y este elemento es para enviar la secuencia para su pulido y terminación en Avid DS.

- **Audio Vision**: Al igual que ProTools, Audio Vision es un sistema de edición de audio que bloquea el vídeo digital en sincronización con el audio para su dulcificación. Este menú le ayuda a enviar la secuencia a Audio Vision.

- Import (Importar): Importar es la otra cara de exportar. Utilizamos Export para enviar archivos creados en Avid a otros ordenadores. Usamos Import para traer todo tipo de archivos a Avid. Vimos cómo exportar e importar en el capítulo 16.

- Import XDCAM Proxy... (Importar proxy XDCAM): XDCAM es un sistema de almacenamiento sin cinta utilizado por las cámaras Sony. Este comando ayuda a pasar los archivos XDCAM a Avid.

- Import P2 (Importar P2): Muchas de las cámaras HD modernas de Panasonic almacenan los medios en tarjetas P2. Avid puede importar archivos utilizando este comando. Este flujo de trabajo se detalla en el capítulo 7.

- Refresh Media Directories (Actualizar directorios de medios): Si elimina una unidad de medios de Avid o elimina muchos archivos de medios, querrá que Avid sepa qué hay disponible. Esto se hace actualizando los directorios de medios.

- Load Media Database (Abrir base de datos de medios): La base de datos de medios es como un catálogo que lleva el registro de lo que se coloca y saca de las unidades externas. Avid no mantiene la base de datos completa en memoria durante todo el tiempo. Después de ciertas acciones, algunas de las secuencias pueden estar fuera de línea, las imágenes o sonidos no se reproducen y verá que el medio está marcado como Media Offline. Cuando abra la base de datos de medios, Avid encontrará el material fuera de línea que falta.

- Mount All (Montar todo): Este comando monta, o activa y pone a disposición, todas las unidades de medios conectadas a Avid.

- Unmount (Desmontar): Abre un cuadro de diálogo que permite seleccionar unidades o discos para su ejecución o desconexión.

- Exit (Salir): Igual que Quit en Mac, Exit es el comando de Windows que cierra todo aquello que hay abierto actualmente y sale del software de la aplicación.

Menú Edit

- Undo (Deshacer): Sin duda ya será un devoto usuario de este comando. Avid le ofrece 32 niveles de Undo. Puede volver y cambiar acciones realizadas hasta 32 pasos atrás (véase la figura A.5).

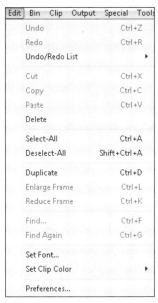

Figura A.5. *Menú Edit.*

- **Redo** (Rehacer): **Redo** sustituye la acción que acaba de deshacer. Es tan práctico como **Undo**.

- **Undo/Redo List** (Lista Deshacer/Rehacer): Resume las últimas 32 acciones (de **Undo** o **Redo**). En lugar de ir una por una, vaya a la que quiere, con esta lista puede buscar y seleccionar la acción que desea cambiar. Recuerde que todas las acciones anteriores (las que se encuentran por encima de la acción seleccionada) también cambiarán.

- **Cut** (Cortar): Si selecciona material en **Timeline** utilizando marcas de ENTRADA y SALIDA y luego selecciona **Cut**, el material seleccionado se eliminará y pasará inmediatamente al Portapapeles. **Cut** funciona igual que **Extract** (Extraer).

- **Copy** (Copiar) Si selecciona algo mediante marcas de ENTRADA y SALIDA y luego selecciona **Copy**, el material seleccionado irá al portapapeles, donde se almacenará hasta que lo pegue en algún sitio. Es una forma estupenda de llevar audio de una parte de la secuencia a otra.

- **Paste** (Pegar): Este comando coloca lo que esté en el Portapapeles en la posición del indicador azul o en una marca de ENTRADA de **Timeline**.

- **Delete** (Eliminar): Funciona igual que la tecla **Supr**. Abre un cuadro de diálogo para borrar clips de una lata o pistas de **Timeline**.

- **Select-All Tracks** (Seleccionar todas las pistas): Es una forma estupenda de seleccionar rápidamente todas las cosas en las que está trabajando. Puede seleccionar todos los clips de una lata o las pistas en Timeline.

- **Deselect-All Tracks** (Deseleccionar todas las pistas): Es una manera rápida deseleccionar muchas pistas o clips.

- **Duplicate** (Duplicar): Ya hemos practicado esto en el capítulo 2. Hay ocasiones en las que querrá duplicar secuencias. Seleccione la secuencia que quiere copiar y pulse **Control-D** (**Comando-D**).

- **Enlarge Track** (Ampliar pista): Amplía las pistas de Timeline. También amplía fotogramas en Frame View (Vista fotograma) en la lata.

- **Reduce Track** (Reducir pista): Reduce las pistas en Timeline o los fotogramas en Frame View.

- **Find...** (Buscar...): Es como el comando Buscar en la mayoría de programas de procesamiento de textos, pero se utiliza para encontrar clips en Timeline o texto adjuntado a un localizador. Es estupendo si tiene una Timeline con cientos de clips.

- **Find Again** (Buscar otra vez): Este comando repite el comando Find anterior.

- **Set Font** (Establecer fuente): Puede personalizar la forma en que aparecen las cosas en la pantalla, incluyendo el tipo de fuente usado en las latas y ciertas ventanas. Es útil para la vista si le resulta difícil leer la información de lata.

- **Set Clip Color** (Establecer color): Este comando permite añadir color a iconos de clip o secuencia; es útil para organizarlos por color.

- **Preferences...** (Preferencias): Este comando cambia la ventana Project para que muestre Settings.

Menú Bin

El menú Bin (Lata) está formado por comandos que actúan sobre cosas que hay en una lata (véase la figura A.6). A menudo debe tener una lata abierta y seleccionada para que estos comandos funcionen.

- **DV Scene Extraction...** (Extracción de escena DV): Cuando detiene e inicia una cámara DV, se coloca un marcador en la cinta; por tanto, cada toma en la cinta está etiquetada. Este comando le ayuda a dividir todas esas tomas de su cinta de vídeo en clips individuales. Puede hacer un clip maestro con la cinta entera, o la parte que le interese y después utilizar DV Scene Extraction para dividir cada toma en subclips, automáticamente. Esto no ahorra espacio en la unidad de medios pero es una forma rápida de dividir lo que tienen en clips diferenciados.

- Go to Capture Mode (Ir a modo Captura): Abre la herramienta **Capture** para poder capturar medios desde una cinta.

- Headings... (Encabezados): Vimos este comando en el capítulo 4. Si está en Text View (Vista texto) abre un cuadro de diálogo que enumera todas las posibles columnas disponibles. Seleccione las que quiere y deseleccione las que quiere ocultar.

Figura A.6. *Menú Bin.*

- Hide Column (Ocultar columna): Permite ocultar columnas seleccionadas en Text View.

- AutoSync (Sincronización automática): Como vimos en el capítulo 20, es práctico trabajar en proyectos en película. La película se graba en sistema doble, lo que significa que el sonido se graba en un dispositivo independiente y no en la cámara. El sonido y la imagen se unen en sincronización en Avid. Una vez sincronizados, pueden bloquearse juntos para que aparezca el indicador de ruptura de sincronización cuando ésta se pierda.

- Group Clips... (Agrupar clips): Con este comando puede seleccionar hasta nueve clips y agruparlos para que funcionen como un clip maestro. En Nine Split Display (División de pantalla en nueve), puede ver los nueve clips, a menudo nueve ángulos de cámara diferentes, en Source Monitor (Monitor de origen) y editarlos en Timeline.

- MultiGroup (Multigrupo): Es una función avanzada que permite utilizar la función de edición MultiCamera de Avid. La mayoría de comedias de situación se montan de esta forma.

- AutoSequence (Secuencia automática): Si la cinta de vídeo original no tiene audio, como en una película transferida a cinta, puede meter el sonido, sincronizarlo y utilizar este comando para colocar el audio sincronizado en la cinta.

- Custom Sift (Cribado personalizado): Este comando abre un cuadro de diálogo en el que se establecen varias opciones y parámetros para cribar una lata para encontrar clips. Puede cribar por nombre, fecha de creación, cinta, duración, etc.

- Sift Selected Items (Cribar elementos seleccionados): Pulse **Mayús-clic** para seleccionar los elementos de una lata y este comando le mostrará sólo los seleccionados y ocultará el resto.

- Sort/Sort Again (Ordenar/Ordenar de nuevo): En el capítulo 4 explicamos este comando. Permite seleccionar una columna en una lata y ordenar los clips de forma alfanumérica según la columna escogida. Después de ordenar, cambiará a Sort Again.

- Show Sifted (Mostrar cribados): Durante la criba, este comando muestra sólo aquellos elementos de una lata que cumplen los criterios de criba. El resto se ocultarán.

- Show Unsifted (Mostrar no cribados): Este comando restaura la vista de los elementos no cribados.

- Set Bin Display (Establecer pantalla de lata): Este comando presenta un cuadro de diálogo que permite determinar qué elementos quiere mostrar en la lata. Las opciones son las siguientes:

  - Master clips (Clips maestros).

  - Subclips.

  - Sequences (Secuencias).

  - Sources (Fuentes) (esta opción enumera las cintas de las que proviene el material).

  - Effects (disoluciones, barridos, etcétera).

  - Motion Effects (fotogramas congelados, cámara lenta).

  - Rendered Effects (Efectos renderizados).

  Si selecciona todas las opciones, la lata contendrá demasiada información, dificultando encontrar secuencias, clips y subclips.

- Launch in Native Application (Abrir en aplicación nativa): Este comando sólo entra en juego cuando se insertan metadatos, como comandos remotos, archivos HTML o subtítulos en Timeline.

- Reverse Selection (Invertir selección): Digamos que quiere seleccionar todos los clips que son primeros planos. Y digamos que de 10 clips de la lata sólo 2 son planos generales y el resto primeros planos. Haga clic mientras pulsa **Mayús** para seleccionar los dos planos generales y después haga clic en Reverse Selection. Ahora están seleccionados los ocho primeros planos y los dos planos generales deseleccionados. Hemos invertido la selección.

- Select Offline Items (Seleccionar elementos fuera de línea): Vimos cómo registrar y capturar clips en el capítulo 6. A menudo, cuando se está capturando, buscamos clips que están fuera de línea, lo que quiere decir que no tienen archivos de medios porque aún no se han capturado, sólo registrado. Esto facilita ir a una lata, seleccionar este comando y seleccionar todos los clips fuera de línea.

- Select Media Relatives (Seleccionar medios relacionados): Esto permite seleccionar una secuencia o clip y después hacer que Avid resalte los objetos relacionados con él. Digamos que ha terminado la secuencia final y quiere asegurarse de que utilizó todas las tomas disponibles. Haga clic en la secuencia y luego en Select Media Relatives; Avid resaltará todos los clips utilizados en la secuencia. Para que funcione, debe poder ver dos latas a la vez. Si está trabajando con SuperBin, haga doble clic en la lata que contiene la secuencia y seleccione una secuencia, después haga un solo clic en la lata que contiene los clips para poder ver ambas latas a la vez. Ahora seleccione este comando para ver los medios relacionados.

- **Select Sources** (Seleccionar orígenes): Seleccione un objeto, como una secuencia, y seleccione este comando. Resaltará todos los clips que forman la secuencia. Las latas deben estar abiertas y visibles para que funcione.

- **Select Unreferenced Clips** (Seleccionar clips no referenciados): Este comando funciona como el lado opuesto de Select Media Relatives. Seleccione una secuencia y después este comando. Mostrará todos los clips de la lata que no se han utilizado en la secuencia.

- **Loop Selected Clips** (Mostrar clips seleccionados en bucle): Digamos que tiene dos tomas de una escena o acción. Utilice marcas de ENTRADA y SALIDA en Source Monitor para seleccionar la parte de cada toma que quiere comparar. Ahora, pulse **Mayús** y haga clic en las tomas de la lata. Seleccione Loop Selected Clips y las dos tomas se reproducirán en bucle, para que las compare. Puede hacerlo con cuantos clips quiera.

- **Align to Grid/Align Columns** (Alinear cuadrícula/Alinear columnas): Cuando se encuentre en Frame View, este comando alinea todos los fotogramas en una cuadrícula. En Text View, el comando cambia a Align to Columns y muestra las columnas alineadas en filas.

- **Align Selected to Grid** (Alinear seleccionados en cuadrícula): Seleccione ciertos objetos en Frame View y sólo esos se alinearán en cuadrícula.

- **Fill Window** (Llenar ventana): Cuando se encuentre en Frame View, este comando distribuye todos los fotogramas uniformemente en la ventana.

- **Fill Sorted** (Llenar con ordenados): No puede ordenar en Frame View porque no hay columnas que ordenar; no obstante, si ordenó una lata en vista Text o Brief, puede ir entonces a Frame View, seleccionar este comando y los clips aparecerán según los ordenó en las otras vistas.

- **Select Unrenderd Titles** (Seleccionar títulos no renderizados): Como mencionamos anteriormente, los títulos deben tener medios asociados que representen las letras y formas reales utilizadas en el título. Este comando permite seleccionar todos los títulos de una lata a los que les faltan sus medios asociados.

- **Reset Offline Info** (Restaurar la información fuera de línea).

Menú Clip

En mi opinión, el término "menú Clip" es confuso puesto que muchos de los comandos aquí no tienen mucho que ver con los clips (véase la figura A.7). Pienso que están más relacionados con Timeline, pero bueno, veamos:

- New Sequence (Nueva secuencia): Siempre que quiera crear una nueva secuencia, utilice este comando.

- New Video Track (Nueva pista de vídeo): Este comando crea una nueva pista de vídeo en Timeline.

Figura A.7. *Menú Clip.*

- **New Audio Track** (Nueva pista de audio): Avid puede reproducir simultáneamente 24 pistas de audio. Si añade música, narración y varias pistas de efectos de sonido a la pistas de diálogo, fácilmente necesitará 6 o 7 pistas de audio. Este comando crea al instante una nueva pista en Timeline.

- **New Meta Track** (Nueva pista Meta): Una pista meta contiene información que puede incrustarse en la Timeline de la secuencia. Enlaces Web, subtítulos, anuncios e información de producto son buenos ejemplos de material meta.

- **New Title** (Nuevo título): Este comando abre la herramienta **Title** que utilizamos para crear títulos.

- **Freeze Frame** (Congelar fotograma): Este comando abre una lista de duraciones de congelación (1 segundo, 5 segundos, 10 segundos, etc.) y crea el fotograma congelado elegido.

- **Center Pan** (Centrar desplazamiento): Seleccione un clip de una lata y después este comando y el audio quedará centrado.

- **Remove Pan** (Desplazamiento por defecto): Devuelve el desplazamiento original al clip.

- **Apply Gain**: Este comando le permitirá modificar los decibelios de las pistas de audio.

- **Batch Capture** (Captura en lote): Abre un cuadro de diálogo que le guía a través del proceso de captura de los clips seleccionados. Normalmente se utiliza después de haber registrado varios clips. Cuando se registra un clip, se establece una ENTRADA y una SALIDA en el código de tiempo pero no se capturan. Vimos esto en el capítulo 6.

- **Batch Import...** (Importar lote): Algunos proyectos contienen gran cantidad de archivos importados, como archivos de gráficos y animación. Batch Import facilita realizar cambios a archivos de otro ordenador o con un software distinto y después traer esos archivos modificados a Avid.

- **Consolidate/Transcode...** (Consolidar/Transcodificar): **Consolidate** permite mover archivos de medios a otras unidades, lo que significa que puede organizarlos mejor. **Transcode** es una función avanzada que permite cambiar el formato de un clip o secuencia. Podría usar Transcode para convertir una secuencia de alta definición en una de definición estándar. Vimos esta función en el capítulo 17.

- **Decompose...** (Descomponer): Este comando toma la secuencia y la divide en los clips individuales que la conforman. Digamos que capturó 1.000

clips maestros mientras capturó las cintas y para ahorrar espacio lo hizo a baja resolución, como 15:1 o DNxHD 36. Y digamos que la secuencia final está compuesta sólo por 50 clips. Después de descomponer la secuencia final, tiene esos 50 clips en una lata y simplemente vuelve a capturar esos 50 clips en una resolución mayor, como DV 25 o bien DNxHD 220X. Decompose es un comando práctico que aparece en el capítulo 19.

- **Refresh Motion Adapters** (Actualizar valores de movimiento): Este comando actualiza, a los valores actuales, todos los valores del atributo de movimiento de campo contenidos en los efectos de movimiento.

- **Change Sample Rate...** (Cambiar ratio de muestreo): El audio digital, como el de un CD o grabado en una cámara DV, puede grabarse a distintos ratios de muestreo, algo equivalente a la resolución. Cuanto mayor el ratio de muestreo, mejor la calidad del audio. Puede editar material con distintos ratios de muestreo y después, en el menú Clip, seleccionar este comando para determinar un ratio de muestreo para toda la secuencia. Es importante cuando se pasa la secuencia a cinta. El predeterminado para los nuevos proyectos es 48 kHz.

- **ExpertRender In/Out...** (Renderización experta Entrada/Salida): A menudo los efectos necesitan que el ordenador cree una combinación de medios. A esto se le llama renderizar. Si el efecto no es muy complicado, Avid puede reproducirlo en tiempo real, sin que sea necesario que el ordenador cree nuevos medios. Esto está bien porque puede ver si le gusta el efecto y saber si quiere usarlo antes de utilizar espacio en el disco para los efectos. En ocasiones, Avid no puede hacerlo y deberán renderizarse los efectos para poder verse. Con este comando, Avid buscará los efectos que tiene en las distintas pistas y decidirá cuáles deben renderizarse para que se reproduzcan.

- **Render In/Out...** (Renderizar Entrada/Salida) o **Render at Position** (Renderizar en posición): Si tiene sólo un efecto que renderizar, coloque el indicador de posición sobre el efecto y seleccione **Render at Position**. Si tiene varios, marque una ENTRADA antes del primero y una SALIDA después del último y seleccione **Render In/Out**.

- **Clear Renders In/Out...** (Eliminar renderizados ENTRADA/SALIDA): Con este comando podrá eliminar el renderizado de los efectos que estén dentro de las marcas de ENTRADA y SALIDA.

- **Render to Media Station** (Renderizar a Media Station): Si su Avid está conectado a Media Station XL, puede enviar ciertos efectos para renderizarlos.

- **Create Unrendered Title Media** (Crear título no renderizado): Los editores de documentales de largo metraje a menudo editan proyectos en baja resolución porque ahorra espacio y después recapturan la secuencia final en una resolución mayor para pasarla a cinta. Los títulos creados en baja resolución pueden no reproducirse. Para que se reproduzcan en la nueva resolución, es posible que necesite seleccionar **Create Unrendered Title Media**. Así tendrá los títulos en la resolución más alta.

- **Relink** (Re-enlazar): En ocasiones ocurre que la conexión (enlace) entre el clip maestro y el archivo de medios se rompe. Ocurre a menudo cuando se transcodifican clips. El clip antiguo aparece fuera de línea, aunque sabemos que el archivo de medios se encuentra en algún lugar de la unidad. En este caso, deberá re-enlazar el clip al archivo de medios.

- **Modify** (Modificar): Este comando permite cambiar datos importantes sobre el clip. Por ejemplo, puede registrar por error una cinta como que tiene dos pistas de audio, cuando en realidad sólo tiene una utilizable. Puede seleccionar los clips registrados de la lata y después, con el comando **Modify**, deseleccionar una de las pistas de audio. Ahora, cuando capture las cintas, no estará obligado a capturar las dos pistas de audio.

- **Modify Pulldown Phase** (Modificar frase de arrastre): Cuando trabajamos con película transferida a cinta de vídeo o con cámaras que graban a 23.976 fotogramas por segundo, estamos trabajando con fotogramas arrastrados (o ralentizados). En ocasiones necesitamos modificar la información sobre cómo se realizó el arrastre.

- **Modify Enhancement** (Modificar mejora): Las mejoras son cosas que pueden incrustarse en la **Timeline** de Avid, como enlaces HTML. Con este comando puede cambiar el tamaño y forma de la mejora y el lugar en el que aparece en pantalla.

- **Archive to Videotape...** (Archivar en cinta de vídeo): Si ha terminado un proyecto pero quiere guardar la secuencia final y los clips maestros más importantes, ésta es una forma de pasar estos clips o la secuencia a cinta. En lugar de guardar 100 cintas de origen, puede archivar la secuencia, junto con 90 fotogramas de manejo. Una vez archivada, puede eliminar los archivos de medios de sus unidades.

- **Restore from Videotape...** (Restaurar desde cinta de vídeo): Este comando ayuda a recapturar la secuencia archivada o clip maestros en Avid.

- **Add Filler at Start** (Añadir relleno al inicio): Este comando añade un segundo de relleno al comienzo de una nueva secuencia.

- **Remove Match Frame Edits** (Eliminar ediciones de igualar fotograma): Con este comando, puede marcar una ENTRADA y una SALIDA en **Timeline** y eliminar de la secuencia las ediciones añadidas.

- **Find Black Hole** (Buscar agujero negro): Un agujero negro es simplemente una sección de negro de una pista de vídeo seleccionada en **Timeline**; es una forma rápida de comprobar que no falta un clip en la película.

- **Find Flash Frame** (Buscar fotograma flash): Un fotograma flash es una edición muy corta; por ejemplo, una que sólo tiene unos cuantos fotogramas de duración. Si no marca de forma precisa los puntos de ENTRADA y SALIDA, es posible que pueda dejar unos cuantos fotogramas de un clip en **Timeline**. Este comando permite especificar la duración de una edición y localizar todas las ediciones de esa duración o menores en **Timeline**.

- **Lock Bin Selection/Lock Tracks** (Bloquear selección de lata/Bloquear pistas): Cuando se trabaja en las latas, **Lock Bin Selection** permite bloquearlas para que no cambien. **Lock Tracks** permite bloquear una o más pistas. Esto es especialmente práctico cuando se llega al final de la fase de edición y no queremos que gran parte del trabajo se desplace inadvertidamente.

- **Unlock Bin Selection/Unlock Tracks** (Desbloquear selección de lata/ Desbloquear pistas): Este comando desbloquea latas o pistas.

Menú Output

Este menú ofrece herramientas útiles para enviar la secuencia final al mundo (véase la figura A.8).

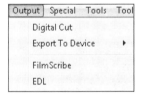

Figura A.8. *Menú Output.*

- **Digital Cut**: Este comando abre la herramienta que envía la secuencia a cinta. Vimos la grabación manual y con Digital Cut en el capítulo 19.

- **Export To Device** (Exportar a dispositivo): Abre un submenú para exportar una secuencia a un dispositivo HDV, DXCAM o P2.

- **FilmScribe**: Esta herramienta es para proyectos de película que se finalizarán en película. Lleva el control de los números clave de película de manera que el cortador de negativo pueda hacer corresponder los cortes de película con los cortes de Avid.

- **EDL**: Abre el software EDL que crea la Edit Decision List (Lista de decisión de edición) de la secuencia para poder crear una versión en línea. EDL nos muestra el código de tiempo de inicio y fin de cada toma de la secuencia.

Menú Special

- **Site Setting** (Configuración de sitio): Ofrece una lista de configuraciones específicas del sitio, no del usuario (véase la figura A.9).

Figura A.9. *Menú Special.*

- **Bin/Timeline/Composer Settings...** (Opciones de lata/línea de tiempos/compositor): Dependiendo de qué ventana esté seleccionada, abre las opciones para esa ventana.

- **Restore To Default** (Restaurar a preestablecidos): Restaura todas las opciones a su configuración preestablecida. Rara vez lo utilizo.

- **Audio Mixdown...** (Mezcla de audio): Puede mezclar, o combinar, múltiples pistas de audio en una o dos pistas. Puede mezclar las pistas de diálogo para concentrarse en las de música.

- **Video Mixdown...** (Mezcla de vídeo): Este comando es útil para tomar una sección muy compleja de efectos multicapa en cinco pistas y mezclarlos en una pista.

- **Read Audio Timecode** (Leer código de tiempo de audio): Avid puede leer el código de tiempo longitudinal grabado en una pista de audio y mostrar esa información en la columna auxiliar de código de tiempo, que es uno de los encabezados de **Text View**. Debe estar en **Text View** para seleccionar este comando.

- **Restore Default Patch** (Restaurar pegado preestablecido): Este comando devuelve cualquier pista de origen que esté pegada a otras pistas de grabación de vuelta a A1 y A2.

- **Sync Point Editing** (Edición punto de sincronización): Este comando activa un tipo especial de edición basado en puntos de sincronización. Puede alinear un punto en **Source Monitor** (un punto de sincronización) y sobrescribirlo en un punto exacto en la secuencia (el segundo punto de sincronización). A menudo se utiliza en la edición de vídeos de rock.

- **Show Phantom Marks** (Mostrar marcas fantasma): Pasamos mucho tiempo diciendo aquello de se necesitan tres marcas para hacer una edición. De hecho, cuando se hace una edición hay en realidad cuatro marcas: ENTRADA y SALIDA en **Source Monitor** y ENTRADA y SALIDA en la grabación. Esa cuarta marca no la establecemos, simplemente está ahí. Se llama marca fantasma y al seleccionar este comando en Media Composer mostrará las cuatro marcas en los monitores **Source** y **Record**.

- **Render On-the-Fly** (Renderizar sobre la marcha): Como mencionamos en el capítulo 13, Media Composer puede reproducir muchos efectos en tiempo real sin renderizar. A esto se le llama renderizar sobre la marcha. Si desactiva esta opción, Media Composer saltará todos los efectos no renderizados de **Timeline**. Las transiciones se reproducirán como cortes y los efectos de segmento se ignorarán.

- **Multicamera Mode** (Modo Multi-cámara): Este comando muestra las opciones de edición más avanzadas de MultiCamera.

- **Remote Play and Capture** (Reproducción y captura remotas): Si está conectado a un Avid Unity Media Network, puede trabajar con medios que forman parte del entorno del grupo de trabajo.

- **Device** (Dispositivo): Este comando le dice a Avid que compruebe cuáles son los dispositivos externos conectados, como Avid Mojo o una pletina conectada mediante puerto FireWire. Normalmente se hace esto si queremos enviar la secuencia a cinta.

- **Full Screen Playback** (Reproducción en pantalla completa): Cambia la interfaz de Avid para que la secuencia se reproduzca en la pantalla completa del monitor, en lugar de en **Record Monitor**. Sólo está disponible cuando trabaja en una configuración sólo-software de Media Composer.

Menú Tools

Todas las herramientas de audio se encuentran en el menú **Tools** (Herramientas), así como otros muchos elementos prácticos, como **Command Palette** (Paleta de comandos) que vimos en el capítulo 4 (véase la figura A.10).

- **New Deck Controller** (Nuevo controlador de pletina): Abre una herramienta para controlar la pletina de vídeo. Puede ver las cintas de origen sin tener que abrir la herramienta **Digitize**.

- **Audio Mixer** (Mezclador de audio): Al abrirse, verá que parece una mesa de mezclas con deslizadores de volumen y desplazamiento. Puede ajustar el volumen y desplazamiento moviendo los deslizadores. Puede hacer cambios a clips individuales, segmentos de **Timeline** o a una pista completa de **Timeline**. Vimos esto en detalle en el capítulo 8.

- **Audio EQ** (Ecualizador de audio): Esta herramienta permite ajustar la ecualización de clips de audio de **Timeline** individuales. Cambiando las frecuencias alta, media y baja, puede alterar o mejorar el sonido.

- **AudioSuite**: Este comando abre una herramienta que le da acceso a herramientas sofisticadas de audio como procesado de tono, compresión y expansión temporal e inversión de audio.

- **Audio Tool**: Abre una herramienta que es como un medidor VU (unidades de volumen) digital. Mide la fuerza de la señal de audio entrante o saliente. En lugar de depender de sus oídos para determinar los niveles de sonido correctos, utilice este medidor.

- **Audio Punch-In**: Abre una herramienta que permite grabar audio directamente a **Timeline**. Se utiliza normalmente para añadir narración en off.

- **MetaSync Manager**: Los metadatos son material extra incrustado en un vídeo o DVD como subtítulos, pies de foto, o bien enlaces de Internet. Este comando abre la herramienta que permite colocar estos metadatos en la **Timeline** de Avid.

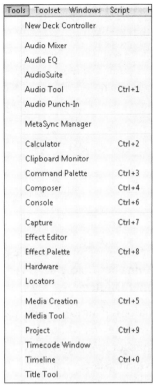

Figura A.10. *Menú Tools.*

- Calculator (Calculadora): Abre una calculadora especial que le permite averiguar distintas duraciones de vídeo y película. Por ejemplo, puede introducir números de código de tiempo y calcular el número de metros y fotogramas que representaría eso en un formato de película de 35mm.

- Clipboard Monitor (Monitor de portapapeles): Varias acciones, como Lift, Extract y Paste, así como hacer clic en el botón del portapapeles, envían lo que se haya marcado en Timeline a Clipboard Monitor para su almacenamiento temporal. Este comando abre Clipboard Monitor. Una vez abierto, puede unir o sobrescribir cualquier contenido del portapapeles en Timeline.

- Command Palette: Todos los comandos disponibles están en Command Palette. Puede escoger entre cientos de comandos y mapear cualquiera de ellos al teclado o a la fila de botones comandos de los monitores Source y Record. La paleta parece un archivador con pestañas para categorías de comandos: Move (Mover), Play (Reproducción), Edit (Edición), Trim

(Recorte), FX, 3D, Mcam (Multicámara), Other (Otros), More (Más). Haga clic en la pestaña de la categoría que desee para ver todos los botones de comando.

- Composer (Compositor): Activa la ventana Composer Monitor.

- Console (Consola): Abre la ventana Console, que le ofrece información detallada acerca del sistema, incluyendo el número de identificación y modelo. Ofrece información sobre objetos de lata y acerca de la secuencia de Timeline. También ofrece un registro de mensajes de error, que puede leer a un técnico Avid que esté solucionándole un problema por teléfono.

- Capture (Captura): Abre la herramienta **Capture** (véase el capítulo 6).

- Effect Editor (Editor de Efectos): Abre el editor de efectos que utilizamos para ajustar los parámetros de un efecto visual. Consulte el capítulo 13.

- Effect Palette (Paleta de efectos): Abre la paleta en la que puede seleccionar los distintos efectos visuales disponibles.

- Hardware: Ofrece información sobre el hardware informático que forma Avid. Esta herramienta también muestra el espacio disponible en las distintas unidades.

- Locators (Localizadores): Los localizadores son como pequeñas etiquetas de color que pueden colocarse en cualquier lugar de una pista en Timeline. Le ayudan a marcar puntos importantes. Incluso puede escribir notas. Esta herramienta abre una ventana que muestra dónde se encuentran todos los localizadores de la secuencia y le permite verlos de distintos modos.

- Media Creation (Creación de medios): Abre un cuadro de diálogo en el que le dice a Avid cómo quiere que maneje los medios que transfiere a Avid. Por ejemplo, puede establecer la resolución para las cintas que capture a una resolución menor y establecer los títulos y archivos importados a la resolución más alta. De esa forma puede re-capturar sólo las tomas usadas en la secuencia final a mayor resolución y que los títulos y efectos estén ya en la resolución más alta.

- Media Tool (Herramienta Medios): Esta herramienta parece y se comporta como una lata. Le ayuda a buscar y gestionar todos los archivos de medios del proyecto.

- Project: Este comando activa la ventana Project.

- Timecode Window (Ventana de código de tiempo): Abre una ventana que puede mostrar hasta ocho líneas de información de código de tiempo.

Si hace clic en la ventana, aparece un menú que le ofrece opciones como IN to OUT (ENTRADA a SALIDA), **sequence duration** (duración de secuencia) y **remaining time** (tiempo restante).

- **Timeline:** Si cerró sin querer **Timeline** o ve que no la tiene, seleccione este comando y aparecerá.

- **Title Tool** (Herramienta Título): Abre la herramienta que utilizamos para crear títulos. Este comando hace lo mismo que **New Title** (menú **Clip**).

Menú Toolset

Los elementos de este menú cambian el aspecto de Avid. Abren las herramientas más útiles cuando se realizan tareas de edición comunes como capturar cintas de vídeo, corrección de color o añadir efectos visuales.

Puede abrirlas de forma individual pero es más fácil hacerlo con un toque de cursor (véase la figura A.11).

- **Color Correction** (Corrección de color): Abre una serie de herramientas que permiten realizar detallados ajustes de color a un clip de **Timeline**. Vimos la corrección de color en el capítulo 14.

- **Source/Record Editing** (Edición Origen/Grabación): Muestra los monitores **Source** y **Record**. Es el modo que hemos utilizado a lo largo del libro.

- **Effects Editing** (Edición de efectos): Al seleccionar este elemento, se abre **Effect Palette**, mostrando todos los efectos que hay disponibles. También se abre **Effect Editor**.

- **Audio Editing** (Edición de audio): Abre la herramienta **Audio Mixer** que puede alterar o mejorar la calidad del sonido. Como se trabaja con los clips de **Timeline**, no es necesario **Source Monitor**, sólo **Timeline** y **Record Monitor**, por lo que el primero desaparece.

- **Capture** (Captura): Al seleccionar este modo de edición, se abre la herramienta **Capture** para comenzar a capturar cintas en Avid.

- **Full Screen Playback:** Cambia la interfaz de Avid de modo que la secuencia se reproduce a pantalla completa en lugar de en **Record Monitor**. Esta opción sólo está disponible si está trabajando en una configuración de sólo-software de Media Composer.

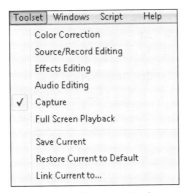

Figura A.11. Menú Toolset.

- **Save Current** (Guardar actual): Permite cambiar la forma en la que están configurados los elementos de **Toolset** y guarda los cambios. Este comando facilita dejar las cosas a su manera. Por ejemplo, cuando esté en modo **Source/Record**, puede preferir tener **Frame View** como vista predeterminada. Cambie la vista de la lata de **Brief** a **Frame** y después seleccione **Save Current** y desde ese momento **Source/Record** funcionará de esa forma.

- **Restore Current to Default** (Restaurar actual a preestablecido): Cualquier cambio realizado a la configuración preestablecida usando **Save Current**, se eliminará al seleccionar esta opción.

- **Link Current to...** (Enlazar actual a...): En el capítulo 4, ya discutimos **Settings**. Vimos cómo cambiar el color de latas o el fondo de **Timeline**. Cambiamos las opciones de teclado. También aprendimos a duplicar configuraciones y a llamar al original `Default` y al nuevo `Mine`. **Link Current to...** permite tener varias configuraciones, nombrarlas y después conectarlas a modos concretos de **Toolset**.

Menú Windows

Nunca utilizo el menú **Windows** (Ventanas) (véase la figura A.12) pero puede que encuentre útiles los siguientes comandos.

- **Close All Bins** (Cerrar todas las latas): Cierra todas las latas. Si tiene una secuencia abierta en **Source Monitor**, desaparecerá entonces, al igual que **Timeline**.

- **Home** (Inicio): Devolverá la ventana activa, normalmente **Composer** o **Timeline**, a su ubicación adecuada en el monitor para la reproducción de vídeo.

- **SuperBin: Output Sequence** (SuperLata: Secuencia de salida): Este comando simplemente activa la lata. El nombre del comando varía dependiendo del nombre de la lata abierta. Mi lata abierta se llama `Output Sequence` y estoy en modo **SuperBin**.

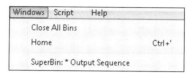

Figura A.12. *Menú Windows.*

Menú Script

Todos los elementos del menú **Script** (Guión) están relacionados con **Script Integration** (Integración de guión). **Script Integration** se basa en el estilo de edición utilizado normalmente para producciones cinematográficas. Es una de las funciones más potentes de Avid y requiere un capítulo completo para explicarla. Vimos sus funciones en el capítulo 18.

Menú Help

Avid ofrece una herramienta de referencia en línea, llamada **Avid Media Composer Help** (Ayuda de Avid Media Composer) que ofrece directrices que puede mirar si se atasca. La mayoría de ellas suponen que ya sabe mucho pero pueden ser muy útiles con problemas complejos (véase la figura A.13).

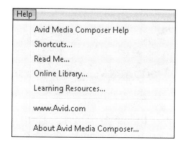

Figura A.13. *Menú Help.*

La selección Shortcuts... nos ofrece una lista de combinación de teclas. Read Me... le conecta al sitio Web de Avid para buscar ayuda, Online Library consiste en documentos PDF. Learning Resources le conecta con tutoriales sobre temas específicos que pueden ser útiles o frustrantes, dependiendo de la calidad de las instrucciones.

También le conecta al Avid Learning Excellerator, que ofrece generalmente lecciones bien diseñadas para ayudarle a dominar habilidades concretas de Avid.

Menús Tracking y Monitor

Sobre Source Monitor y Record Monitor hay dos filas de información que muestran números y datos sobre la secuencia y los clips de dicha secuencia. Las filas de números y datos tienen menús desplegables que le permiten cambiar el tipo de información mostrada (véase la figura A.14).

Figura A.14. Información de secuencia y clips.

Menú Tracking

Cuando hace clic y mantiene pulsado sobre un número o nombre, obtiene un menú que le permite cambiar lo que se ve en la pantalla de información de rastreo que hay sobre los monitores Source o Record.

En la figura A.15, he seleccionado I/O, que me dice el tiempo, en segundos, entre mis marcas de ENTRADA y SALIDA. Veamos las opciones.

- **Sequence**: Seleccione y mantenga pulsado Sequence para obtener el menú donde puede escoger cómo quiere que se muestre la información de secuencia, como código de tiempo, metraje o fotogramas. Aquí he seleccionado código de tiempo.

- **Source**: Seleccione Source para escoger el tipo de información que quiere ver en las pistas Source que se muestran debajo.

- **None** (Ninguno): No mostrará ninguna información.

- **Master**: Muestra el código de tiempo maestro en el punto en el que se encuentra actualmente el indicador de posición. Digamos que el código de tiempo de una secuencia es 01;00;00;00. Como puede observar en la figura A.15, estamos detenidos en un fotograma que está a 5 segundos del inicio de la secuencia.

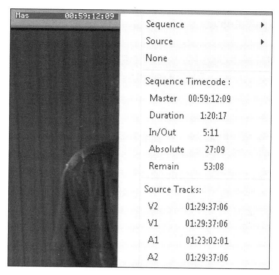

Figura A.15. *Menú Tracking.*

- **Duration:** Muestra la duración total de la secuencia (o clip).

- **In/Out:** Muestra el tiempo entre marcas de ENTRADA y SALIDA.

- **Absolute:** Este número indica cuánta secuencia hay antes del indicador de posición.

- **Remain:** Este número indica cuánta secuencia hay después del indicador de posición.

- **Source Tracks:** Ofrece información sobre los clips que hay en Timeline. Puede seleccionar el tipo de información en el menú Source.

Menús Source y Record Monitor

Tanto Source Monitor como Record Monitor tienen un menú Monitor. Haga clic en el nombre del clip en Source Monitor (véase la figura A.16) o bien el nombre de la secuencia en Record Monitor (véase la figura A.17) para abrir este menú.

- **Clear Monitor** (Limpiar monitor): Elimina los clips o las secuencias del monitor. La pantalla se vuelve negra pero los clips o las secuencias siguen abiertos.

- **Duplicate:** Duplica el clip o secuencia.

- **Clipboard Contents:** Siempre que copie algo de Timeline se guardará aquí. Seleccione este elemento para ver lo copiado.

- **Add Comments** (Añadir comentarios): Puede añadir comentarios a un clip y aparecerán en un EDL así como en Timeline si selecciona Comments en el menú rápido de Timeline.

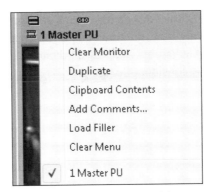

Figura A.16. *Menú Source Monitor.*

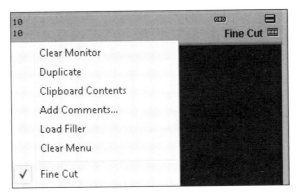

Figura A.17. *Menú Record Monitor.*

- **Load Filler** (Abrir relleno): Source Monitor se abrirá con un relleno negro. Digamos que quiere colocar 30 fotogramas (un segundo) de negro entre el final de una escena y el comienzo de la siguiente. Seleccione Load Filler. Marque una ENTRADA, avance 29 fotogramas y luego marque una SALIDA. Después marque una ENTRADA en Timeline allí donde desea que vaya el relleno. Seleccione todas las pistas y haga clic en Splice (Unir). Funciona como cualquier clip, sólo que tiene negro únicamente.

- **Clear Menu** (Limpiar menú): Elimina todo del menú excepto la secuencia o clip actual.

- **Clip/Sequence List** (Lista de clip/secuencia): Bajo el elemento **Clear Menu**, verá una lista de todas las tomas en **Source Monitor** o las secuencias abiertas en **Record Monitor**. La que tiene la marca es la que está actualmente en el monitor.

Hemos empleado un tiempo y energía considerables intentando digerir la enorme cantidad de comandos ubicados en los menús que forman el corazón de Avid. Puede que nunca utilice algunos, mientras que otros estarán continuamente en su repertorio. Siempre que haya equivalentes de teclado, intente aprendérselos ya que acelerarán su trabajo considerablemente.

Apéndice B. Contenido del DVD

Este DVD contiene todos los clips de vídeo y audio para los tres proyectos de edición. Le animo a que utilice la primera escena, llamada *Wanna Trade*, mientras lee el capítulo 1. El proyecto documental, *Kizza's Portrait*, es práctico para los capítulos 9 al 15. El tercer proyecto, *Gaffer's Delight*, es una escena dramática más complicada que *Wanna Trade* y un acompañamiento perfecto para el capítulo 18. Ahí introduciremos el archivo `Gaffer's Delight Script.TXT` y practicaremos la integración del guión. El DVD también contiene una carpeta llamada `Import Images` que explicaré en el capítulo 16. Finalmente, hay una película QuickTime de una cuenta atrás estándar que usaremos en el capítulo 19 cuando enviemos a cinta nuestros proyectos. Las instrucciones para importar el archivo de QuickTime se encuentran en el capítulo 16 (véase la figura B.1).

Para que el DVD pudiera contener todo el material, creé *Wanna Trade* en el formato estándar DV25, pero tuve que utilizar 15:1s para *Gaffer's Delight*. Es un formato comprimido por lo que las imágenes no se ven tan bien como son en realidad.

El contenido del DVD es compatible con plataformas de PC y Macintosh y debería funcionar bien en software nuevo y antiguo de Media Composer así como en la mayoría de sistemas Xpress.

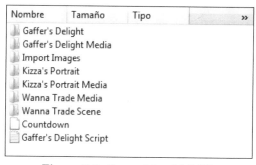

Figura B.1. *Contenidos del DVD.*

Las instrucciones que aquí se ofrecen explican cómo montar los proyectos de edición en Avid. No podría ser más fácil. Simplemente arrastre una carpeta y algunos archivos del DVD al ordenador. Debería llevarle menos de diez minutos crear el proyecto en el ordenador.

Instrucciones para montar Wanna Trade en un PC

Inserte el DVD en el ordenador. Haga doble clic en el icono del DVD. Cuando se abra, busque las carpetas llamadas `Wanna Trade Scene` y `Wanna Trade Media`.

1. Haga doble clic en **Equipo**. Haga doble clic en la unidad de medios del ordenador. Localice la carpeta `OMFI MediaFiles`. Si no la encuentra porque nunca ha capturado este tipo de medios en ese ordenador, cree una nueva carpeta, llámela `OMFI MediaFiles` y colóquela en el nivel superior del disco duro. La ortografía debe ser exacta. Haga doble clic de nuevo en **Equipo**.

2. Haga clic sobre la barra azul o superior y arrástrela para poder ver ambas ventanas.

3. Haga doble clic sobre la carpeta `Wanna Trade Media` para abrirla. Encontrará 22 archivos. Seleccione los 22 archivos de la carpeta y copie y péguelos en la carpeta `OMFI MediaFiles`. Los archivos tardarán entre 3 y 5 minutos en copiarse al disco duro.

4. Busque la carpeta `Proyectos Avid Compartidos` en la unidad C. El software MC 3.0 coloca la carpeta en Windows XP en `C:\Documents`

and Settings\Usuarios\Documentos compartidos\Pro-
yectos Avid Compartidos (véase la figura B.2). En Windows Vista,
se encuentra en C:\Usuarios\Público\Documentos públicos\
Proyectos Avid Compartidos. En versiones anteriores de Media
Composer se encuentra dentro de Mis documentos.

5. Vaya a la carpeta del DVD y copie la carpeta Wanna Trade Scene y
   péguela en la carpeta de Proyectos Avid Compartidos. Debería
   copiarse en unos segundos.

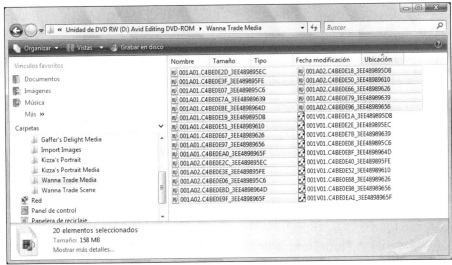

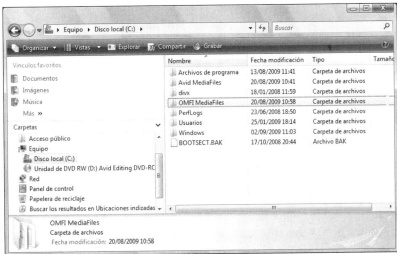

Figura B.2. *Ubicación de la carpeta de Proyectos Avid Compartidos.*

6. Dentro de la carpeta `Proyectos Avid Compartidos`, debería ver la carpeta `Wanna Trade Scene` que acaba de copiar. Haga clic con el botón derecho para abrir el menú **Propiedades**.

7. Haga clic en las casillas **Sólo lectura** para comprobar que la marca está eliminada. Haga clic en **Aplicar**. Se abrirá otro cuadro de diálogo. Hay dos casillas. Asegúrese de que la casilla **Aplicar cambios a esta carpeta, subcarpetas y archivos** está seleccionada. Si no es así, haga clic en ella. Ahora haga clic en **OK** y de nuevo en **OK**.

8. Cierre todas las carpetas y saque el DVD.

9. Vaya al capítulo 1.

Instrucciones para montar Wanna Trade en un Macintosh

Inserte el DVD en el ordenador. Haga doble clic en el icono del DVD. Cuando se abra, busque las carpetas llamadas `Wanna Trade Scene` y `Wanna Trade Media`.

1. Abra el disco duro interno de su Macintosh. Busque la carpeta `Shared Avid Projects` (**Usuarios>Compartido>AvidMediaComposer> Proyectos Avid Compartidos**). Ahora arrastre la carpeta `Wanna Trade Scene` del DVD a la carpeta `Proyectos Avid Compartidos` y suelte. Se copiará en unos segundos.

2. Haga clic en esta nueva copia de la carpeta `Wanna Trade Scene` y pulse **Comando-I** para abrir **Información**. En **Permisos**, asegúrese de que puede leer y escribir en todos los archivos. Cierre la ventana **Información**.

3. Busque ahora una carpeta llamada `OMFI MediaFiles` en el disco duro de su Mac. Debería estar en el nivel más alto. Si no la encuentra porque nunca ha capturado este tipo de medios en ese ordenador, cree una nueva carpeta, llámela `OMFI MediaFiles` y colóquela en el nivel superior del disco duro. La ortografía debe ser exacta.

4. Vaya al DVD y haga doble clic sobre la carpeta `Wanna Trade Media`. Encontrará 22 archivos. Seleccione todos los archivos haciendo clic en el primero y **Mayús-clic** en el último. Deben resaltarse todos. Arrástrelos a la carpeta `OMFI MediaFiles` y suelte (véase la figura B.3). Los archivos tardarán en copiarse unos siete minutos.

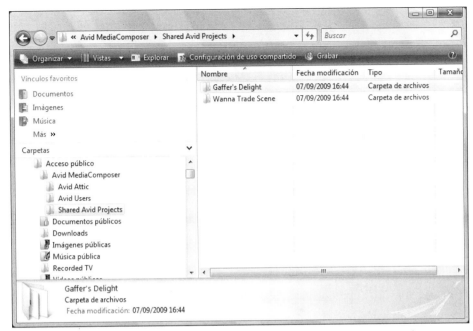

Figura B.3. *Arrastre los 22 archivos del DVD a la carpeta del disco duro.*

5. Cierre el disco duro. Saque el DVD.

6. Vaya al capítulo 1.

Índice alfabético

3D Picture in Picture, 319
3D Warp, 319

A

Abrir, 28
    Digital Cut, 436
    en aplicación nativa, 486
    herramienta Títulos, 259
    tomas del guión, 412
    último proyecto al iniciar, 117
Aceleración, 292
Acelerador digital no lineal, 167
Activa
    paleta, 120
    ventana, 50
Agujero negro, 492
AIFF-C, 164, 165
AIFF-C, 165
Ajustar
    corrección color, 329
    líneas de toma, 411
    longitud títulos, 266
    velocidad títulos rodantes, 279

Alignment, 275
Alineación, 275
Alpha, 358
Alta definición, 146-148, 379-403
    4:3 versión buzón, 396
    cambiar monitores a 4:3. 396
    capturar con
        Adrenaline HD, 387
        Mojo DX, 387
        Nitris DX, 387
    con
        Adrenaline, 385
        Mojo, 385
        Nitris DX, 385
    conectar pletina, 386
    conversión cruzada, 399
    convertir
        clips a SD, 391
        secuencia a SD, 394
    crear títulos, 390
    DVC Pro HD, 148
    efecto Pan and Scan, 397
    HD
        estándar, 148
        Primer 1080i, 382

Primer 1080p, 382
Primer 720p, 381
Primer DV, 381
Primer HDV, 383
Primer, 380
HDV, 148
importar gráficos, 390
mezclar en Timeline, 391
Raster Type, 147
ratios fotogramas por segundo, 384
reenlazar medios HD, 393
rendimiento de reproducción, 390
versión SD con Transcode, 391
exportar película QuickTime, 367
Altavoces, 32
Altavoz, icono hueco, 192
Ambiente, 187
Añadir
botón fotograma clave, 296
canal, 151
disoluciones, 299
efectos de sonido, 38, 213
efectos, 38
fundidos a títulos, 266
pistas de audio, 189
pletina, 152
relleno, 446, 492
rodillos, 94
títulos, 38, 276
tomas, 53
a guión, 408
ubicador, 120
Analógico, 387
Apariencia, 117
Aplicar
más efectos, 286
un efecto, 284
Arañazos, eliminar, 313
Archivo
flex, 467
Menú, 478-480
revelar, 479
Archivos, 35
.jpg, 353
.m2t, 184
exportar otros tipos, 376
importar archivo gráfico, 353
MPEG, 368-371

PCM, 164-165
recuperar del ático, 251
WAVE, 164-165
Arrastrar
a una marca, 96
carpeta MediaFiles, 254
edición, 110
recorte, 87
rodillos, 100
Arrastre estándar 2:3, 455
Arreglar, títulos con modo efecto, 305
ASCII, 406
Aspect Ratio, 356
Aspecto, relación, 355
Ataque de los clones, El, 188
Ático, 250, 251
carpeta, 252
recuperar archivos, 251
Audio, 164-168
AIFF-C, 165
analógico, 387
archivos PCM, 164-165
archivos WAVE, 164-165
AudioSuite, 495
Auto Gain, 200
botón, 195
bucle, 196
Pan, 198
cambiar niveles, 194-199
canales, 154
comprobación, 430
configuración dispositivos entrada y salida, 166
DAT, 460-461
Data, 199-204
exportar a Pro Tools, 374
fotogramas clave, 202
gráfico de ondas, 204,205
grupos, 196
herramienta Mezclador, 195
Mixdown, 494
muestreo, 164
MXF, 165
Nagra, 460-461
nivel de referencia, 211
opciones, 164
Panning, 197
Pro Tools, 213
rampas, 201, 214

Scrub, 192, 193
solapado, 341
solucionar problemas, 211, 212
sustituir pistas, 444
tiempo de inicio, 462
Tone Media, 430
tono de referencia, 430
volumen maestro, 194
AudioSuite, 495
Aumentar
pistas, 67
resolución fuera de línea, 438
Auto Gain, 200
Autoguardado, 116, 479
AutoSequence, 485
Aviador, El, 59
Avid, 28
Avid-L, 472
carpeta Shared Projects, 246, 510
Digidesign, 195, 474
DS Nitris, 473
DS, 480
editor, 473
formato de proyecto, 460
futuro, 474
MediaFiles, 184, 256, 375
Newscutter, 474
otros productos, 473
sonido, 460
Unity ISIS, 473
Unity MediaNetwork, 473
Ayuda, Menú, 500

B

Barras de color, 360
Barras SMPTE, 358
Berenger, Tom, 130
Beta SP, 34, 145, 387, 391
Bin
Menú, 483-487
vistas, 43
Bloqueo de sincronización, 342-345
Blue-Ray
crear con Sorensen Squeeze, 448
crear, 449
Borrador de montaje, 105, 105, 109
Botones de comando, 121

Brevedad, 135
Brief View, 43, 52, 104, 108, 123, 409
Buscando a Nemo, 188
Buscar
agujero negro, 492
fotograma flash, 492
guión, 421
otra vez, 483
Buzón, 396

C

Cabeza, 81
Cabezas parlantes, 134
Cables, 149
Calculadora, 496
Cámara
1080i/30PN, 173
720p/24PN, 173
720p/30PN, 173
conectar, 430
importar desde, 174
lenta, 301
rápida, 301
Cámaras
conectar, 150
configurar, 150
Cambiar
apariencia pizarra, 410
botones de comando, 121
código de tiempo, 435
entre modos, 99
monitores a 4:3, 396
niveles de audio, 194-199
panning de clips, 198
rodillo sencillo a doble, 93
títulos, 276
vista Timeline, 66
volumen de clips, 198
Campos, efecto de movimiento, 301
Canales
audio, 154
vídeo, 154
Cannes, 468
Capa de transparencia, 358
Captura, 30, 157
botón, 157
controles, 158

Capturar, 36
   lotes de clips registrados, 160
   medios fuera de línea, 252
Carpeta
   Assembly, 52
   Attic, 252
   Avid MediaFiles, 184, 254-256, 375
   Avid Shared Projects, 246, 510
   Avid User, 114
   CONTENTS, 176, 179
   crear, 112
   OMFI MediaFiles, 256, 375
   User Profile, 114
   Vídeo, 176
   Wanna Trade, 248
Cinta
   grabación forzosa, 432
   HDV, 438
   pasar a, 430-436
   transferir película, 454
Cintas, 35
   nombrado, 153
Claqueta, 463, 465
Clip, Menú, 488.491
Clips, 42
   cambiar
      panning, 198
      volumen, 198
   capturar lotes registrados, 160
   convertir maestros a SD, 391
   eliminar, 111
   enlazar a guión, 407
   marcar, 61
      en Timeline, 69
   registrados, 160
   seleccionar, 105
   subclips, 161
Clonar, 311
Cobertura, 420
Códecs, 385-386
Codificación, 480
   de campo, 448
   de texto, 424
Código de tiempo
   cambiar, 435
   grabar, 434
   NDF, 457-462
   palabras, 34

rupturas, 444
tipos, 457
Color
   barras, 360
   controles HSL, 330
   corrección automática, 325
   corrección, 321-330
   cubos, 329
   curvas, 330
   de pista, 122
   dithered, 358
   guardar ajustes corrección, 329
   igualar, 331
   importar, 356
   Levels, 358
   líneas de toma, 423
   niveles, 358
   RGB, 353, 356, 358, 361, 365, 369
   rueda, 316
   selector, 261, 267, 268
   títulos, 267
Columnas
   mover, 108
   ocultar, 485
Complementos, efectos, 332
Composer, Settings, 116
Comprobar audio, 430
Conceptos básicos edición, 59-79
Conectar
   cámara, 430
   pletina, 430
Conexión
   cámaras HDV, 150
   equipo, 149-152
   pletinas, 150
Configuración
   copiado usuario, 249
   dispositivos audio, 166
   guardado usuario, 249
   importar, 172
   pantalla, 122
   tipos, 114
Configurar
   cámaras, 150
   pistas sonido, 213
   pletinas, 150
Congelar, 299
Consejos, 127-141

Consola, 479, 497

Consolidar, 391, 392, 395, 490

Contador de fotogramas, 89, 96, 98, 237

Continuidad, 128-129

Controlador, instalación P2, 174

Controles HSL, 330

Conversión cruzada, 399

Convertir
    a SD, 182
    secuencia HD a SD, 394

Copia de seguridad
    archivos de medios, 254
    diarias, 255

Copiar
    configuración usuario, 249

Copias
    convertir a SD, 182
    copia maestra, 182
    P2, 179-182

Corrección de color, 321-330
    automática, 325
    controles HSL, 330
    cubos de color, 329
    curvas, 330
    guardar ajustes, 329
    Herramientas, 324
    igualar color, 331
    Menús desplegables, 323
    volver a preestablecido, 328

Corresponder fotograma, 240

Corte
    en L, 92
    lista, 467, 468
    puntos, 52, 61, 64, 76, 234

Creación, fecha, 107, 475

Crear nuevo proyecto, 36

Crear, 36
    archivo MPEG, 368-371
    Blue-Ray con Sorensen Squeeze, 448
    Blue-Ray, 449
    carpetas, 112
    DVD progresivo, 448
    hojas de estilo de títulos, 269
    Lata, 37, 103
    nuevo proyecto, 36
    primer título, 262
    títulos en alta definición, 390

Creative Cow, 472

Críticas, 138

Crominancia, 324

Cubos de color, 329

Curvas, 330

D

DAT, 460-461

Decompose, 442

Definición estándar, 144-146
    exploración entrelazada, 144
    exploración progresiva, 144
    NTSC, 144
    opciones NTSC, 145
    PAL, 145
    SECAM, 146

Defoe, Willem, 130

Desbloquear
    pistas, 347
    selección de lata, 492

Desenlace, 133

Deshacer, 76
    Trim Mode, 89

Desplazamiento
    botón, 198
    cambiar en clips, 198
    centrar, 488
    establecer, 198
    pistas, 193
    por defecto, 488

Desplazar, 67

Detalle, 66

Diálogo
    en off, 421
    pistas, 347, 430, 488, 494

Dibujar objetos, 272

DigiBeta, 34, 145, 387, 459-460

Digital Cut, 433-436
    Abrir, 436
    grabar código de tiempo, 434

Digitalvideoediting.com, 472

DigiTranslator, 374

Dirección de pantalla, 129

Directorio de medios, 481

Discos
    espacio, 163
    extraíbles, 175-178
    Unmount, 181

Disoluciones, 299
Dispositivos de entrada, 34
Dithered, 358
DNA/1394, 436
DNxHD, 163, 385-386, 388, 490
Documentales, 134
Dongle, 31
Drop-frame, 457-458
Duplicar secuencia, 69
Duración, 106-108
   secuencia, 498
Dv.com, 472
DVC Pro HD, 148
DVD
   contenido, 507-513
   salida, 445-448
DVD progresivo, Sorensen Squeeze, 448

E

Ecualización, 205-208
   ajustar, 205
   guardar efecto, 208
   plantillas, 207
Edición, 27, 35, 37
   arrastrar y soltar, 110
   conceptos básicos, 59.79
   corresponder fotograma, 240
   efectos, 289
   grabación, 41
   herramientas efectos, 292
   integración de guión, 403
   lista de decisión, 493, 503
   Modo Segmento, 217-229
   no lineal, 28, 218, 403, 471
   punto de sincronización, 494
   reglas, 59
   trucos sincronización, 340
   una marca, 239
Editar, Menú, 481-482
Editor, de efectos, 289
EDL, 493, 503
Efecto, botón eliminar, 207
Efectos avanzados, 309-319
   3D Picture in Picture, 319
   3D Warp, 319
   clonar, 311
   eliminar arañazos, 313

   fotogramas clave, 317
   Picture in Picture, 315
   pintar, 309
Efectos de sonido
   añadir, 38, 213
   pistas, 488
   volumen, 194
Efectos, 283-309
   añadir disoluciones, 299
   añadir, 38
   aplicar más, 286
   aplicar uno, 284
   botón Fade, 267
   cámara lenta, 301
   cámara rápida, 301
   complementos, 332
   congelar fotogramas, 299
   editor, 289
   eliminar, 287
   esperar renderización, 305
   estroboscópico, 303
   Foreground Level, 291, 293
   fotogramas clave, 298
   guardar como plantilla, 298
   interpretación, 304-306
   interpretar
      complejos, 332
      efectos movimiento de dos campos, 303
   marcha atrás, 302
   movimiento, 301-303
      de dos campos, 301
   paleta, 284
   Pan and Scan, 397
   renderización, 304-306
   renderizar
      de uno en uno, 304
      múltiples, 305
   revisión rápida, 298
   Shape Wipe, 286
   Squeeze, 285
   tiempo real, 288
   tipos, 284
Elementos, mapear al teclado, 241
Eliminar
   arañazos, 313
   botón efecto, 207
   clips, 111
   edición partida, 92

efectos, 287
localizadores, 340
medios, 441
pistas sonido, 193
pizarras, 412
pre-cómputos no referenciados, 439-442
secuencias, 111
tomas del guión, 412
En línea, 429
Encabezados
selección, 107
Vista Texto, 106
Encuadre, 459
Energy Plot, 204
Enlazar
clips a guión, 407
entrar Modo Segmento, 224-226
transición, 83
Entrada, 34
dispositivos, 34
audio, 166
puntos, 55, 158, 161, 168, 464, 492
Entrar
Modo Segmento, 224-226
pistas seleccionadas, 98
Rodillo único, 84
Trim Mode, 99
Entrevistas, 134, 217, 226, 309, 424
transcripción, 134, 424
Equipo, conectar, 149-152
Escalar, 67
Espaciado, 262
Espacio de disco, 163
Espejo, 405
Estroboscópico, 303
Estructura, historia, 133
Expert Render, 332
Exploración
entrelazada, 144
progresiva, 144
Exportar, 362-376
audio a Pro Tools, 374
crear archivo MPEG, 368-371
fotograma fijo, 363
Google, 368
ir a Pro Tools, 374
iTunes, 38
otros tipos de archivo, 376

película QuickTime, 366
alta resolución, 367
Reference, 371
preparación, 363
sitio Web, 368
vídeo, 366
Youtube, 368
Extract, 70
Modo Segmento, 219
recortar tomas, 73
Extraíble, 175-178

F

Fecha de creación, 107, 475
Fijar, volumen de salida, 194
File Field Order, 357
FilmScribe, 493
Fin, 64
Finalizar, sesión, 56
FireWire, 28, 30, 32, 34, 149, 150, 167, 181, 438
cables, 150
conexión, 150
tipos, 150
Flechas, 275
Flex, 467
Flujo de trabajo, 35
con película, 467
Forground Level, 291, 293
Forma de píxel, 355
Formato
1080i, 382
1080p, 147, 149, 382
23.976p NTSC, 392, 395
30i NTSC, 145, 162
720p, 184
JVC, 148, 383
proyecto Avid, 460
TIFF, 365
Fotograma
C, 455
corresponder, 240
exportar fijo, 363
flash, 492
I, 384
reducir, 109
referencia, 323
teclas de recorte, 85

único, 65
vista, 108
Vista, 43, 52, 122, 253, 499
Fotogramas clave
avanzados, 317
botón añadir , 296
Fotogramas
colocar claves, 202
congelar, 299
contador, 89, 96, 98, 237
D, 455
efectos, 298
ratios, 384
seleccionar
formato, 172
ratio, 172
Frame View, 43, 52, 122, 253, 499
Fuente, 262
Fuera de línea, 429
aumentar resolución, 438
capturar medios, 252
Fundidos, añadir a títulos, 266

G

GOP, 148, 172, 384, 448
Grabación
edición, 41
forzosa, 432
monitor, 32, 45
origen, 41
Grabar
código de tiempo, 434
Digital Cut, 433
Gráfico de ondas, 204, 205
Gráficos, importar en alta definición, 390
Guardar, 245-258
ajustes corrección de color, 329
configuración de pantalla, 122
configuración usuario, 249
copias de seguridad, 246
efecto
como plantilla, 298
EQ, 208
forzar autoguardado, 116, 479
títulos, 264
unidades flash USB, 246
Guerra de las galaxias, La, 188

Guía de encuadre, 459
Guión
abrir tomas, 412
ajustar líneas de toma, 411
añadir tomas, 408
buscar, 421
cambiar pizarra, 410
cobertura, 420
colocar marcas manualmente, 414, 415
color de líneas, 423
diálogo en off, 421
elementos del menú, 424
eliminar
pizarras, 412
tomas, 412
enlazar clips, 407
Gaffer's Delight, 425-429
integración, 403-429
línea de toma, 422
marcas, 413
Menú, 500
mover pizarra, 412
números de
escena, 420
página, 420
pasar a Avid, 406
reproducir
tomas marcadas, 419
tomas, 412
ScriptSync, 416-419
toma preferida, 423
Vista, 44, 52, 104, 123

H

Habilidades básicas, 61
Hamburguesas, 46, 106
HD
con
Adrenaline, 385
Mojo, 385
Nitris DX, 385
estándar, 148
mezclar con SD en Timeline, 391
reenlazar medios, 393
HDV, 148
a cinta HDV, 438
a HD, 399

importar otros medios, 184

trabajar con medios importado, 184

Herramienta

de captura, 153-160

Digital Cut, 436

Herramientas

edición de efectos, 292

Menú, 41, 495-498

Mezclador de audio, 195

Títulos, 259

Historia,

desenlace, 133

estructura, 133

nudo, 133

planteamiento, 133

Hojas de estilo, títulos, 269

Host-1394, 156

HSL, 330

I

Icono

altavoz hueco, 192

monitor de vídeo, 68, 265

Track Monitor, 68

Identificar, toma preferida, 423

IEEE 1394, 30-31

iLink, 149

Illusion FX, 289

Importar, 36, 171-187, 351-361

Alpha, 358

archivo MP3, 188

archivos gráficos, 353

Aspect Ratio, 356

barras de color, 360

Color Levels, 358

color, 356

configuración, 173

desde

cámara, 174

CD, 188

File Field Order, 357

forma de píxel, 355

gráfico a canal alfa, 359

gráficos de alta definición, 390

opciones, 356

ordenador vs. televisión, 355

otros medios HDV, 184

película QuickTime, 361

Píxel Aspect, 356

relación de aspecto, 355

Single Frame, 359

Inactividad, 116

Independent Film Channel, 454

Indicador

pérdida sincronización, 336

posición, 65

Infiltrados, 59

Iniciar, nuevo proyecto, 141

Inicio, 39, 64

nueva secuencia, 109

sesión, 50

Instalación

software controlador P2, 174

transferencia instrucciones, 458

Instrucciones

laboratorio, 458

montar en

Macintosh, 510-513

PC, 508-510

Integración de guión, 403, 429

abrir tomas, 412

ajustar líneas de toma, 411

añadir tomas, 408

buscar, 421

cambiar apariencia pizarra, 410

clips, 405

cobertura, 420

colocar marcas manualmente, 414, 415

color de líneas, 423

diálogo en off, 421

edición, 403

ejemplo, 404

elementos del menú, 424

eliminar

pizarras, 412

tomas, 412

enlazar clips, 407

Gaffer's Delight, 425-429

marcas, 413

monitores, 405

mover pizarra, 412

números de

escena, 420

de página, 420

pasar guión, 406

reproducir
  tomas marcadas, 419
  tomas, 412
  ScriptSync, 416-419
  toma preferida, 423
  una línea de toma, 422
Interfaz digital de conexiones en serie, 387
Interfaz, 41
  Settings, 117
Interpolar posición, 424
Interpretación
  experta, 332
  títulos, 278
Interpretar
  efectos complejos, 332
  en posición, 490
Invertir
  existente, 108
  parámetros, 292
  selección, 441, 486
ITU-R 601/709, 353, 355

J

J-K-L, 236
  recorte, 99
JVC
  formatos, 148, 383
  opciones cámara, 148

K

Kerning, 262

L

Laboratorio
  instrucciones, 458
  orden de trabajo, 458
Lápiz, 160
Lata
  botón nueva, 103
  crear, 103
  de destino, 155, 253, 277
  desbloquear selección, 492
  Menú, 483-487
  mover columnas, 108

ordenar, 108
settings, 115
Vista Texto, 106
Latas, 37, 42, 104-108
  organizar, 153
Lift, 70
  Modo Segmento, 221
Limpiar audio, 205
Línea temporal, 46
Líneas, 275
  horizontales, 381
Lista
  de corte, 467, 468
  decisión de edición, 493, 503
  Deshacer/rehacer, 76
Live Mode, 203
Localizadores, 338
  eliminar, 340
Log Mode, 159
Longitud título, ajustar, 266
Lotes, capturar, 160
Luminancia, 324

M

Macintosh, montaje de escena, 510-513
Mantra, 75
Mapa de muestra, 204, 212-213, 465
Mapear, elementos de menú al teclado, 241
Marca, arrastrar a, 96
Marcado, 74
Marcar
  clips, 61
    en Timeline, 69
Marcas
  de guión, 413
    colocar manualmente, 414, 415
  fantasma, 494
  tres, 73
  una, 239
Margen izquierdo, 424
Marquee, 280
Medios
  actualizar directorios, 481
  asociados, 11, 488
  capturar fuera de línea, 252
  eliminar, 441
  fuera de línea, 252

reenlazar, HD, 393
unidad, 31
Memento, 133
Memoria, tarjetas, 171
Menús desplegables, corrección de color, 323
MetaSync Manager, 496
Mezclar
SD y HD en Timeline, 391
títulos, 269
Mickey Mousing, 135
Micrófonos, 153, 313
Minority Report, 188
Mirada, recorrido, 128
Mixdown
audio, 494
vídeo, 494
Modo Segmento, 217-229
configuración Timeline, 218
enlazar para entrar, 224-226
Extract, 219
Lift, 221
mover sonido, 223
Overwrite, 221
Splice, 219
Modo
Live, 203
MultiCamera, 485, 494
Recorte, 80-100
Registro, 159
SuperBin, 105
Monitor
de grabación, 45
Menú, 503
de origen, 45
Menú, 62, 503
de Pista, 68
icono vídeo, 68, 265
Menú, 501
Waveform, 324
Monitores, 32
cambiar a 4:3, 396
cliente, 32
grabación, 32
integración de guión, 405
origen, 45
pista, 191-192
reproducción, 32
Monitorizar una pista, 191

Montaje, 51
ajustar longitud título, 266
borrador, 105, 105, 109
títulos
en secuencia, 264
rodantes, 277
Mostrar
marcas fantasma, 494
no cribados, 486
todas las tomas, 422
Mover
columnas, 108
pizarra, 412
sonido a pistas distintas, 223
Movimiento
cámara
lenta, 301
rápida, 301
efectos, 301-303
estroboscópico, 303
marcha atrás, 302
MP3, importar, 188
MPEG-2, 148, 383
MPEG-4, 370
Muestreo de audio, 164
MultiCamera, 485, 494
MXF, 165

N

Nagra, 460-461
Narración, 191
Navegación, Timeline, 64
NDF, 457-462
Negativo, 454
cortador, 467,493
preparación, 458
Neuman, Rache, 7
Nivel primer plano, 291, 293
Niveles, correctos, 209
NLE, 28, 218, 403, 471
NO DECK, 156
Nombrar
cintas, 153
clips en integración, 405
NTSC, 144
Nudo, 133
Nuevo proyecto, crear, 36

O

Ocultar
  barras de herramientas, 291
  columna, 485
  Media Composer, 477
OMFI MediaFiles, 256, 375
Opciones
  importación, 356
  marcado, 74
  NTSC, 145
Ordenar, 108
Organizar latas, 153
Origen, monitor, 45
Overwrite, 62
  Modo Segmento, 221

P

PAL, 145
Palabras, 34
Paleta
  activa, 120
  efectos, 284
Pan
  and Scan, 397
  botón, 198
  centrar, 488
  por defecto, 488
  set, 198
Panasonic
  HVX200, 171-179
  P2 Gear, 177
Paneles, 30
Panning, 197
Pantalla
  configuración, 122
  dirección, 129
Parámetros
  aceleración, 292
  invertir, 292
Pasar a cinta, 430-436
Pauta, 132
PCM, 164-165
Película, 453
  acabado, 466
  arrastre estándar 2:3, 455
  flujo de trabajo, 467

  transferida a vídeo, 456
  transferir a cinta, 454
Perfil de usuario, 113
Pestañas
  de toma, 409-410
  paleta de comandos, 123
Phillips, Michael, 448, 472
Picture in Picture, 315
Pintar, 309
Pista, Monitor, 68
Píxel
  Aspect, 356
  forma, 355
  no cuadrado, 356
Pizarra
  cambiar apariencia, 410
  eliminar, 412
  mover, 412
Planteamiento, 133
Plantilla, efectos, 298
Platoon, 129
Pletinas
  añadir, 152
  conectar, 150, 430
  configurar, 150, 167
Portapapeles, 75
Post-producción, 28, 400, 461, 468, 473
Pre-cómputos, 439-442
Primer montaje, 51
Privado, proyecto, 142
Pro Tools, 213
  LE, 374
Problemas de sincronización, 335
Profundidad de sombra, 263
Proyección, 136-138
  insensibilidad, 138
  proyeccionista, 136
  público, 136-137
Proyecto
  abrir último al iniciar, 117
  compartido, 143
  crear nuevo, 36
  externo, 143
  iniciar nuevo, 141
  privado, 142
  salida, 38
  ventana, 42
Puertos, 30, 31

Pulp Fiction, 133
Punto de
    entrada, 55, 158, 161, 168, 464, 492
    observación, 232
    sincronización, 494
Puntos de corte, 52, 61, 64, 76, 234
    saltar a, 64

Q

Quad Display, 324
QuickTime
    exportar
        película alta resolución, 367
        película, 366
        Reference, 371
    importar película, 361

R

RAM, 30
Ranura PCMCIA, 176
Raster Type, 147
Rasterización, 147
README, 29
Reasignación botón a botón, 120
Recaptura
    preparación secuencia, 442
    proceso, 442
Recortar, 73
    arrastrar, 87
    cara, 96
    durante visionado, 95
    en dos direcciones, 229, 341
    tomas con Extraer, 73
    Watch Point, 229
Recorte, 79-103
    de fotograma, teclas, 85
    en dos direcciones, 229
    J-K-L, 99, 236
    práctica, 88-89, 90-91
    toma, 132
Recrear títulos 445
Referencia
    establecer nivel, 211
    fotograma, 323
    tono, 430

Refresh Media Directories, 481
Registro, 159
Regla de los 180 grados, 131
Reglas, 59
Relación de aspecto, 355
Relleno, 446, 492
    negro, 72, 504
    rojo, 264
Renderización
    arreglar títulos, 305
    de uno en uno, 304
    efectos, 304-306
        complejos, 332
    en posición, 490
    espera, 305
    experta, 332
    movimiento de dos campos, 303
    múltiples
        efectos, 305
        títulos, 278
    títulos rodantes, 278
Replace, 237
Reproducción
    con tres botones, 48
    monitor, 32
    rendimiento alta definición, 390
Reproducir tomas
    del guión, 412
    marcadas, 419
Resolución, 162
    aumentar fuera de línea, 438
    destino, 394, 400
    opciones, 162
Restaurar
    a origen, 399
    desde cinta de vídeo, 492
    secuencias, 182
Reunir material, 35
Revelar archivo, 479
Revisión
    efectos, 298
    transición, 87
    Trim Mode, 99
RGB, 353, 356, 358, 361, 365, 369
Rodantes, títulos, 277
Rodillo
    doble, 80
        Trim Mode, 91-94

sencillo, 83-87
    cambiar a doble, 93
    entrar, 84
    problemas sincronización, 97
Rodillos
    añadir, 94
    arrastrar, 100
Rollo-B, 134, 135
Rosenberg, Scott, 453
Rueda de color, 316
Rupturas código de tiempo, 444
Rydstrom, Gary, 188

S

Sadfie, Bennie, 454, 467
Sadfie, Josh, 454, 467
Salida
    a DVD, 445-448
    dispositivos audio, 166
    fijar volumen, 194
    Menú, 492-493
    pestaña, 105
    proyecto, 38
Salir de Trim Mode, 82, 99
Saltar, 64
    a puntos de corte, 64
Salvar al soldado Ryan, 188
Sample Plot, 204, 212-213, 465
Schoonmaker, Thelma, 59
Script View, 44, 52, 104, 123
ScriptSync, 416-419
Scrub, 192, 193
Secuencia
    añadir tomas, 53
    AutoSequence, 485
    cambiar código de tiempo, 434
    convertir a SD, 394
    duplicar, 69
    duración, 498
    eliminar, 111
    grabar código de tiempo, 434
    HDV a cinta HDV, 438
    iniciar nueva, 109
    montar títulos, 264
    preparación recaptura, 442
    restaurar, 182
    sin título, 52

Segunda sesión, 60
Selección
    encabezados, 107
    herramienta, 262
    invertir, 441, 486
Seleccionar
    clips, 105
    color, 261, 267, 268
    fondo títulos, 261
    formato fotogramas, 172
    fuente, 262
    pistas para Scrub, 193
    ratio fotogramas, 172
Selector de color, 261, 267, 268
Señor de los anillos, El, 188
Sesión
    finalizar, 56
    inicio, 50
    segunda, 60
Settings, 112-122
    Bin, 115
    cambiar botones de comando, 121
    color de pista,122
    Composer, 116
    configuraciones, 114
    guardar configuración pantalla, 122
    Interface, 117
    opciones de teclado, 118
    perfil de usuario, 113
Shape Wipe, 286
Shuler-Donner, Lauren, 453
Silenciar pistas, 203
Simpson, Claire, 129
Sincronización, 335-351
Single Frame, 359
Sistema
    alimentación ininterrumpida, 33
    memoria, 30
    operativo, 30
    partes, 30
Slide, 232, 235
Slip, 232, 233
SMPTE, 358
Solapado, 341
Soltar carpeta MediaFiles, 254
Sombras, 263
    profundidad, 263
    suaves, 270

Sonido, 38, 187-217
Sony
    DSR-11, 34, 435
    DSR-25, 435
    XDCAM EX, 171, 183-184
Sorensen Squeeze, 448
Source Monitor, Menú, 62
Splice, 62
    Modo Segmento, 219
Squeeze, 285
Stone, Oliver, 129
StudentsFilmmakers Magazine, 472
Subclips, 161
SuperBin, 44
    botón activar, 405
    Modo, 105
Superimpose, 273, 293, 359
Superponer, 273, 293, 359
Survivor, 159
Sustituir
    pistas de audio, 444
    sonido, 212
S-Video, 24, 387, 437
Symphony Nitris DX, 473
Sync Point, 494

T

Target Video Resolution, 393, 400
Tarjeta
    de memoria, 171, 183
    gris, 459
Técnicas avanzadas, Trim Mode, 94
Telecine, orden de trabajo, 458
The Bachelor, 159
Tiempo de inicio de audio, 462
Timeline, 63
    cambiar vista, 66
    configuración Modo Segmento, 218
    desplazar, 67
    escalar, 67
    marcar clips, 69
    menú rápido, 66
    mezclar SD y HD, 391
    Vistas, 212
Títulos rodantes, 276
    ajustar velocidad, 279
    renderización, 278

Títulos, 259-283
    agregar, 276
    ajustar
        longitud, 266
        velocidad, 279
    añadir, 38
        fundidos, 266
    arreglar con modo efecto, 305
    botón, 261
    cambiar, 276
    color, 267
    con objetos, 273
    crear
        en alta definición, 390
        hojas de estilo, 269
    dibujar objetos, 272
    flechas, 275
    guardar, 264
    herramienta, 259
        selección, 262
    interpretación, 278
    líneas, 275
    luminosos, 271
    Marquee, 280
    Menú Alignment, 275
    mezclar, 269
    montaje
        en secuencia, 264
        rodantes, 277
    otros botones, 276
    recrear, 445
    renderización, 278
    renderizar múltiples, 278
    reptantes, 279
    seleccionar fondo, 261
    sombras suaves, 270
    transparencia, 275
Tomas
    añadir a la secuencia, 53
    colores de línea, 423
    de guión, 412
    de recorte, 132
    entrantes, 81
    mostrar todas, 422
    pestañas, 409-410
    preferida, 423
    reacción, 132
    recortar con Extraer, 73

reproducir, 412
   marcadas, 419
   una línea, 422
Tone Media, 430
Tono de referencia, 430
Toolset, Menú, 498-500
Toro Salvaje, 59
Trabajo, flujo, 35
Tracking, Menú, 501
Traductor digital, 374
Transcode, 391
Transcripción, 134, 424
Transferencia
   instrucciones a instalación, 458
   no supervisada, 459
Transición
   cara-A, 343
   enlazar, 83
   revisión, 87
Transparencia, 275
   capa, 358
Trim Mode, 80-100
TX-8 59.94 Crystal, 461

U

Ubicador, 120
Uganda, 24, 29, 217, 474
Unidad, 35
   de medios, 31
   flash USB, 246
   ventana, 155
Unir pistas de audio, 189
Unmount, 181
UPS, 33
USB, 246
Usuario
   copiar configuración, 249
   guardar configuración, 249
   perfil, 113

V

Van der Ryn, Ethan, 188
Vectorscope, 324
Vídeo
   canales, 154

exportar, 366
icono monitor, 68, 265
Mixdown, 494
película transferida, 456
resolución, 162
   de destino, 393, 400
restaurar desde cinta, 492
Visionado, 95, 100, 423
   recortar, 95
Vista
   Fotograma, 108
   Texto, 106
   Timeline, cambiar, 66
Volumen
   efectos de sonido, 194
   fijar salida, 194
   maestro, 194
   rampas, 201, 214
Volver a color preestablecido, 328
Voz en off, 134, 221

W

Watch Point, 229
WAVE, 164-165
Waveform, 324
Wikipedia, 146
Wingate, Josh, 7

X

X, eje, 317-320
Xpress, 33, 40, 42
   icono, 141
   Pro, 319, 397

Y

Y, eje, 317-320
Youtube, 368

Z

Zoom
   centrado, 285
   In/Out, 66